Tess Gerritsen

Sterf twee keer

the house of books

Oorspronkelijke titel: *Die Again*
Oorspronkelijk uitgegeven door: Ballantine Books, New York 2014
© Tess Gerritsen, 2014
© Vertaling uit het Engels: Els Franci-Ekeler, 2014
© Nederlandse uitgave: The House of Books, Amsterdam 2014
Omslagontwerp: Loudmouth/Robert Adriaansen, Utrecht
Foto auteur: © Spiley/Petra van Vliet
Typografie: ZetSpiegel, Best

ISBN 978 90 443 4554 4
ISBN 978 90 443 4555 1 (e-book)
NUR 332

www.thehouseofbooks.com

The House of Books is een imprint van Dutch Media Books bv

I

De Okavangodelta, Botswana

Door de schuine invalshoek van het prille zonlicht zie ik het meteen, subtiel als een watermerk, afgedrukt op een kaal stukje grond. Later op de dag, als de Afrikaanse zon heet en fel boven onze hoofden staat, zou het me ontgaan zijn, maar vroeg op de ochtend hebben zelfs de kleinste randjes en kuiltjes een schaduw, en als ik uit onze tent kruip, valt de pootafdruk me meteen op. Ik ga er op mijn hurken naast zitten. Er loopt een rilling over mijn rug als ik besef dat we slechts beschermd door dun tentdoek hebben geslapen.

Richard kruipt door de flap en kreunt vergenoegd als hij opstaat, zich uitrekt en de geuren opsnuift van het bedauwde gras, de rook van het houtvuur en het ontbijt dat daarop wordt bereid. De geuren van Afrika. Dit avontuur is Richards droom. Het is altijd Richards droom geweest, niet de mijne. Ik ben de inschikkelijke vriendin die sportief zegt: natuurlijk ga ik mee, schat. Ook al moeten we achtendertig uur reizen, in drie verschillende vliegtuigen, van Londen naar Johannesburg, van Johannesburg naar Maun en daarna het binnenland in, waarbij we het laatste traject afleggen in een rammelend toestel dat wordt bestuurd door een piloot met een kater. Ook al moeten we twee weken in een tent slapen, muggen van ons af slaan en onze behoefte doen in de bosjes.

Ook al zou het mijn dood kunnen worden, en dat is waar ik aan denk als ik staar naar de pootafdruk die is achtergebleven op de droge grond, amper een meter van de plek waar Richard en ik lagen te slapen.

'Ruik je dat, Millie?' roept Richard uit. 'Nergens anders ruikt het zoals hier!'

'Er heeft hier een leeuw rondgelopen,' zeg ik.

'Ik wou dat ik deze lucht in een flesje mee naar huis kon nemen. Wat een geweldig souvenir zou dat zijn. De geur van de wildernis!'

Hij luistert niet naar me. Hij is dronken van Afrika, van zijn grote-blankejagersdroom, waarin alles 'geweldig' en 'grandioos' is, zelfs de bonen met spek uit blik die we gisteravond kregen voorgeschoteld, volgens hem 'het lekkerste maaltje ooit'!

Ik herhaal, luider: 'Er heeft hier een leeuw gelopen, Richard. Vlak bij ons. Stel dat hij de tent was binnengedrongen...' Ik wil hem choqueren, hem horen zeggen: 'O god, Millie, wat vreselijk.'

In plaats daarvan roept hij opgewekt naar de dichtstbijzijnde leden van onze groep: 'Hé, kom eens kijken! Er is vannacht een leeuw in ons kamp geweest!'

De twee meisjes uit Kaapstad, die in de tent naast ons slapen, komen naar ons toe. Sylvia en Vivian hebben Nederlandse achternamen die ik niet kan spellen of uitspreken, en zijn allebei begin twintig, gebruind, blond en langbenig. In het begin kon ik hen niet uit elkaar houden, tot Sylvia uiteindelijk kribbig zei: 'Je doet net alsof we een tweeling zijn, Millie! Zie je niet dat Vivian blauwe ogen heeft en ik groene?' Als de meisjes aan weerskanten van me hurken om de pootafdruk te bekijken, merk ik dat ze ook verschillend ruiken. Vivian-met-de-blauwe-ogen ruikt naar vers gras, de frisse, onbedorven geur van de jeugd. Sylvia ruikt naar de citronella-olie waarmee ze zich voortdurend insmeert tegen de muggen, want 'DEET is gif. Dat weet je toch wel?' Ze flankeren me als boekensteunen in de vorm van blonde godinnen en ik zie Richard naar Sylvia's borsten in het te laag uitgesneden topje kijken. Voor een meisje dat zich zo vaak insmeert met citronellaolie, biedt ze de muggen erg veel bijtklare huid.

Uiteraard komt Elliot er ook snel bij. Hij is altijd in de buurt van de blondjes, die hij pas een paar weken geleden in Kaapstad heeft leren kennen. Hij volgt hen als een puppy die hoopt op wat aandacht.

'Is dat een verse pootafdruk?' vraagt hij ongerust. Eindelijk iemand die er net als ik door gealarmeerd is.

'Ik heb die afdruk gisteren niet gezien,' zegt Richard. 'De leeuw moet hier dus vannacht zijn geweest. Stel je toch voor dat je 's nachts hoge nood hebt en dan zo'n beest tegenkomt.' Hij brult en klauwt met gekromde vingers naar Elliot, die achteruitdeinst. Richard en de blondjes moeten erom lachen. Elliot is het watje van de groep, een bangelijke Amerikaan wiens zakken uitpuilen van tissues en muggenspray, zonnebrandcrème en handgel, allergiepillen, jodiumtabletten en wat je verder ook maar nodig hebt om in leven te blijven.

Ik lach niet met hen mee. 'Dat had een van ons het leven kunnen kosten,' merk ik op.

'Ja, maar zulke risico's neem je nu eenmaal als je op safari gaat,' zegt Sylvia terecht. 'Je zit hier in de wildernis, tussen de leeuwen.'

'Zo te zien is deze niet erg groot,' zegt Vivian, voorovergebogen over de afdruk. 'Misschien is het een leeuwin.'

'Leeuw of leeuwin,' zegt Elliot, 'je kunt door beide worden aangevallen.'

Sylvia geeft hem speels een tik. 'Aah. Ben je bang?'

'Natuurlijk niet. Ik dacht alleen dat Johnny overdreef toen hij ons op de eerste dag waarschuwde met zijn "Blijf in de auto. Blijf in de tent. Anders is het snel met je gedaan."'

'Als je geen risico's durft te nemen, had je naar een dierentuin moeten gaan, Elliot,' zegt Richard. De blondjes lachen om zijn rake opmerking. Applaus voor Richard, het alfamannetje. Net zoals de helden in de boeken die hij schrijft, is hij de man die de leiding neemt en de wereld redt. Dat denkt hij tenminste. Dat hij hier in de wildernis de zoveelste onnozele Londenaar is, weerhoudt hem er niet van zich te gedragen als een expert in overlevingstechnieken. Alweer iets wat me vanochtend irriteert, omdat ik honger heb en slecht heb geslapen en omdat de muggen me alweer hebben gevonden. Muggen weten me altijd te vinden. Het lijkt wel alsof voor hen de etensklok luidt zodra ik buiten kom. Ik sla ze bij mijn hals en gezicht vandaan.

Richard roept de Afrikaanse spoorzoeker erbij. 'Clarence, kom eens kijken! Moet je zien wat er vannacht door ons kamp is geslopen.'

Clarence zit bij het kampvuur een kopje koffie te drinken met meneer en mevrouw Matsunaga. Hij kuiert naar ons toe met zijn tinnen koffiebeker in zijn hand en gaat op zijn hurken zitten om de pootafdruk te bekijken.

'Het is een verse afdruk,' zegt Richard, onze nieuwe wildernis-deskundige. 'De leeuw moet hier vannacht zijn geweest.'

'Geen leeuw,' zegt Clarence. Hij kijkt met half toegeknepen ogen naar ons op. Zijn pikzwarte gezicht glanst in de ochtendzon. 'Een luipaard.'

'Weet je dat zeker? Kun je dat aan één afdruk aflezen?'

Clarence schetst iets in de lucht boven de pootafdruk. 'Het is een voorpoot. De vorm is rond, zoals bij een luipaard.' Hij staat op en tuurt de omgeving af. 'En het is er maar één, dus is het een dier dat gewend is in zijn eentje te jagen. Ja, het was een luipaard.'

Meneer Matsunaga begint foto's van de pootafdruk te maken met zijn grote Nikon, die een telelens heeft die eruitziet als een pro-jectiel dat je het heelal in kunt schieten. Hij en zijn vrouw dragen identieke kleding: een sarafi-jasje, kakibroek, katoenen sjaal en breedgerande hoed. Ze zijn elegant eender, tot in de kleinste details. Dergelijke stellen kom je in alle vakantieoorden ter wereld tegen, in kaki of opzichtig bedrukte stoffen. Ik heb me weleens afgevraagd of zulke mensen op een dag 's morgens wakker werden en dachten: zullen we de wereld eens aan het lachen maken?

Terwijl de rijzende zon de schaduwen verkleint die de pootafdruk zo mooi zichtbaar maakten, nemen ook de anderen foto's, in een race tegen het steeds feller wordende licht. Zelfs Elliot haalt zijn pocketcamera tevoorschijn, ook al doet hij dat volgens mij alleen omdat de anderen ook foto's maken en hij geen buitenbeentje wil zijn. Ik ben de enige die geen fototoestel gaat halen, want Richard neemt genoeg foto's voor ons beiden, met zijn Canon maar liefst, 'het fototoestel dat de fotografen van *National Geographic* gebrui-ken!' Ik loop naar een schaduwplek, maar zelfs uit de zon druipt het zweet uit mijn oksels. Het is nu al warm. Hier in de wildernis is het elke dag bloedheet.

'Is het jullie nu duidelijk waarom ik heb gezegd dat je 's nachts in je tent moet blijven?' vraagt Johnny Posthumus.

Onze gids is zo stilletjes teruggekeerd van de rivier dat ik er niets van heb gemerkt. Ik draai me om en zie hem pal achter me staan. Het klinkt naargeestig, Posthumus, maar hij zegt dat het een veelvoorkomende naam is onder de Afrikaanse kolonisten van wie hij afstamt. Hij heeft de trekken van zijn noeste Nederlandse voorvaderen: blond haar dat door de zon nog wat is opgebleekt, blauwe ogen en stevige, bruine benen onder zijn kakishort. Hij lijkt ongevoelig voor de muggen en de hitte, draagt geen hoed en gebruikt geen muggenolie. Wie opgroeit in Afrika krijgt blijkbaar vanzelf een dikke huid en wordt immuun voor ongemakken.

'Deze luipaard is vlak voordat het licht werd door het kamp gelopen,' zegt Johnny. Hij wijst naar wat struiken aan de rand van ons kamp. 'Hij kwam daarvandaan, wandelde naar het vuur en keek me recht aan. Een prachtig exemplaar, groot en gezond.'

Ik kan er niet over uit dat hij zo kalm blijft. 'Heb je hem dan gezíén?'

'Ik was bezig het kampvuur op te stoken voor het ontbijt en toen was hij daar opeens.'

'Wat heb je gedaan?'

'Ik heb gedaan wat ik jullie ook heb opgedragen. Ik ben opgestaan, heb me zo groot mogelijk gemaakt en hem mijn gezicht laten zien. Prooidieren zoals zebra's en antilopen hebben ogen aan de zijkant van hun kop, maar bij een roofdier zitten de ogen aan de voorzijde. Laat katachtigen altijd je gezicht zien. Laat hem zien waar je ogen zitten, dan weet hij dat jij ook een roofdier bent en zal hij zich twee keer bedenken voordat hij aanvalt.' Johnny kijkt de kring rond naar de zeven mensen die hem betalen om hen in de rimboe in leven te houden. 'Onthou dat goed. We zullen meer van die grote katten zien naarmate we dieper de wildernis in trekken. Als je er eentje tegenkomt, moet je je zo groot mogelijk maken en hem recht in de ogen kijken. En wat je ook doet, ga niet op de loop. Als je blijft staan, heb je een veel betere kans om het te overleven.'

'Je stond midden in het kamp oog in oog met een luipaard,' zegt Elliot. 'Waarom heb je dát niet gebruikt?' Hij wijst naar het geweer dat Johnny altijd over zijn schouder draagt.

Johnny schudt zijn hoofd. 'Een luipaard schiet ik niet neer. En andere katachtigen ook niet.'

'Is dat geweer niet juist daarvoor bestemd? Om jezelf te beschermen?'

'Luipaarden dreigen uit te sterven. Dit gebied is hun terrein, wij zijn de indringers. Als een luipaard mij zou aanvallen, denk ik niet dat ik hem zal kunnen doden. Zelfs niet om mijn eigen leven te redden.'

'Maar dat geldt toch niet voor ons?' Elliot lacht nerveus en kijkt ons groepje langs. 'Je zou een luipaard toch wel neerschieten om óns te beschermen?'

Johnny beantwoordt dat met een ironische glimlach. 'Dat staat nog te bezien.'

Tegen het middaguur hebben we het kamp opgebroken en zijn we klaar om dieper de wildernis in te trekken. Johnny bestuurt de landrover. Clarence zit op de spoorzoekersstoel boven de bumper. Ik vind het maar gevaarlijk zoals hij daar zit, met zijn bengelende benen, die een eenvoudige prooi lijken voor een passerende leeuw, maar Johnny verzekert ons dat we veilig zijn zolang we één zijn met het voertuig, omdat roofdieren dan denken dat we allemaal deel uitmaken van één enorm dier. 'Maar als je de auto verlaat, ben je hun avondmaal. Heeft iedereen dat goed begrepen?'

Ja, ja. Dat hebben we begrepen.

Er zijn hier geen wegen, alleen gras dat is geplet onder de wielen van allerlei voertuigen die de onvruchtbare grond keihard hebben gemaakt. Eén enkele touringcar kan een hoeveelheid schade veroorzaken die het landschap nog maandenlang ontsiert, zegt Johnny, al heb ik het idee dat er niet veel auto's zijn die zo diep in de delta doordringen. We bevinden ons op drie dagen rijden van de vliegstrip waar we zijn afgezet en hebben nog geen andere voertuigen gezien.

Toen ik vier maanden geleden in onze Londense flat zat, waar de regen tegen de ramen tikte, had ik geen idee wat wildernis was. Toen Richard me naar zijn computer riep om me de safari door Botswana te laten zien die hij voor ons wilde boeken, zag ik foto's van leeuwen en nijlpaarden, neushoorns en luipaarden, de dieren die je in alle dierentuinen en wildparken ziet. Zo had ik het me voorgesteld, als een reusachtig wildpark met gerieflijke lodges en wegen. In elk geval wegen. Volgens de website ging je tijdens de safari ook 'in de bush kamperen', maar ik dacht dat je dan in mooie, grote tenten met een douche en een chemisch toilet zou overnachten. Ik wist niet dat ik betaalde om achter een boom mijn behoefte te mogen doen.

Richard vindt deze vorm van kamperen helemaal niet erg. Hij is idolaat van Afrika en laat tijdens de rit zijn fototoestel onophoudelijk klikken. Op de bank achter ons houdt het toestel van meneer Matsunaga dat van Richard precies bij, klik voor klik, alleen met die veel langere lens. Richard zal het niet toegeven, maar hij is stinkend jaloers op het formaat van meneer Matsunaga's telelens. Ik weet nu al dat hij zodra we terug zijn in Londen, onmiddellijk online gaat opzoeken hoeveel dat toestel en die lens kosten. Zo strijden moderne mannen, niet met een speer en een zwaard, maar met creditcards. Heb jij een gold card? Ik een platina. De arme Elliot met zijn unisex Minolta blijft ver achter, maar ik denk niet dat hij dat erg vindt, want hij zit weer knus met Vivian en Sylvia achterin. Als ik naar hen omkijk, zie ik het resolute gezicht van mevrouw Matsunaga. Zij is net als ik een vrouw die zich schikt naar haar man. Ik weet zeker dat ook zij het geen ideale vakantie vindt als je in de struiken moet poepen.

'Leeuwen! Leeuwen!' roept Richard. 'Daar!'

De fototoestellen klikken verwoed en we komen zo dichtbij dat ik de zwarte vliegen op de flank van de mannetjesleeuw kan zien. Een stukje verderop liggen drie leeuwinnen te soezen in de schaduw van een hardekoolboom. Ineens hoor ik achter me een uitbarsting in het Japans. Ik kijk om en zie dat meneer Matsunaga overeind is gekomen. Zijn vrouw heeft hem bij zijn jack gegrepen om te voorkomen dat hij uit de auto springt om nog betere foto's te kunnen maken.

'Zitten!' buldert Johnny met een stem die niemand, mens noch dier, kan negeren.

Meneer Matsunaga laat zich onmiddellijk weer op het bankje zakken. Zelfs de leeuwen lijken te zijn geschrokken en kijken allemaal naar het mechanische monster met de achttien armen.

'Ben je vergeten wat ik heb gezegd, Isao?' zegt Johnny kwaad. 'Als je je losmaakt van de auto, ben je dood.'

'Ik raak opgewonden. Ik vergeet,' mompelt meneer Matsunaga, en hij buigt nederig zijn hoofd.

'Ik probeer er alleen voor te zorgen dat je niks overkomt.' Johnny haalt diep adem en gaat op zachtere toon door: 'Het spijt me dat ik zo schreeuwde, maar vorig jaar was een collega van me op een gamedrive, toen twee van zijn klanten opeens uit de auto sprongen om foto's te maken. De leeuwen hadden hen meteen te pakken.'

'Bedoel je dat de leeuwen die mensen hebben... opgevreten?' vraagt Elliot.

'Zo zijn leeuwen geprogrammeerd, Elliot. Dus geniet van wat je ziet, maar blijf in de auto, oké?' Johnny lacht om de spanning weg te nemen, maar we voelen ons bedrukt, als stoute kinderen die op hun kop hebben gekregen. De fototoestellen klikken minder enthousiast, de foto's worden alleen genomen om te maskeren hoe onbehaaglijk we ons voelen. We zijn er allemaal van geschrokken dat Johnny zo uitviel tegen meneer Matsunaga. Ik staar naar Johnny's rug, die vlak voor me oprijst, en zie de spieren van zijn nek zwellen als dikke wingerds. Hij start de motor weer. We laten de leeuwen achter ons en vervolgen onze weg naar de volgende kampeerplaats.

Na zonsondergang komt de drank tevoorschijn. Zodra de vijf tenten zijn opgezet en het kampvuur brandt, maakt Clarence de aluminium cocktailkist open die de hele dag achter in de auto heeft meegehobbeld, en stalt flessen jenever, whisky, wodka en amarula uit. Op de amarula ben ik nogal gesteld geraakt. Het is een zoete, romige likeur die wordt gemaakt van de vrucht van de Afrikaanse amarulaboom. Het smaakt naar duizend alcoholische calorieën van koffie en chocola. Het is zo'n drankje waar een kind stiekem een slokje van neemt als zijn moeder niet kijkt. Clarence knipoogt als hij me mijn glas geeft, alsof ik de ondeugd van de groep ben omdat alle anderen volwassen drankjes nemen, zoals lauwe jenever met tonic of pure whisky. Dit is het moment van de dag waarop ik denk: ja, het is best fijn in Afrika. Als de ongemakken, de insecten en de spanningen tussen mij en Richard verdwijnen in een tipsy roes en ik in een ligstoel neerstrijk om de zon te zien ondergaan. Terwijl Clarence een eenvoudige maaltijd bereidt van stoofvlees met brood en fruit, spant Johnny een draad met belletjes rond het kamp, zodat we gewaarschuwd worden als er weer een dier komt binnenwandelen. Ik kijk naar Johnny's silhouet, dat afsteekt tegen de gloed van de zon, en zie dat hij opeens stil blijft staan. Hij houdt zijn hoofd opgeheven en snuift de lucht op, de honderden geuren waar ik me niet eens van bewust ben. Hij heeft opeens iets van de dieren die hier leven. Hij is zo thuis in de wildernis dat het me niet zou verbazen als hij opeens een brul had uitgestoten als een leeuw.

Ik vraag aan Clarence, die in de pruttelende pan roert: 'Hoelang werken Johnny en jij al samen?'

'Johnny en ik? Dit is de eerste keer.'

'Ben je dan niet zijn vaste spoorzoeker?'

Clarence strooit wat peper in de pan. 'Mijn neef is Johnny's spoorzoeker. Deze week is Abraham naar zijn dorp voor een begrafenis. Hij vroeg of ik voor hem kon invallen.'

'En wat vindt Abraham van Johnny?'

Clarence' witte tanden glanzen in het schemerige licht als hij grinnikt. 'O, mijn neef zit altijd vol verhalen over Johnny. Vol verhalen. Hij vindt dat Johnny als Shangaan geboren had moeten worden, omdat hij net zo is als wij, alleen blank.'

'Als Shangaan? Is dat jouw stam?'

Hij knikt. 'Wij komen uit de provincie Limpopo in Zuid-Afrika.'

'Is dat de taal die ik jullie tweeën soms hoor spreken?'

Hij lacht schuldig. 'Als jullie niet mogen weten wat we zeggen.'

Dat zullen dan geen flatteuze opmerkingen zijn, stel ik me voor. Ik kijk naar de groep rond het kampvuur. Meneer en mevrouw Matsunaga bekijken de foto's die hij vandaag heeft gemaakt. Vivian en Sylvia zitten in hun laag uitgesneden topjes feromonen uit te wasemen en zoals altijd bedelt Elliot om hun aandacht. 'Hebben jullie het niet koud?' 'Zal ik een vestje voor jullie halen?' 'Willen jullie nog een gin-tonic?'

Richard komt onze tent uit. Hij heeft een schoon overhemd aangetrokken. Naast me wacht een stoel voor hem, maar hij loopt er straal voorbij, gaat naast Vivian zitten en laat zijn charme op haar los. 'Hoe vind je de safari tot nu toe?' 'Kom je weleens in Londen?' 'Ik zal jou en Sylvia met alle plezier een gesigneerd exemplaar van *Blackjack* sturen als het boek gepubliceerd is.'

Uiteraard weten ze allemaal wie hij is. Binnen een uur na de eerste kennismaking met de groep liet Richard zich subtiel ontvallen dat hij thrillerschrijver Richard Renwick is, de man die Jackman Tripp, de held van MI5, in het leven heeft geroepen. Helaas had geen van onze medereizigers ooit van Richard en zijn held gehoord, waardoor de eerste safaridag in een wat stroeve stemming was verlopen. Maar nu is hij weer de oude en doet hij waar hij zo goed in is: zijn publiek paaien. Wat mij betreft legt hij het er veel te dik bovenop. Maar als ik daar iets over zou zeggen, weet ik al wat zijn antwoord zal zijn: 'Dat moeten schrijvers nu eenmaal doen, Millie. We moeten ons vriendelijk opstellen om nieuwe lezers te lokken.' Alleen is het wel opvallend dat Richard nooit tijd verkwist aan vriendelijke omgang met oudere dames, alleen met jonge en het liefst mooie meisjes. Ik weet nog precies hoe hij die charme op mij losliet, vier jaar geleden, tijdens een signeersessie van *Kill Option* in de boekhandel waar ik werk. Als Richard eenmaal op dreef is, is hij onweerstaanbaar, en ik zie hem nu naar Vivian kijken zoals hij al een jaar niet naar mij heeft gekeken. Hij steekt een Gauloise tussen zijn lippen en buigt zich naar voren met zijn hand rond het vlammetje van zijn zilveren aansteker, zoals zijn held Jackman Tripp het zou doen, met mannelijke zwier.

De lege stoel naast me is nu een zwart gat dat alle plezier uit mijn stemming zuigt. Ik wil net opstaan om naar onze tent te gaan, als Johnny ineens in de stoel plaatsneemt. Hij zegt niets, maar laat zijn blik over de groep gaan alsof hij ons taxeert. Ik geloof dat hij ons voortdurend taxeert en vraag me af wat hij ziet als hij naar mij kijkt. Gedraag ik me net zoals alle andere inschikkelijke echtgenotes en vriendinnen die zich naar de bush laten slepen om tegemoet te komen aan de safarifantasieën van hun vent?

Zijn blik maakt me nerveus en ik voel me gedwongen de stilte te verbreken. 'Werken die belletjes rond het kamp echt?' vraag ik. 'Of zijn ze alleen bedoeld om ons een veilig gevoel te geven?'

'Ze dienen als eerste waarschuwing.'

'Ik heb ze vannacht niet gehoord, toen de luipaard het kamp binnenkwam.'

'Ik wel.' Hij leunt naar voren om nog wat hout in het vuur te leggen. 'We zullen de belletjes vannacht waarschijnlijk weer horen.'

'Denk je dat er nog meer luipaarden in de buurt zitten?'

'Nee, vanavond zijn het hyena's.' Hij wijst naar de angstaanjagende duisternis rond de door het vuur verlichte cirkel. 'Er zitten er al een paar naar ons te kijken.'

'Wat?' Ik tuur in het donker en zie nu pas de oplichtende ogen die ons in de gaten houden.

'Ze hebben veel geduld. Ze wachten af of hier een maaltje te halen valt. Wie zich in zijn eentje buiten het kamp waagt, wordt dat maaltje.' Hij haalt zijn schouders op. 'Daarom hebben jullie mij ingehuurd.'

'Om te voorkomen dat wij een maaltijd worden.'

'Ik zou snel failliet gaan als ik te veel cliënten verloor.'

'Hoeveel is te veel?'

'Jij zou pas de derde zijn.'

'Dat meen je niet echt, hè?'

Hij glimlacht. Alhoewel hij ongeveer net zo oud is als Richard, heeft het leven onder de Afrikaanse zon rimpeltjes rond Johnny's ogen gekerfd. Hij legt geruststellend zijn hand op mijn arm. Ik schrik ervan, omdat hij niet iemand is die anderen onnodig aanraakt. 'Nee. Het is maar een grapje. Ik heb nog nooit een cliënt verloren.'

'Ik weet nooit of je een grapje maakt of niet.'

'Als ik iets serieus meen, merk je het vanzelf.' Hij kijkt naar Clarence, die in het Tsonga iets tegen hem zegt. 'We kunnen eten.'

Ik kijk naar Richard om te zien of het hem is opgevallen dat Johnny met me zat te praten, met zijn hand op mijn arm, maar Richard heeft alleen oog voor Vivian. Ik had net zo goed onzichtbaar kunnen zijn.

'Daar kom je als auteur gewoon niet onderuit,' zegt Richard zoals ik al had verwacht als we later in onze tent liggen. 'Ik probeer alleen maar mijn lezerspubliek uit te breiden.' We fluisteren, want het tentdoek is dun en de tenten staan dicht bij elkaar. 'En ik vind het mijn plicht hen een beetje te beschermen. Twee jonge vrouwen, helemaal alleen in de wildernis. Erg avontuurlijk voor meisjes van hun leeftijd, vind je ook niet? Ergens moet je daar ook wel bewondering voor hebben.'

'Ze worden door Elliot al genoeg bewonderd,' zeg ik.

'Elliot bewondert alles met twee x-chromosomen.'

'Waarom zeg je dan dat ze hier helemaal alleen zijn? Elliot reist toch met hen samen?'

'Ja, reuze vervelend voor hen, dat hij de hele tijd kwijlend om hen heen hangt.'

'Volgens Elliot hebben ze hem zelf uitgenodigd.'

'Ze hebben hem uitgenodigd omdat ze medelijden met hem hadden. Hij heeft hen ontmoet in een of andere nachtclub en hoorde dat ze op safari gingen. Ze hebben waarschijnlijk gezegd: "Hé, anders ga je mee de wildernis in!" Ik denk niet dat ze gedacht hadden dat hij het echt zou doen.'

'Waarom praat jij altijd zo kleinerend over Elliot? Hij lijkt me een erg aardige man. En hij weet heel veel van vogels.'

Richard snuift. 'En dat maakt een man zó aantrekkelijk.'

'Wat heb je toch? Waarom ben je zo prikkelbaar?'

'Dat kan ik ook aan jou vragen. Ik maak een praatje met een jonge vrouw en jij zit meteen te chagrijnen. Die meisjes hebben hier tenminste schik. Zij weten er iets van te maken.'

'Ik doe mijn best, maar ik wist niet dat het zo'n ruige reis zou worden. Ik had gerekend op...'

'Dikke handdoeken en chocolaatjes op je hoofdkussen.'

'Doe niet zo neerbuigend. Ik ben toch met je meegegaan?'

'Maar je doet niks anders dan klagen. Ik heb er mijn hele leven van gedroomd om op safari te gaan, Millie. Verpest dit niet voor me.'

We fluisteren niet meer en ik weet zeker dat de anderen alles kunnen verstaan, als ze nog wakker zijn. Ik weet dat Johnny niet slaapt, want hij houdt als eerste de wacht. Ik stel me voor hoe hij bij het kampvuur zit, naar onze stemmen luistert, de spanning hoort stijgen. Hij was zich vast al bewust van die spanning. Johnny Posthumus is een man wie niets ontgaat. Zo weet hij te overleven in deze wildernis, waar je leven kan afhangen van het feit of je een belletje hoort rinkelen of niet. Hij vindt ons vast nutteloze, oppervlakkige figuren. Ik ben benieuwd hoeveel huwelijken hij heeft zien mislukken, hoeveel zelfingenomen mannen hij door Afrika vernederd heeft zien worden. De wildernis is niet zomaar een vakantiebestemming; het is waar je leert hoe onbeduidend je bent.

'Het spijt me,' fluister ik, en ik tast naar Richards hand. 'Natuurlijk wil ik deze vakantie niet voor je bederven.'

Ik sluit mijn vingers om zijn hand, maar hij reageert niet op mijn toenadering. Zijn hand ligt als een dood ding in de mijne.

'Je zet overal een domper op. Ik weet dat jij liever een ander soort vakantie had gehad, maar jezus, moet je de hele dag met zo'n zuur gezicht rondlopen? Sylvia en Vivian vinden het toch ook leuk? Zelfs mevrouw Matsunaga gedraagt zich sportief.'

'Misschien komt het door de malariapillen,' zeg ik zwakjes. 'De dokter zei dat je daar gedeprimeerd van kunt raken. Hij zei dat er zelfs mensen zijn die er krankzinnig door worden.'

'Nou, ík heb anders geen last van de mefloquine. En de meisjes slikken het ook en blijven ook vrolijk.'

De meisjes. Hij blijft me vergelijken met de meisjes, die negen jaar jonger zijn dan ik, negen jaar slanker en frisser. Hoe kun je als vrouw nog fris lijken als je vier jaar een flat, een badkamer en een toilet met elkaar hebt gedeeld?

'Als ik nou eens stop met die pillen,' opper ik.

'En malaria krijgen? Ja, dat lijkt me een puik idee.'

'Wat moet ik dan? Vertel me wat je van me wilt, Richard.'

'Dat weet ik niet.' Hij zucht en draait zich om. Zijn rug heeft iets van koud beton, een muur rond zijn hart, dat daardoor buiten mijn bereik ligt. Een ogenblik later zegt hij zachtjes: 'Ik weet niet hoe het met ons verder moet, Millie.'

Maar dat weet ik wel. Ik weet hoe Richard verder wil. Weg van mij. Hij is al maanden bezig zich van me los te weken, zo subtiel, zo geleidelijk, dat ik het niet heb willen erkennen. Ik zou het kunnen toeschrijven aan het cliché dat we het allebei zo druk gehad hebben. Hij moest alle zeilen bijzetten om de revisies van *Blackjack* af te maken. Ik zat tot over mijn oren in de jaarlijkse inventaristelling van de winkel. Ik maakte mezelf wijs dat het wel weer goed zou komen als we het wat rustiger aan konden doen.

Buiten onze tent klinken de nachtelijke geluiden van de delta. We kamperen niet ver van een rivier, waar we vandaag nijlpaarden hebben gezien. Ik geloof dat ik die nu hoor, samen met het geritsel, gekrijs en gegrom van talloze andere dieren.

Maar in onze tent heerst stilte.

Zo sterft de liefde dus. In een tent, in de wildernis, in Afrika. Als we in Londen waren, zou ik uit bed stappen, me aankleden en naar een vriendin gaan voor cognac en meeleven. Hier zit ik gevangen onder tentdoek, met rondom dieren die me willen opvreten. Ik word er zo claustrofobisch van dat ik de tentflap zou willen opengooien en gillend de duisternis in zou willen rennen. Het moet door de malariapillen komen dat ik me zo gedeprimeerd voel. Ik wil dat het door de pillen komt, want dat betekent dat het niet mijn schuld is dat ik me zo hopeloos voel. Ik denk dat ik ze gewoon niet meer moet slikken.

Richard is in slaap gevallen. Hoe is het mogelijk dat hij rustig kan inslapen terwijl ik me voel alsof ik op springen sta? Ik hoor hem in- en uitademen, heel ontspannen, heel regelmatig. Het bewijs dat het hem niets kan schelen.

Hij is nog steeds in diepe slaap verzonken als ik de volgende ochtend wakker word. Terwijl het bleke licht van de dageraad door de naden van onze tent dringt, denk ik somber aan de komende dag. Weer zullen we ongemakkelijk naast elkaar in de landrover zitten en proberen beleefd te blijven. Weer zal ik de hele dag muggen van me af moeten slaan en achter struiken moeten plassen. En weer zal ik Richard 's avonds zien flirten en nog een stukje van mijn hart voelen afbreken. Erger kan deze vakantie niet worden, denk ik.

Dan begint een vrouw te gillen.

2

Boston

Het was de postbode die er melding van maakte. Kwart over elf, een bevende stem door een mobieltje: 'Ik sta voor nummer 2132 in Sanborn Avenue, West Roxbury. De hond... ik zag de hond toen ik door het raam keek.' Zo werd de politie van Boston ervan op de hoogte gebracht. Een opeenvolging van gebeurtenissen, in werking gezet door een oplettende postbode, een lid van het leger van voetsoldaten dat zes dagen per week in alle stadswijken van Amerika patrouilleert. Zij zijn de ogen van het volk, soms de enige ogen die zien dat een bejaarde weduwe haar post niet uit de brievenbus heeft gehaald, dat een vrijgezel op leeftijd niet opendoet, dat op een veranda een bergje vergeelde kranten ligt.

De volle brievenbus was de eerste aanwijzing dat er iets mis was in het huis aan Sanborn Avenue 2132. Het was postbode Luis Muniz op de tweede dag al opgevallen, maar als mensen twee dagen hun brievenbus niet legen, is dat nog geen reden voor ongerustheid. Mensen gaan weleens een weekend weg. Mensen vergeten weleens het plaatselijke postkantoor te verzoeken de post een paar dagen vast te houden.

Maar op de derde dag begon Muniz zich toch zorgen te maken.

En toen hij op de vierde dag de brievenbus opende en zag dat die nog steeds propvol catalogi, tijdschriften en enveloppen zat, wist hij dat hij iets moest doen.

'Hij belt aan,' vertelde agent Gary Root. 'Er wordt niet opengedaan. Hij besluit aan de buurvrouw te gaan vragen of zij weet wat er aan de hand is. Maar eerst kijkt hij door het raam naar binnen en ziet hij de hond.'

'Die hond?' vroeg rechercheur Jane Rizzoli. Ze wees naar een vriendelijk ogende golden retriever die aan de brievenbus was vastgebonden.

'Ja. Volgens de penning aan zijn halsband heet hij Bruno. Ik heb hem mee naar buiten genomen voordat hij nog meer...' Agent Root moet even slikken. '... schade kon aanrichten.'

'Waar is de postbode?'

'Die heeft de rest van de dag vrij genomen. Het zou me niet verbazen als hij meteen de kroeg in is gedoken. Ik heb zijn contactinformatie, maar hij zal u niet veel meer kunnen vertellen dan ik. Hij heeft de meldkamer gebeld en is niet in het huis geweest. Ik ben hier als eerste aangekomen. De voordeur was niet op slot. Ik ben naar binnen gegaan en...' Hij schudde zijn hoofd. 'Had ik dat maar niet gedaan.'

'Heb je met andere mensen gepraat?'

'De buurvrouw. Aardig mens. Ze kwam naar buiten toen ze de patrouilleauto's zag en vroeg wat er aan de hand was. Ik heb haar alleen verteld dat haar buurman is overleden.'

Jane draaide zich om naar het huis waarin Bruno, de goedaardige retriever, opgesloten had gezeten. Het was een oud, vrijstaand huis van twee verdiepingen, met een dubbele garage en volwassen bomen in de voortuin. De deur van de garage was dicht. Op de oprit stond een zwarte Ford Explorer, die op naam stond van de eigenaar van het huis. Vanochtend vroeg was er niets geweest waardoor dit huis zich onderscheidde van de andere, goed onderhouden woningen aan Sanborn Avenue, niets wat de aandacht van een politieagent zou hebben getrokken en hem aan het denken zou hebben gezet. Nu stonden er twee patrouillewagens met draaiende zwaailichten voor de deur, waardoor iedereen die hierlangs kwam meteen wist dat er iets mis was. En wat er mis was, moesten Jane en haar partner Barry Frost nu gaan bekijken. Het groepje nieuwsgierigen dat aan de overkant naar het huis stond te staren, groeide gestaag. Had geen van hen gemerkt dat hun buurman zich al een paar dagen niet had laten zien, dat hij zijn hond niet had uitgelaten en zijn post niet had opgehaald? Ze zeiden nu vast tegen elkaar: 'Ik wíst dat er iets mis was.' Als het kalf verdronken is...

'Wil je ons de weg wijzen?' vroeg Frost aan agent Root.

'Liever niet,' antwoordde Root. 'De stank is eindelijk uit mijn neus en ik heb geen zin om het nog een keer te moeten ruiken.'

Frost keek benauwd. 'Is het zo erg?'

'Ik heb het daar binnen amper een halve minuut volgehouden. Mijn partner ging meteen al over zijn nek. Bovendien hebt u mij niet nodig. Alles wijst zich vanzelf.' Hij keek naar de golden retriever, die speels naar hem blafte. 'Arm beest, opgesloten in dat huis, zonder voedsel. Ik weet dat hij geen andere keus had, maar toch...'

Jane keek naar Frost, die naar het huis staarde als een veroordeelde naar de galg. 'Wat heb je tussen de middag gegeten?' vroeg ze.

'Een broodje kalkoen en een zakje chips.'

'Ik hoop dat het heeft gesmaakt.'

'Aan zulke opmerkingen heb ik niks, Rizzoli.'

Ze liepen het trapje op naar de veranda en bleven daar staan om handschoenen en schoenbeschermers aan te trekken. 'Er zijn medicijnen voor,' zei ze. 'Ken je Compazine?'

'Nee. Wat is dat?'

'Pillen tegen zwangerschapsmisselijkheid.'

'Als ik ooit zwanger mocht worden, zal ik die proberen.'

Ze keken elkaar aan. Jane zag dat Frost diep ademhaalde en merkte dat zij hetzelfde deed. Nog een laatste hap frisse lucht. Toen deed ze de deur open en gingen ze naar binnen. Frost hield zijn onderarm voor zijn neus tegen de weeë geur die ze maar al te goed kenden. Of je het nu 'cadaverine' noemde of 'putrescine' of het een andere chemische benaming gaf, het was en bleef de stank van de dood. Dat Jane en Frost abrupt bleven staan toen ze eenmaal binnen waren, kwam echter niet door de stank, maar door wat er aan de muren hing.

Waar ze ook keken, overal staarden ogen hen aan. Een complete galerie dode wezens begroette de indringers.

'Jezus,' mompelde Frost. 'Hij was jager op groot wild.'

'Erg groot wild,' zei Jane, naar de kop van een neushoorn kijkend. Ze vroeg zich af wat voor kaliber kogel nodig was om zo'n dier te vellen. Hetzelfde gold voor de kafferbuffel ernaast. Hun schoen-beschermers ritselden op de houten vloer toen ze langzaam langs de dierenkoppen liepen, die er zo levensecht uitzagen dat Jane bijna verwachtte dat de leeuw vervaarlijk zou gaan brullen. 'Is dat niet verboden? Wie jaagt er vandaag de dag nog op luipaarden?'

'Kijk eens. De hond was niet het enige dier dat hier vrij rondliep.'

De vloer was besmeurd met roodbruine pootafdrukken. De gro-tere moesten van Bruno zijn, maar er waren ook kleine afdrukken. Bruine vlekken op de vensterbank gaven aan dat Bruno zijn poten erop had gezet om door het raam te kijken toen de postbode langs-kwam. Luis Muniz had de politie echter niet gebeld omdat hij de hond had gezien; hij had de politie gebeld om wat de hond in zijn bek had.

Een vinger.

Jane en Frost volgden het spoor van de pootafdrukken, langs de glazige ogen van een zebra, een leeuw, een hyena en een wratten-zwijn. Maar deze man had zijn trofeeën niet op grootte gekozen; zelfs de kleinste dieren hadden een beschamend plekje aan de mu-ren en er zaten zelfs vier muizen rond een miniatuurtafel waarop porseleinen theekopjes stonden. Een persiflage op het theekransje uit *Alice in Wonderland*.

Ze liepen de kamer door en kwamen bij een gang, waar de stank van verrotting nog sterker was. Alhoewel ze de bron ervan nog niet hadden gevonden, hoorde Jane het onheilspellende gezoem van de profiteurs. Een vette vlieg vloog een paar lome rondjes rond haar hoofd en verdween via een deur die op een kier stond.

Volg de vliegen. Zij weten altijd waar het eten wordt opgediend.

Toen Jane tegen de deur duwde, schoot er iets wits langs haar benen.

'Jezus!' riep Frost geschrokken.

Jane keek met bonkend hart over haar schouder en zag een paar ogen onder de bank in de woonkamer. 'Het is maar een kat.' Ze lachte opgelucht. 'Dat verklaart de kleinere pootafdrukken.'

'Hoor je dat?' vroeg Frost. 'Volgens mij zit hier nóg een kat.'

Jane duwde de deur verder open. Hij gaf toegang tot de garage. Een grijsgestreepte kat dribbelde naar haar toe en begon rond haar benen te draaien, maar Jane lette niet op hem. Ze staarde naar wat er aan een takel aan het plafond hing. De zwerm vliegen was zo dicht dat ze het gezoem in haar botten voelde. Ze verdrongen zich rond een stinkend feestmaal van vlees dat te hunner gerieve was opengesneden en krioelde van de maden.

Frost wendde zich kokhalzend af.

De naakte man hing ondersteboven. Zijn enkels waren vastgebonden met oranje nylonkoord. Zoals bij een varken in een slachthuis was zijn lichaam opengesneden en ontdaan van alle organen. Zijn armen bungelden naar beneden en zijn handen zouden de vloer hebben geraakt als ze nog aan de armen hadden gezeten. Als de hond en misschien ook de twee katten niet door honger gedwongen waren geweest aan hun baasje te gaan knauwen.

'Nu weten we dus van wie die vinger was,' zei Frost vanachter zijn mouw. 'God, wat vreselijk. Om door je eigen huisdieren te worden opgevreten...'

Wat er aan de takel hing, moest voor de drie huisdieren inderdaad een feestmaal zijn geweest. Ze hadden de handen volledig uiteengereten en zoveel huid en spiermassa van het gezicht gescheurd dat het witte bot van een van de oogkassen zichtbaar was als een parelwitte rand tussen het verminkte vlees. De gelaatstrekken waren onherkenbaar geworden, maar de tot groteske afmetingen opgezwollen geslachtsdelen lieten er geen twijfel over bestaan dat dit een man was, een oudere man, te oordelen naar het zilvergrijze schaamhaar.

'Opgehangen en ontweid als een geslacht dier,' zei iemand achter Jane.

Ze keek geschrokken om en zag dr. Maura Isles in de deuropening staan. Zelfs op zo'n bizarre plaats delict als deze lukte het Maura om er elegant uit te zien; haar zwarte haar was zo glad als een glimmende helm, haar grijze jasje en broek hadden de perfecte snit voor haar slanke taille en heupen. Vergeleken met haar voelde Jane zich als het slonzige nichtje met warrig haar en versleten schoenen. Maura deinsde niet terug voor de stank maar liep kordaat op het karkas af, zonder zich iets aan te trekken van de vliegen, die meteen duikvluchten op haar hoofd namen. 'Dit is verontrustend,' zei ze.

'Verontrustend?' Jane snoof. 'Zeg maar volkomen gestoord.'

De grijze kat liet Jane in de steek, liep naar Maura en wreef zich luid spinnend tegen haar benen. Van een kat hoefde je geen trouw te verwachten.

Maura duwde hem met haar voet zachtjes opzij en hield haar ogen gericht op het lijk. 'In de buik- en borstholte ontbreken alle organen. Er is een doelgerichte incisie gemaakt, van het schaambeen tot het borstbeen. Dit is wat jagers doen met een hert of een zwijn. Ze hangen het dier op, verwijderen de ingewanden en laten het vlees besterven.' Ze hief haar blik op naar de takel. 'Die takel lijkt ervoor gemaakt om groot wild op te hijsen. Dit is het huis van een jager.'

'En dat ziet er ook uit als gereedschap van een jager,' zei Frost. Hij wees naar een werkbank en een magnetisch rek met een rij gevaarlijke messen met fonkelende lemmeten. Jane keek naar het vlijmscherpe fileermes dat door vlees zou gaan als door zachte boter.

'Dit is eigenaardig,' zei Maura, het lichaam van dichtbij bestuderend. 'Ik zie hier wonden die niet lijken te zijn veroorzaakt door een mes.' Ze wees naar drie kerven op de ribbenkast. 'Tenzij er drie lemmeten aan elkaar waren gebonden, want ze lopen precies evenwijdig.'

'Het lijkt wel een klauwwond,' zei Frost. 'Kan een dier dit gedaan hebben?'

'De kerven zijn te diep voor een kat of een hond. Ze lijken na de dood te zijn aangebracht, waardoor het vochtverlies tot een minimum beperkt is gebleven...' Ze richtte zich op en bekeek de vloer. 'Als deze man hier is ontweid, moet iemand het bloed hebben weggespoten. Zien jullie die goot in het beton? Dat is wat een jager zou laten maken als hij deze ruimte gebruikte om karkassen te laten besterven.'

'Wat is besterven eigenlijk precies? Ik heb nooit begrepen waarom ze vlees ophangen,' zei Frost.

'Na het intreden van de dood zorgen enzymen ervoor dat het vlees mals wordt, maar over het algemeen wordt vlees bestorven bij een temperatuur die vlak boven het vriespunt ligt. Hoe warm zou het hier zijn? Een graad of tien? Warm genoeg voor ontbinding. En voor maden. We mogen blij zijn dat het november is. In augustus zou de stank nog veel erger zijn geweest.' Met een pincet plukte Maura een van de maden uit het vlees en legde hem op haar gehandschoende handpalm om hem te bestuderen. 'Derde ontwikkelingsstadium. Deze man is ongeveer vier dagen dood.'

'Dierenkoppen in de woonkamer,' zei Jane, 'en een man die is opgehangen als een geslacht dier. Het thema is duidelijk.'

'Is het slachtoffer de eigenaar van dit huis? Weten jullie al aan wie het toebehoort?'

'Zonder vingers en zonder gezicht is het lastig om zijn identiteit vast te stellen, maar de leeftijd klopt in elk geval. Dit huis is eigendom van Leon Gott, een alleenstaande gescheiden man van vierenzestig.'

'Alleenstaand, maar niet in zijn eentje gestorven,' zei Maura, starend naar de gapende wond en het uitgeholde lichaam. 'Waar zijn ze?' vroeg ze opeens. Ze keek Jane aan. 'De moordenaar heeft het lichaam hier laten hangen, maar wat heeft hij met de organen gedaan?'

Een paar seconden was het volkomen stil in de garage, op het gezoem van de vliegen na. Jane dacht aan alle geruchten over gestolen organen. Toen keek ze naar de vuilnisbak in de hoek. Ze liep ernaartoe. Hoe dichter ze erbij kwam, hoe sterker de stank van verrotting werd. De vliegen zwermden met haar mee als een hongerige wolk. Met een vies gezicht tilde ze het deksel op. Ze bracht het niet verder dan een snelle blik. Toen draaide ze zich kokhalzend om.

'Je hebt ze gevonden, neem ik aan,' zei Maura.

'Ja,' bracht Jane uit. 'Althans, de darmen. Ik laat de verdere inventarisatie graag aan jou over.'

'Netjes.'

'Ik ben netjes opgevoed.'

'Nee, ik bedoel dat de dader zo netjes heeft gewerkt. De incisie. De manier waarop de inwendige organen zijn verwijderd.' Haar papieren schoenbeschermers ritselden toen ze naar de vuilnisbak liep. Jane en Frost deinsden achteruit toen Maura het deksel eraf nam, maar zelfs van een afstand was de stank van de rottende organen niet te harden. De grijze kat raakte er juist opgewonden van. Hij schurkte opdringerig tegen Maura, miauwend om aandacht.

'Je hebt een verovering gemaakt,' zei Jane.

'Normaal gedrag voor katachtigen. Hij claimt mij als zijn territorium,' zei Maura. Ze stak haar gehandschoende hand in de vuilnisbak.

'Ik weet dat je op een plaats delict altijd grondig te werk gaat, Maura,' zei Jane, 'maar zou je de inhoud van die vuilnisbak niet liever op het laboratorium uitzoeken? In een speciale kamer voor gevaarlijke stoffen, bijvoorbeeld?'

'Ik moet eerst weten...'

'Wat moet je weten? Je kunt rúíken dat ze erin liggen.' Met walging keek Jane toe toen Maura zich over de vuilnisbak boog om dieper in de massa ingewanden te graven. Ze had in de autopsiezaal al vaak gezien hoe Maura torso's opensneed, scalpen afstroopte, botten van het vlees ontdeed en met een snerpende zaag schedels openlegde. Taken die ze verrichtte met de concentratie van een laserstraal. Diezelfde concentratie zag ze nu, toen Maura in de gestolde massa organen roerde, zich er niet eens van bewust dat de vliegen over haar modieus gekapte donkere haar kropen. Hoeveel mensen zagen er zo elegant uit terwijl ze zulke walgelijke dingen deden?

'Toe nou, het is niet zo dat je voor het eerst een bak vol ingewanden ziet,' zei Jane.

Maura gaf geen antwoord, maar reikte nog dieper.

'Oké,' zei Jane met een zucht. 'Je hebt ons hiervoor niet nodig. Dan gaan Frost en ik de rest van het huis...'

'Het zijn er te veel,' mompelde Maura.

'Te veel?'

'Dit is geen normale hoeveelheid organen.'

'Misschien ligt het aan de bacteriële gassen waar je het altijd over hebt. Misschien zijn ze opgezwollen.'

'Daarmee is dít niet verklaard.' Maura richtte zich op. Jane trok een vies gezicht toen ze zag wat ze uit de bak had gehaald.

'Een hart?'

'Dit is geen normaal hart, Jane,' zei Maura. 'Het heeft weliswaar vier kamers, maar de aortaboog ziet er vreemd uit. En met de slag-aderen is ook iets mis.'

'Leon Gott was vierenzestig,' zei Frost. 'Misschien had hij hart-problemen.'

'Dat is het hem nu juist. Dit ziet er niet uit als het hart van een man van vierenzestig.' Maura stak haar hand weer in de vuilnisbak. 'Maar dít wel,' zei ze, en ze hief haar andere hand op.

Jane keek naar de twee organen. 'Wacht eens even. Lagen er twéé harten in de vuilnisbak?'

'En twee paar longen.'

Jane keek naar Frost. 'Jezus,' zei hij.

3

Frost doorzocht de benedenverdieping en Jane de eerste etage. Kamer voor kamer keek ze in kasten en laden en gluurde ze onder de bedden. Er waren nergens ontweide lijken te vinden, noch tekenen van een worsteling, maar ze zag wel veel pluis en kattenharen. Meneer Gott – als hij inderdaad de man was die in de garage hing – was geen nette huisman geweest. Op de ladekast in zijn slaapkamer slingerden oude bonnetjes van de ijzerhandel, batterijtjes voor een gehoorapparaat, een portefeuille met drie creditcards en achtenveertig dollar in contant geld, en zelfs een paar losse kogels. Uit dat laatste maakte ze op dat meneer Gott thuis erg nonchalant was omgegaan met vuurwapens. Het verbaasde haar dan ook niet toen ze in de la van het nachtkastje een geladen Glock zag, met een kogel in het magazijn, gereed voor gebruik. Hét wapen van de paranoïde vrijgezel.

Het was alleen jammer dat het wapen boven had gelegen toen beneden zijn ingewanden uit zijn lichaam werden gesneden.

In het badkamerkastje zag ze de medicijnen die je kon verwachten bij een man van vierenzestig. Aspirine en Advil, Lipitor en Lopressor. Op de wastafel lagen dure gehoorapparaatjes. Blijkbaar had hij die niet in gehad, waardoor hij de indringer vermoedelijk helemaal niet had gehoord.

Toen ze de trap weer af liep, ging in de woonkamer de telefoon. Tegen de tijd dat ze beneden was, hoorde ze een man een bericht inspreken op het antwoordapparaat.

'Hé, Leon, je hebt niet teruggebeld over het reisje naar Colorado. Laat even weten of je mee wilt. Het wordt vast leuk.'

Jane stond op het punt het bericht nog een keer af te luisteren om het telefoonnummer van degene die belde te noteren, toen ze zag dat de afspeelknop besmeurd was met iets wat eruitzag als bloed. Op het scherm stond dat er twee berichten waren, waarvan ze zojuist nummer twee had gehoord.

Met haar gehandschoende vinger drukte ze op AFSPELEN.

3 november, negen uur vijftien: ... bel dan nu om uw creditcardkosten te verlagen. Laat deze unieke gelegenheid om van dit bijzondere aanbod te profiteren niet aan uw neus voorbijgaan.

6 november, twee uur: Hé, Leon, je hebt niet teruggebeld over het reisje naar Colorado. Laat even weten of je mee wilt. Het wordt vast leuk.

3 november was afgelopen maandag. Vandaag was het donderdag. Het eerste bericht stond nog op het antwoordapparaat en was niet afgeluisterd, dus was Leon Gott maandagochtend om negen uur vermoedelijk al niet meer in leven geweest.

'Jane?' zei Maura. De grijze kat was met haar meegelopen en draaide achtjes rond haar benen.

'Er zit bloed op het antwoordapparaat,' zei Jane. Ze draaide zich naar haar om. 'Waarom zou de moordenaar de telefoon hebben aangeraakt? Waarom wilde hij weten welke berichten er op het antwoordapparaat stonden?'

'Kom eerst even kijken wat Frost in de achtertuin heeft gevonden.'

Jane volgde haar door de keuken naar de achterdeur. In een omheinde tuin met een zielig lapje dor gras stond een bijgebouw met metalen wanden. Het had geen ramen en was groter dan een gewone schuur, groot genoeg voor allerlei griezelige doeleinden. Toen Jane naar binnen ging, rook ze iets wat op chemicaliën duidde, prikkelend als alcohol. Tl-buizen verlichtten het interieur kil en klinisch.

Frost stond bij een grote werkbank te kijken naar een afschrikwekkend stuk gereedschap dat eraan vastgeklonken was. 'Ik dacht eerst dat dit een cirkelzaag was,' zei hij. 'Maar zo'n blad als dit heb ik nog nooit gezien. En moet je eens kijken wat er allemaal in die kastjes zit.' Hij wees ernaar.

Door de glazen deurtjes zag Jane dozen met latex handschoenen en naargeestige instrumenten die waren uitgestald op de planken. Scalpels, messen, sondes, buigtangen en forceps. De instrumenten van een chirurg. Aan de muren hingen rubberen voorschoten met donkerbruine vlekken. Ze rilde. De triplex plaat op de werkbank zat vol kerven en krassen en in het midden lag een brok rauw vlees in gestold bloed.

'Oké,' zei ze zachtjes, 'ik begin dit heel erg eng te vinden.'

'Het ziet eruit als de werkplaats van een seriemoordenaar,' zei Frost. 'Die op deze tafel zijn slachtoffers ontleedde.'

In een hoek stond een grote, witte ton waaraan een kleine elektromotor was bevestigd. 'En waar zou die ton voor zijn?'

Frost haalde zijn schouders op. 'Hij is groot genoeg om...'

Jane liep naar de ton, maar bleef staan toen ze rode druppels op de vloer zag. En een rode veeg aan de hendel van het deksel. 'Ik zie een bloedspoor.'

'Wat zit er in de ton?' vroeg Maura.

Jane greep de hendel en trok eraan. 'En achter deur nummer twee...' Ze gluurde in de ton. 'Zaagsel.'

'Is dat alles?'

Jane stak haar hand in de ton en grabbelde wat in het rond. Er steeg een stofwolk op. 'Alleen zaagsel.'

'Niet het tweede slachtoffer, dus,' zei Frost.

Maura liep naar het angstaanjagende werktuig dat Frost aanvankelijk voor een cirkelzaag had aangezien. Ze bestudeerde het blad, terwijl de kat, die achter haar aan was gelopen en weigerde haar met rust te laten, weer langs haar broekspijpen streek. 'Hebt u dit bekeken, rechercheur Frost?'

'Van zo dichtbij als ik durfde.'

'Is het u opgevallen dat de snijrand van het blad schuin staat? Dat betekent dat dit instrument niet bedoeld is om iets door te zagen.'

Jane kwam bij haar staan en betastte voorzichtig de rand van het blad. 'Dit ding ziet eruit alsof het je aan flarden zou kunnen scheuren.'

'En daar is het waarschijnlijk ook voor. Ik meen dat ze dit een ontvlezer noemen. Het is geen zaag, maar een instrument om vlees van botten te schrapen.'

'Jemig, zijn daar speciale machines voor?'

Maura deed een kast open en zag een plank met een rij blikken. Ze pakte er een, draaide hem om en las wat er op het etiket stond. 'Bondo.'

'Iets voor auto's?' vroeg Jane toen ze op het etiket de afbeelding van een auto zag.

'Een vulmiddel voor carrosserieën. Om deuken en krassen te repareren.' Maura zette de pot terug op de plank. Ze slaagde er niet in de grijze kat van zich af te schudden. Hij dribbelde achter haar aan toen ze naar de volgende kast liep en door de glazen deuren naar de messen en tangen keek die lagen uitgestald als op een instrumentenblad van een chirurg. 'Ik denk dat ik weet waar deze schuur voor werd gebruikt.' Ze keek Jane aan. 'Volgens mij zijn niet alle ingewanden in de vuilnisbak afkomstig van een mens.'

'Leon Gott was geen aardige man. En dan druk ik me nog netjes uit.' Nora Bazarian veegde een snor van gepureerde worteltjes van de mond van haar één jaar oude zoontje. In haar vale spijkerbroek en strakke t-shirt, met haar blonde haar in een paardenstaart, zag ze er meer uit als een tiener dan als een drieëndertigjarige moeder van twee kinderen. En als moeder was ze bedreven in multitasking, wat te zien was aan de efficiënte manier waarop ze steeds een hapje wortelen in het open mondje van haar zoon lepelde, vaat in de vaatwasser zette, controleerde of de cake in de oven al klaar was en tegelijkertijd Janes vragen beantwoordde. Het was geen wonder dat ze de taille van een tiener had; ze zat geen seconde stil.

'Weet u wat hij tegen mijn oudste zei?' vroeg Nora. '"Scheer je weg uit mijn tuin!" Het kind is zes! Ik heb nooit geweten dat chagrijnige oude mannen zoiets écht zeggen, maar Leon zei dat letterlijk. En alleen omdat Timmy zijn tuin in was gelopen om de hond te aaien.' Nora deed de vaatwasser met een klap dicht. 'Bruno heeft betere manieren dan zijn baasje.'

'Hoelang hebt u meneer Gott gekend?' vroeg Jane.

'We zijn hier zes jaar geleden komen wonen, kort nadat Timmy was geboren. Het leek ons een leuke buurt voor kinderen. We zagen goed onderhouden tuinen en jonge gezinnen met kinderen.' Als een bevallige balletdanseres maakte ze een halve pirouette om Janes koffiekopje bij te vullen. 'Een paar dagen nadat we waren verhuisd ben ik met een schaaltje koekjes naar Leon gegaan om kennis te maken. In plaats van me te bedanken zei hij dat hij nooit zoetigheid at en duwde hij me het schaaltje weer in mijn handen. En toen begon hij te klagen dat de baby zo vaak huilde en of ik er niet voor kon zorgen dat hij 's nachts stil was. Nou vráág ik u!' Ze ging zitten en gaf haar zoon nog een lepeltje wortelpuree. 'En dan al die dode dieren aan de muren...'

'U bent dus bij hem binnen geweest.'

'Eén keer. Hij keek zo trots als een pauw toen hij vertelde dat hij de meeste zelf had geschoten. Wie schiet er nou dieren om ze aan de muur te hangen?' Ze veegde wat puree van de kin van haar zoon. 'Toen heb ik besloten dat we beter bij hem uit de buurt konden blijven. Toch, Sam?' zei ze op een babytoontje. 'Wij blijven lekker bij die nare man vandaan.'

'Wanneer hebt u meneer Gott voor het laatst gezien?'

'Afgelopen weekend, zoals ik ook al aan agent Root heb verteld.'

'Wanneer precies?'

'Zondagochtend. Ik zag hem op zijn oprit. Hij bracht een tas met boodschappen naar binnen.'

'Hebt u gezien of er die dag iemand bij hem op bezoek is gekomen?'

'Nee, want ik was de hele dag weg. Mijn man is deze week in Californië, dus ben ik met de kinderen naar mijn moeder gegaan. Die woont in Falmouth. We zijn 's avonds pas teruggekomen.'

'Om hoe laat?'

'Halftien, tien uur.'

'Hebt u 's nachts vreemde geluiden gehoord bij uw buurman? Geschreeuw of luide stemmen?'

Nora legde de lepel neer en keek haar fronsend aan. De baby deed ongeduldig zijn mondje open, maar Nora negeerde het. Ze bekeek Jane achterdochtig. 'Toen agent Root zei dat ze Leon hangend aan een balk in zijn garage hadden gevonden, ging ik ervan uit dat hij zelfmoord had gepleegd.'

'Ik vrees dat het om moord gaat.'

'Weet u dat zeker? Heel zeker?'

Ja, reken maar dat ze dat zeker wist. 'Mevrouw Bazarian, over zondagavond...'

'Mijn man komt maandag pas terug. Tot dan zit ik hier in mijn eentje met de kinderen. Lopen wij gevaar?'

'Vertel me wat u zondagavond...'

'Lopen mijn kinderen gevaar?'

Dit zou voor iedere moeder de belangrijkste vraag zijn. Jane dacht aan haar eigen driejarige Regina. Aan hoe zíj zich zou voelen als zij Nora Bazarian was en hier met twee jonge kinderen woonde, terwijl haar buurman in zijn eigen huis was vermoord. Zou ze een geruststelling willen horen, of de waarheid? Niet dat Jane een antwoord op Nora's vraag had. Ze kon niet beloven dat niemand gevaar liep.

'Tot we meer weten,' zei ze, 'is het verstandig om voorzorgsmaatregelen te nemen.'

'Wat bent u tot nu toe te weten gekomen?'

'We vermoeden dat het op zondagavond is gebeurd.'

'Zo lang is hij dus al dood,' zei Nora zachtjes. 'Pal naast ons en ik wist er niets van.'

'Hebt u zondagavond niets bijzonders gezien of gehoord?'

'Hebt u gezien wat een hoge schutting hij om zijn tuin heeft? Daarom wisten wij nooit wat hij daar allemaal uitspookte. Behalve als hij in de schuur dat afgrijselijke lawaai maakte.'

'Wat voor lawaai?'

'Een snerpend geluid. Het klonk als een cirkelzaag. En je dan beklagen over een huilende baby!'

Jane dacht aan de gehoorapparaten op de wastafel. Als Gott zondagavond met machines had gewerkt die veel lawaai maakten, had hij zijn gehoorapparaten vast niet in gehad. Nóg een reden waarom hij zich niet van een indringer bewust zou zijn geweest.

'U zei dat u zondagavond laat thuiskwam. Brandde er toen licht bij meneer Gott?'

Daar hoefde Nora niet eens over na te denken. 'Ja,' zei ze. 'Het irriteerde me, want als het licht in zijn achtertuin aan is, schijnt het precies in mijn slaapkamer. Maar toen ik om ongeveer halfelf naar bed ging, was het licht uit.'

'En de hond? Blafte die?'

'Bruno? Die blaft altijd, dat is ook een probleem. Volgens mij blaft hij zelfs tegen vliegen.'

En daar waren er nu heel veel van, dacht Jane. Bruno stond nu ook te blaffen, niet boos, maar opgewonden over alle mensen die in en uit liepen.

Nora keek in de richting van het geluid. 'Wat gaat er met hem gebeuren?'

'Dat weet ik niet. Er zal een nieuw onderkomen voor hem gezocht moeten worden. En ook voor de katten.'

'Ik hou niet zo van katten, maar ik zou de hond best willen hebben. Bruno kent ons en doet altijd lief tegen mijn zoontjes. Ik zou me een stuk veiliger voelen met een hond in huis.'

Daar zou ze misschien anders over denken als ze wist dat Bruno nog bezig was het vlees van zijn baasje te verteren.

'Weet u of meneer Gott familie had?' vroeg Jane.

'Hij had een zoon, maar die is een paar jaar geleden in het buitenland overleden. Zijn ex is ook dood, en ik heb nooit gezien dat er een vrouw bij hem over de vloer kwam.' Nora schudde haar hoofd. 'Wat een afgrijselijk idee, dat hij daar vier dagen dood heeft gehangen zonder dat het iemand is opgevallen. Daar blijkt wel uit hoe weinig contact hij met andere mensen had.'

Door het keukenraam zag Jane dat Maura naar buiten was gekomen en op haar mobieltje keek of ze nieuwe berichten had. Maura was vrijgezel, net als Gott, en maakte een eenzame indruk, zoals ze daar stond. Zou Maura, vanwege haar eenzelvige karakter, ooit in een Leon Gott veranderen?

De lijkwagen van het mortuarium kwam aanrijden en televisieploegen zochten een goed plekje achter het afzetlint. Als straks alle agenten, criminologen en verslaggevers weer vertrokken waren, zou alleen het afzetlint nog aangeven dat in dit huis een moord was gepleegd. En pal ernaast woonde een jonge moeder die momenteel alleen was met haar twee kinderen.

'Hij was geen toevallig slachtoffer, hè?' zei Nora. 'Kende hij de dader? Wat voor iemand is het, denkt u?'

Een monster, dacht Jane. Ze deed haar pen en notitieboekje in haar tas en stond op. 'Ik heb gezien dat u een alarmsysteem hebt,' zei ze. 'Dat zou ik aanzetten als ik u was.'

4

Maura droeg de kartonnen doos van haar auto naar haar huis en zette hem in de keuken op de vloer. De grijsgestreepte kat miauwde erbarmelijk, maar Maura liet hem nog even in de doos zitten terwijl ze in de voorraadkast naar geschikt kattenvoedsel zocht. Ze had geen gelegenheid gehad om op weg naar huis iets te kopen en had de kat impulsief meegenomen omdat niemand anders zich had aangeboden en het asiel het enige alternatief zou zijn geweest. En ook omdat de kat, door de hele tijd om haar benen te draaien, háár min of meer had geadopteerd.

In de kast stond een zak hondenbrokken, die was overgebleven van de laatste keer dat Julian met Bear bij haar had gelogeerd. Zou een kat hondenbrokken lusten? Ze had geen idee, maar pakte voor alle zekerheid ook een blik sardientjes.

De kat begon nog heftiger te miauwen toen Maura het blikje opende en de visgeur eruit ontsnapte. Ze deed de sardientjes in een kom en maakte toen de doos open. De kat sprong eruit en viel zo hongerig op de vis aan dat de kom over de tegelvloer zeilde.

'Sardientjes smaken toch wel beter dan mensenvlees, hè?' Ze aaide de kat over zijn rug. Van puur genoegen stak hij zijn staart de lucht in. Ze had nog nooit een kat gehad. Ze had nooit tijd of zin gehad om een huisdier te nemen, tenzij je de korte en bijzonder tragische ervaring met de Siamese kempvissen meetelde. Ze wist ook niet zeker of ze deze kat wilde, maar hij was hier nu, snorrend als een buitenboordmotor terwijl hij de kom uitlikte, de kom waar ze 's ochtends haar cornflakes uit at. Dat was een storende gedachte. Mensetende kat. Kruisbesmetting. Ze dacht aan alle ziekten die katachtigen konden overbrengen: kattenkrabziekte. *Toxoplasma gondii.* Kattenleukemie. Hondsdolheid. Rondworm. Salmonella. Katten waren een bron van infectieziekten en nu stond er een uit haar ontbijtkom te eten.

De kat schrokte het laatste stukje sardine naar binnen en keek met zijn heldergroene ogen op naar Maura. Zijn blik was zo indringend dat het leek alsof hij wist wat ze dacht en een gelijkgestemde geest zag. Zo veranderen gewone vrouwen in gestoorde kattenvrouwen, dacht ze. Ze kijken diep in de ogen van een kat en denken een zielsverwant te zien. En wat zag deze kat als hij naar Maura keek? Een menselijk wezen met een blikopener.

'Kon je maar praten,' zei ze. 'Kon je maar vertellen wat je hebt gezien.'

Maar de kat bewaarde zijn geheimen zuinig. Hij stond haar toe hem nog even te aaien en wandelde toen naar een hoek van de keuken, waar hij zich begon te wassen. Weinig aanhankelijkheid. Het was: geef me te eten en laat me verder met rust. Misschien was een kat dan toch een geschikt huisdier voor haar, twee eenlingen bij elkaar, geen van beide geschikt voor langdurige relaties.

Nu hij haar negeerde, negeerde ze hem ook en bekommerde ze zich om haar eigen avondmaal. Ze had nog een ovenschotel van aubergine met Parmezaanse kaas in de koelkast staan. Ze zette hem in de oven, schonk een glas pinot noir in en deed haar laptop open om de foto's te bekijken die ze in het huis van Leon Gott had gemaakt. Toen ze het ontweide lichaam, het half weggevreten gezicht en de maden zag die in het vlees krioelden, dacht ze aan de stank die in het huis had gehangen en aan het gezoem van de vliegen. Het zou morgen geen prettige sectie worden. Langzaam klikte ze door de fotoreeks, zoekend naar details die misschien aan haar aandacht waren ontsnapt toen de luidruchtige aanwezigheid van de agenten en de technische recherche zoveel afleiding had veroorzaakt. Niets van wat ze zag was in strijd met haar schatting dat de man al vier tot vijf dagen dood was. De omvangrijke schade aan het gezicht, de nek en de armen kon worden toegeschreven aan aaseters. En daar hoor jij ook bij, dacht ze met een blik op de kat, die kalmpjes zijn poten schoonlikte. Hoe zou hij heten? Ze had geen idee, maar ze kon hem moeilijk 'kat' blijven noemen.

De volgende foto was van de organen in de vuilnisbak. Ze zou de half gestolde massa moeten weken en voorzichtig uit elkaar moeten halen voordat ze elk orgaan apart kon onderzoeken. Dat zou het onaangenaamste onderdeel van de autopsie zijn, omdat het rottings-proces altijd begon in de inwendige organen, waar bacteriën zich naar hartenlust vermenigvuldigden. Ze klikte door en stopte bij een andere afbeelding van de organen in de vuilnisbak. De belichting was op deze foto anders, omdat er niet was geflitst, en dankzij het schuin invallende licht waren hier weer andere bollingen en kloven zichtbaar op de oppervlakte van de massa.

Er belde iemand aan.

Ze verwachtte geen bezoek. Ze had zéker niet verwacht Jane Rizzoli voor de deur te zien staan.

'Ik dacht dat je dit misschien wel kon gebruiken,' zei Jane. Ze gaf haar een tas.

'Dat ik wát kon gebruiken?'

'Kattenbakvulling en een doos Mr. Friskies. Het zit Frost niet lekker dat jij met de kat zit opgescheept, dus heb ik gezegd dat ik dit even langs zou brengen. Heeft het ondier je meubels al ver-nield?'

'Nog niet. Kom erin, dan kun je zelf zien hoe het met hem is.'

'Waarschijnlijk beter dan met de andere.'

'De witte? Wat hebben jullie daarmee gedaan?'

'Niemand is erin geslaagd hem te vangen. Hij zit nog steeds er-gens in dat huis.'

'Ik hoop dat jullie water en voedsel voor hem hebben neergezet.'

'Daar heeft Frost uiteraard voor gezorgd. Hij zegt dat hij een hekel heeft aan katten, maar je had moeten zien hoe hij op zijn knieën naast het bed zat en de kat smeekte tevoorschijn te komen. Hij gaat morgen terug om de kattenbak te verschonen.'

'Hij zou een huisdier moeten nemen. Hij is vast erg eenzaam.'

'Heb jij daarom deze meegenomen?'

'Natuurlijk niet. Ik heb hem meegenomen omdat...' Maura zuchtte. 'Ik weet het niet. Omdat hij zo om me heen bleef draaien.'

'Ja, ze weten precies wie ze moeten hebben,' zei Jane lachend terwijl ze met Maura naar de keuken liep. 'Hij dacht: van die dame daar krijg ik vast levertjes en slagroom.'

In de keuken keek Maura mismoedig naar de kat, die op de tafel was gesprongen en met zijn voorpoten op het toetsenbord van haar laptop lag. 'Ksst!' siste ze. 'Wegwezen!'

De kat gaapte en rolde zich op zijn zij.

Maura tilde hem op en zette hem op de vloer. 'Je mag niet op de tafel!'

'Het kan voor je laptop geen kwaad, hoor,' zei Jane.

'Het gaat me niet om de laptop. Ik eet altijd aan deze tafel.' Maura pakte een spons, spoot er wat reinigingsmiddel op en begon het tafelblad schoon te maken.

'Ik geloof dat je hier een bacterie hebt overgeslagen.'

'Spot er maar mee. Ben je vergeten waar deze kat vandaan komt? Waar hij de afgelopen vier dagen doorheen is gelopen? Zou jij aan zo'n tafel willen eten?'

'Hij is waarschijnlijk schoner dan mijn driejarige dochter.'

'Dat is ook weer waar. Kinderen zijn net fomieten.'

'Wat zijn fomieten?'

'Infectieverspreiders.' Maura haalde de spons nog één keer over de tafel en gooide hem in de afvalbak.

'Daar zal ik aan denken als ik straks thuis ben. "Kom maar bij mama, lekker fomietje van me."' Jane scheurde de zak met kattenbakvulling open en strooide de inhoud in de kattenbak die ze had meegebracht. 'Waar zal ik hem neerzetten?'

'Ik had eigenlijk gedacht de kat in de tuin zijn behoefte te laten doen.'

'Als je hem naar buiten laat, komt hij misschien nooit meer terug.' Jane sloeg het stof van haar handen en kwam overeind. 'Of was dat juist de bedoeling?'

'Ik lijk wel gek, dat ik hem mee naar huis heb genomen. Alleen omdat hij om me heen bleef draaien. Ik ben nooit van plan geweest een kat te nemen.'

'Je zei net dat Frost er eentje zou moeten nemen. Waarom jij dan niet?'

'Frost is kortgeleden gescheiden. Hij is er niet aan gewend alleen te zijn.'

'En jij wel.'

'Ik ben al jaren alleen en ik denk niet dat daar binnen afzienbare tijd verandering in zal komen.' Maura keek om zich heen naar het smetteloze aanrecht en de blinkende gootsteen. 'Tenzij er een wonder gebeurt en er opeens een man ten tonele verschijnt.'

'Een wonderman.' Jane wees naar de kat. 'Misschien is dat een geschikte naam voor hem. Wonderman.'

'Mooi niet.' De timer ging. Maura deed de oven open.

'Ruikt goed.'

'Aubergine met Parmezaanse kaas. Ik zag mezelf vanavond echt geen vlees eten. Heb je trek? Er is genoeg voor twee.'

'Ik ga bij mijn moeder eten. Gabriel is nog in Washington en mijn moeder vindt het vreselijk als ik alleen thuiszit met Regina.' Jane zweeg even en vroeg toen: 'Wil je mee? Voor de gezelligheid?'

'Dat is aardig van je, maar ik heb dit nu al opgewarmd.'

'Een andere keer dan. Als je eens behoefte mocht hebben aan wat familie.'

Maura keek haar aan. 'Probeer je me te adopteren?'

Jane ging zitten. 'Maura, ik vind dat we iets uit te praten hebben. We hebben niet veel contact gehad sinds Teddy Clock en ik weet dat je het de afgelopen maanden niet makkelijk hebt gehad. Ik had je al veel eerder moeten vragen eens te komen eten.'

'En ik jullie. We hebben het allebei gewoon te druk gehad.'

'Ik maak me echt zorgen, Maura, sinds je zei dat je misschien uit Boston weggaat.'

'Waarom maak jij je daar zorgen over?'

'Hoe kun je zomaar weggaan na alles wat wij samen hebben meegemaakt? Wij houden ons bezig met dingen waar andere mensen nooit iets van zullen begrijpen. Zoals dát.' Jane wees naar de foto van de ton met ingewanden die nog op Maura's computerscherm stond. 'Als jij uit Boston zou vertrekken, met wie moet ik dan praten over een vuilnisbak vol organen? Dat zijn geen dingen waar normale mensen het over hebben.'

'Met andere woorden, ik ben niet normaal.'

'En ik wel?' Jane lachte. 'We hebben allebei een hang naar het lugubere. Dat is de reden waarom we in staat zijn ons met deze dingen bezig te houden. En waarom we zo goed samenwerken.'

Dat was iets wat Maura nooit zou hebben voorspeld toen ze Jane voor het eerst ontmoette. Ze had geweten wat de mannelijke agenten over Jane zeiden: dat ze een kreng was. Een kenau. En een stuk chagrijn. De vrouw die op die bewuste dag naar de plaats delict was gekomen, was inderdaad bot, bruut en onbarmhartig geweest. Maar ze was een van de beste rechercheurs die Maura kende.

'Je zei dat er niets is wat je aan Boston bindt,' zei Jane. 'Maar dat is niet waar. Jij en ik hebben hier samen heel wat meegemaakt.'

Maura snoof. 'Ons keer op keer in de nesten gewerkt, zul je bedoelen.'

'Maar we weten ons daar ook altijd weer uit te redden. Wat wacht jou in San Francisco?'

'Een voormalige collega heeft me een baan aangeboden als docent op de universiteit.'

'En Julian dan? Jij bent een soort moeder voor die jongen. Als jij naar Californië vertrekt, zal hij het gevoel hebben dat je hem in de steek laat.'

'Ik zie hem bijna nooit. Julian is zeventien en gaat binnenkort studeren. Ik weet niet wat hij wil gaan doen, maar in Californië zijn uitstekende universiteiten. Ik kan mijn leven niet afstemmen op een jongen die zijn eigen leven moet opbouwen.'

'Die baan in San Francisco. Betaalt die beter? Gaat het daarom?'

'Dat is niet de reden waarom ik zou gaan.'

'Je wilt dus gewoon weg. Je slaat op de vlucht.' Jane wachtte even. 'Weet híj dat je plannen hebt om Boston te verlaten?'

Hij. Maura wendde zich af om haar glas bij te vullen. Een hint naar Daniel Brophy was voldoende om haar naar de fles te doen grijpen. 'Ik heb Daniel al maanden niet gesproken.'

'Maar wel gezien.'

'Natuurlijk. Elke keer dat ik naar een plaats delict ga, vraag ik me af of hij er zal zijn, om de familieleden te troosten en voor het slachtoffer te bidden. We bewegen ons in dezelfde kringen, Jane. In de kringen van de dood.' Ze nam een flinke slok. 'Het zou fijn zijn als ik daaraan kon ontsnappen.'

'Als je naar Californië zou gaan, zou je dat dus doen om hem niet meer te hoeven zien.'

'En om aan de verleiding te ontsnappen,' zei Maura zachtjes.

'De verleiding om naar hem terug te gaan?' Jane schudde haar hoofd. 'Je hebt een besluit genomen. Hou je daaraan en leef je eigen leven. Dat zou ik doen.'

En dat was het verschil tussen hen. Jane nam snelle beslissingen en wist altijd precies wat er gedaan moest worden. Zij lag 's nachts niet wakker omdat ze aan haar beslissingen twijfelde. En onzekerheid was juist waar Maura 's nachts door geplaagd werd. Ze kon eindeloos piekeren over haar keuzes en de consequenties ervan. Zij had veel liever gehad dat het leven een wiskundig vraagstuk was waarvan slechts één uitkomst de juiste was.

Jane stond op. 'Zul je nadenken over wat ik heb gezegd? Ik heb geen zin en geen tijd om een nieuwe patholoog in te werken. Ik reken er dus op dat je blijft.' Ze legde haar hand op Maura's arm en zei zachtjes: 'Ik wil graag dat je blijft.' En toen draaide ze zich abrupt om. 'Tot morgen.'

'Ik doe morgenochtend de autopsie,' zei Maura terwijl ze met haar meeliep naar de voordeur.

'Ik denk dat ik die maar oversla. Ik heb vandaag al genoeg maden gezien.'

'Misschien komen we nog voor verrassingen te staan. Het zou jammer zijn als je iets zou mislopen.'

'De enige verrassing,' zei Jane toen ze naar buiten liep, 'zou zijn dat Frost komt opdagen.'

Maura deed de deur op slot en liep terug naar de keuken. De ovenschotel was helemaal afgekoeld, dus zette ze hem weer in de oven. De kat was weer op de tafel gesprongen en lag op het toetsenbord van de laptop alsof hij wilde zeggen: je hebt vandaag genoeg gewerkt. Maura tilde hem op en zette hem op de vloer. Iemand moest hier de dienst uitmaken, en dat zou niet deze kat zijn. Vanwege de bewegingen van de kat was het scherm weer aangegaan en daarop stond de laatste foto die ze had bekeken. De foto zonder flits van de inwendige organen, de bobbelige oppervlakte met de schaduwen die werden veroorzaakt door het schuin invallende licht. Ze stond op het punt de laptop te sluiten, toen de lever haar aandacht trok. Fronsend zoomde ze in. Ze bekeek de kloven en rondingen van het orgaan. Het was geen speling van het licht. Het was ook geen vervorming door bacteriële zwelling.

De lever had zes kwabben.

Ze stak haar hand uit naar haar telefoon.

5

Botswana

'Waar is hij?' gilt Sylvia. 'Waar is de rest van hem?'
Ze staat samen met Vivian een eindje verderop onder de
bomen. Ze staren naar de grond, naar iets wat ik vanwege het knie-
hoge gras niet kan zien. Ik stap over de draad die de begrenzing van
het kamp aangeeft, de draad met de belletjes, belletjes die vannacht
niet waarschuwend hebben geklingeld. In plaats daarvan is het Sylvia die alarm heeft geslagen. Haar gegil lokt ons allemaal half ont-
kleed de tenten uit. Meneer Matsunaga ritst zijn gulp dicht terwijl
hij naar buiten stormt. Elliot heeft niet eens de tijd genomen een
broek aan te trekken en stuntelt in zijn boxershort op sandalen de
koude dageraad in. Ik heb een overhemd van Richard meegegrist
en trek het over mijn nachthemd aan als ik door het gras waad, met
losse veters en in mijn schoen een steentje dat in mijn hiel prikt. Ik
zie een bebloede lap kakikleurige stof die als een slang rond de tak
van een struik zit gedraaid. Een paar stappen verder zie ik nog meer
uiteengereten kledingstof en iets wat lijkt op een pluk zwarte wol.
Nog een paar stappen. Dan zie ik waar de meisjes naar staren. Dan
weet ik waarom Sylvia zo staat te krijsen.

Vivian draait zich om en braakt in de struiken.

Ik kan me niet verroeren. Als verlamd sta ik erbij. Terwijl Sylvia
naast me begint te jammeren en te hyperventileren, kijk ik naar de
botten die verspreid liggen op het geplette gras. Ik voel me heel af-
standelijk, alsof ik in het lichaam van een ander ben gekropen, het

lichaam van een wetenschapper, misschien. Een anatoom, die bij het zien van beenderen de neiging krijgt ze in elkaar te passen en daarbij uitleg te geven: dit is het rechterkuitbeen, dat is de ellepijp, dit botje is van de kleine teen van de rechtvoet. Ja, van de rechtervoet, zeker weten. En dat terwijl ik vrijwel geen van de botten die ik hier zie weet te herkennen, omdat er zo weinig over zijn en ze allemaal zijn beschadigd. Het enige wat ik herken, is een rib, omdat die er precies zo uitziet als wat je in een restaurant krijgt, overgoten met saus. Maar dit is geen varkensrib, nee, nee, dit aangevreten, deels versplinterde bot is van een mens geweest en heeft toebehoord aan iemand die ik kende, iemand die ik negen uur geleden nog heb gesproken.

'Jezus,' kreunt Elliot. 'Wat is er gebeurd? Wat is er in godsnaam gebeurd?'

Dan Johnny's bulderende stem: 'Achteruit! Allemaal!'

Ik kijk om. Johnny wringt zich tussen ons door. We zijn er nu allemaal: Vivian en Sylvia, Elliot en Richard, meneer en mevrouw Matsunaga. Er ontbreekt er maar één, al ontbreekt hij eigenlijk niet, omdat deze rib van hem was. En dat plukje wol was Clarence' haar. Boven het geplette gras hangt de geur van de dood, de geur van angst, van vers vlees en van Afrika.

Johnny hurkt bij de beenderen. Hij zegt helemaal niets. Iedereen zwijgt. Zelfs de vogels zijn stil, verstoord door de aanwezigheid van de mensen. Het enige wat ik hoor, is het gras dat ruist in de wind en het kabbelen van de rivier.

'Heeft iemand vannacht iets gezien of gehoord?' vraagt Johnny. Hij kijkt naar ons op. Zijn overhemd hangt los en hij heeft zich nog niet geschoren. Hij boort zijn blik in mijn ogen. Ik ben tot niets anders in staat dan mijn hoofd schudden.

'Niemand?' Johnny's blik glijdt langs onze gezichten.

'Ik niet,' zegt Elliot. 'Ik heb als een blok geslapen.'

'Wij ook,' zegt Richard, die heel irritant weer eens voor ons beiden spreekt.

'Wie heeft hem gevonden?'

Vivian fluistert, nauwelijks hoorbaar: 'Wij. Sylvia en ik. We moesten plassen. Het was al licht, dus leek het ons wel veilig. Clarence is rond deze tijd meestal het vuur aan het opstoken...' Ze stopt en trekt wit weg als ze beseft dat ze zijn naam heeft uitgesproken. Clarence.

Johnny komt overeind. Ik sta het dichtst bij hem en neem elk detail van hem in me op, van zijn recht overeind staande haar tot het ribbelige litteken op zijn buik, een litteken dat ik nu pas voor het eerst zie. Wij interesseren hem niet, omdat we hem niets kunnen vertellen. Hij richt zijn aandacht op de plek waar de stoffelijke resten van het slachtoffer liggen. Hij kijkt naar de draad die de begrenzing van het kamp vormt. 'De belletjes hebben niet gerinkeld,' zegt hij. 'Ik zou het gehoord hebben. En Clarence ook.'

'Dus wie... of wat... dit heeft gedaan... is niet het kamp binnengedrongen?' vraagt Richard.

Johnny negeert hem. Hij begint rond te lopen, in een steeds groter wordende cirkel, waarbij hij iedereen die hem in de weg staat ongeduldig opzij duwt. Er is nergens kale grond, alleen gras, geen pootafdrukken of andere sporen die hem iets kunnen vertellen. 'Hij heeft om twee uur de wacht van me overgenomen. Ik ben meteen naar bed gegaan. Het vuur is bijna uit, dus daar is al uren geen hout aan toegevoegd. Waarom heeft hij het kampvuur verlaten? Waarom heeft hij zich buiten het kamp gewaagd?' Hij kijkt om zich heen. 'En waar is het geweer?'

'Daar,' zegt meneer Matsunaga. Hij wijst naar de cirkel van stenen rond het vrijwel gedoofde kampvuur. 'Ik heb het daar op de grond zien liggen.'

'Heeft hij het geweer dan achtergelaten?' zegt Richard. 'Heeft hij zonder geweer het kampvuur en het kamp verlaten? Waarom zou hij dat gedaan hebben?'

'Dat zou hij nooit doen,' is Johnny's huiveringwekkende antwoord. Hij blijft rondjes lopen en het gras bestuderen. Er liggen flarden stof en een schoen, maar verder niet veel. Hij begint in de richting van de rivier te lopen. Opeens knielt hij. Ik kan het topje van zijn blonde hoofd nog net boven het gras zien uitsteken. Hij blijft zo stil zitten dat we ons nog benauwder gaan voelen. Niemand wil weten waar hij naar kijkt; we hebben allemaal al genoeg gezien. Maar zijn roerloze houding heeft op mij de uitwerking van een magneet die me naar hem toe trekt.

Hij kijkt naar me op als ik hem bereik. 'Hyena's.'

'Hoe weet je dat?'

Hij wijst naar grijze bolletjes op de grond. 'Dat zijn uitwerpselen van de gevlekte hyena. Zie je de haren en de stukjes bot die erin zitten?'

'O god. Die zijn toch niet van hem?'

'Nee, deze uitwerpselen zijn een paar dagen oud. We wisten al dat hier hyena's waren.' Hij wijst naar een bloederig lapje kledingstof. 'En ze hebben hem te pakken gekregen.'

'Ik dacht dat hyena's aasdieren waren.'

'Ik kan niet bewijzen dat ze hem hebben gedood, maar het lijkt me duidelijk dat ze hem hebben opgevreten.'

'Er is zo weinig van hem over,' zeg ik zachtjes. Ik kijk naar de flarden kleding. 'Hij is bijna helemaal... verdwenen.'

'Aasdieren verkwisten niets. Ze laten niets achter. Wat er verder nog van hem over was, hebben ze waarschijnlijk meegenomen naar hun hol. Ik begrijp niet hoe Clarence heeft kunnen sterven zonder geluid te maken. Waarom ik niet heb gehoord dat hij werd aangevallen.' Johnny zit nog steeds geknield bij de grijze bolletjes, maar zijn ogen spieden de omgeving af en zien dingen waar ik geen weet van heb. Ik word nerveus van zijn roerloze houding. Ik heb nog nooit een man als hij ontmoet, een man die zo volkomen op zijn omgeving is afgestemd dat hij er deel van lijkt uit te maken, die net zo diep in dit land is geworteld als de bomen en het wuivende gras. Hij lijkt in geen enkel opzicht op Richard, die zo weinig tevreden is over zijn leven dat hij voortdurend het internet afzoekt naar een betere flat, een betere vakantiebestemming, misschien zelfs een betere vriendin. Richard weet niet wat hij wil en waar hij thuishoort, maar Johnny wel. Johnny, die zo lang kan zwijgen dat ik aandrang voel de stilte te verbreken met een idiote opmerking, alsof het mijn plicht is het gesprek gaande te houden. Maar alleen ik voel dit onbehagen. Johnny niet.

Hij zegt zachtjes: 'We moeten alles verzamelen.'

'Alles van... Clarence, bedoel je?'

'Voor zijn familie. Om te kunnen begraven. Ze zullen behoefte hebben aan iets tastbaars waar ze om kunnen rouwen.'

Ik staar met afgrijzen naar de bloederige lappen. Ik wil ze niet aanraken en ik wil de plukjes haar en stukjes bot ook niet oprapen. Maar ik knik en zeg: 'Ik help je wel. We kunnen alles in een van de jutezakken doen die in de auto liggen.'

Hij komt overeind en kijkt me aan. 'Jij bent niet zoals de anderen.'

'Hoe bedoel je?'

'Jij wilt hier eigenlijk helemaal niet zijn, hè? In de wildernis.'

Ik sla mijn armen om mijn lichaam. 'Nee, maar Richard houdt van dit soort vakanties.'

'En van wat voor soort vakanties hou jij?'

'Ik heb graag een douche, een toilet en af en toe een massage. Maar ik ben inschikkelijk, dus ben ik meegegaan.'

'Dat is inderdaad erg inschikkelijk van je.' Hij kijkt in de verte en zegt, zo zacht dat het me bijna ontgaat. 'Je bent veel te goed voor hem.'

Ik weet niet of het zijn bedoeling was dat ik dat zou horen. Of dat hij al zo lang in de rimboe leeft dat hij gewend is tegen zichzelf te praten, omdat er toch niemand is die hem kan horen.

Ik probeer het van zijn gezicht af te lezen, maar hij bukt zich om iets op te rapen. Als hij zich weer opricht, heeft hij het in zijn hand.

Een bot.

'Het zal jullie duidelijk zijn dat deze expeditie hiermee ten einde is gekomen,' zegt Johnny. 'Laten we snel het kamp opbreken, zodat we rond het middaguur kunnen vertrekken.'

'Waarheen?' zegt Richard. 'Het vliegtuig komt ons over een week pas halen.'

Johnny heeft ons rond het gedoofde kampvuur verzameld om ons te vertellen wat er gaat gebeuren. Ik kijk naar de andere deelnemers aan deze safari, toeristen die een avontuur in een wildpark hebben geboekt en iets heel anders hebben gekregen dan ze hadden verwacht. Een heus slachtoffer, een dood mens. Niet de opwindende dingen die je in natuurfilms ziet, maar een onooglijke jutezak met een armzalige hoeveelheid beenderen, flarden van kleding en plukjes hoofdhaar. Dat is alles wat er over is van onze spoorzoeker. De rest van hem, zegt Johnny, zal nooit teruggevonden worden. Zo gaat het in de wildernis, waar ieder wezen dat wordt geboren, uiteindelijk wordt opgevreten, verteerd en gerecycled tot uitwerpselen, tot grond, tot gras. Gras dat wordt begraasd, waarna er weer nieuwe dieren worden geboren. Het lijkt een mooie cyclus, maar nu we oog in oog staan met de harde werkelijkheid, een jutezak met het weinige wat er van Clarence over is, dringt tot ons door dat de cyclus van het leven ook de cyclus van de dood is. We bestaan om te eten en gegeten te worden, en we zijn niets anders dan vlees. We zijn nu een groepje van acht, botten met vlees, te midden van carnivoren.

'Als we nu terugkeren naar het vliegveld,' zegt Richard, 'zullen we gedwongen zijn daar een paar dagen te gaan zitten niksen tot het vliegtuig komt. Waarom is dat beter dan de safari afmaken?'

'Ik ga met jullie niet dieper de bush in,' zegt Johnny.

'We hebben toch een mobilofoon?' zegt Vivian. 'Kun je de piloot niet oproepen om te zeggen dat hij eerder moet komen?'

Johnny schudt zijn hoofd. 'We hebben hier geen ontvangst. We kunnen pas contact met hem opnemen als we bij het vliegveld zijn, en dat is drie dagen rijden naar het westen. Daarom rijden we in plaats daarvan naar het oosten. Als we flink voortmaken, zonder te stoppen om naar dieren te kijken, kunnen we over twee dagen bij een van de lodges zijn. Daar hebben ze telefoon. Alle lodges liggen aan de doorgaande weg, dus kan iemand jullie daarvandaan terugbrengen naar Maun.'

'Waarom?' vraagt Richard. 'Ik wil niet bot klinken, maar wij kunnen niets meer doen voor Clarence. Ik begrijp niet waarom we halsoverkop terug moeten.'

'Iedereen krijgt uiteraard volledige restitutie.'

'Het gaat niet om het geld. Millie en ik zijn hiervoor helemaal uit Londen gekomen. Elliot uit Boston. Meneer en mevrouw Matsunaga van nog veel verder.'

Elliot valt hem scherp in de rede. 'Jezus, Richard. De arme man is dóód.'

'Dat weet ik, maar we zijn hier nu eenmaal. We kunnen net zo goed het programma afmaken.'

'Nee,' zegt Johnny.

'Waarom niet?'

'Ik kan niet instaan voor jullie veiligheid, noch voor jullie comfort. Ik kan niet dag en nacht wakker blijven. Er zijn twee mensen nodig om 's nachts de wacht te houden en ervoor te zorgen dat het kampvuur niet uitgaat. En om het kamp op te breken en weer op te bouwen. Clarence was niet alleen de spoorzoeker en de kok, hij was een extra paar ogen en oren. Ik heb een assistent nodig als ik rondrij met mensen die het verschil niet weten tussen een geweer en een wandelstok.'

'Leer het mij dan. Dan help ik je de wacht te houden.' Richard kijkt naar de rest van ons alsof hij wil zeggen dat hij als enige mans genoeg is voor die taak.

Meneer Matsunaga zegt: 'Ik kan schieten. Ik kan ook de wacht houden.'

We kijken allemaal naar de Japanse bankier, wiens schietvaardigheid tot nu toe alleen via zijn lange telelens tot uitdrukking is gekomen.

Richard laat een ongelovig lachje ontsnappen. 'Bedoel je met echte geweren, Isao?'

'Ik ben lid van de schietclub van Tokyo,' zegt meneer Matsunaga, onaangedaan door Richards laatdunkende toon. Hij wijst naar zijn vrouw en zegt tot ieders verbazing: 'Keiko ook.'

'Daar ben ik heel blij om,' zegt Elliot. 'Want ik wil dat geweer niet eens vasthouden.'

'Zie je? Voldoende hens aan dek,' zegt Richard tegen Johnny. 'We kunnen om beurten de wacht houden en zorgen dat het kampvuur blijft branden. Dit is waar het bij een echte safari om gaat. Uitdagingen het hoofd bieden. Laten zien wat je waard bent.'

Richard de wildernisdeskundige, die het hele jaar heldhaftig achter zijn computer zit om door testosteron gevoede verhalen te verzinnen. Nu die verzinsels werkelijkheid zijn geworden, kan hij de held van zijn eigen thriller spelen. En het mooist van al is dat er in zijn publiek twee beeldschone blonde meisjes zitten, voor wie hij het in feite allemaal doet, omdat ik allang niet meer van hem onder de indruk ben en hij dat weet.

'Dat klinkt heel mooi, maar mijn besluit staat vast. Breek het kamp op. We gaan naar het oosten.' Johnny loopt weg om zijn tent af te breken.

'Ik ben blij dat hij er een punt achter zet,' zegt Elliot.

'Hij moet wel,' snuift Richard. 'Na zo'n blunder.'

'Wat er met Clarence is gebeurd, kun je hem niet aanrekenen.'

'Wie is er dan verantwoordelijk? Hij heeft een spoorzoeker ingehuurd met wie hij nog nooit heeft gewerkt.' Richard kijkt naar mij. 'Dat heeft Clarence zelf aan Millie verteld. Hij zei dat dit de eerste keer was dat hij met Johnny werkte.'

'Maar ze kenden elkaar,' zeg ik. 'En Clarence heeft vaker als spoorzoeker gewerkt. Johnny zou hem niet ingehuurd hebben als hij onervaren was.'

'Dat kun je nu wel zeggen, maar je ziet wat ervan is gekomen. Onze zogenaamd ervaren spoorzoeker legt zijn geweer neer en loopt een meute hyena's tegemoet. Klinkt dat als iemand die wist wat hij deed?'

'Wat wil je hiermee zeggen, Richard?' vraagt Elliot vermoeid.

'Dat we niet klakkeloos op zijn beoordelingsvermogen kunnen afgaan.'

'Toch vind ik dat Johnny gelijk heeft. We kunnen niet zomaar het programma afmaken, zoals jij dat noemt. Dat er een man is gedood, zet nogal een domper op de stemming.' Elliot draait zich om naar zijn tent. 'We kunnen beter maken dat we hier wegkomen en naar huis gaan.'

Naar huis. Terwijl ik mijn kleren en toiletspullen in mijn plunjezak stop, denk ik aan Londen, grijze wolken en cappuccino. Over tien dagen zal Afrika een met een gouden licht overgoten droom zijn, een herinnering aan hitte en oogverblindende zonneschijn, aan leven en dood in felle kleuren. Gisteren smachtte ik naar onze flat, naar het land van de warme douches. Nu we op het punt staan de wildernis te verlaten, voel ik me erdoor gegrepen, alsof de ranken van de planten zich rond mijn enkels wikkelen en dreigen me wortel te laten schieten in deze bodem. Ik rits mijn rugzakje met het 'hoognodige' dicht, alle dingen waarvan ik dacht dat ze absoluut noodzakelijk waren om in de wildernis in leven te kunnen blijven: energierepen, toiletpapier, pakketjes vochtige doekjes, zonnebrandcrème, tampons en mijn mobiel. Het woord 'hoognodig' krijgt een heel andere betekenis als je buiten het bereik van een gsm-mast zit.

51

Tegen de tijd dat Richard en ik onze tent hebben ingepakt, heeft Johnny zijn eigen spullen plus het kookgerei en de vouwstoeltjes al in de auto geladen. We hebben allemaal heel snel gewerkt, zelfs Elliot, die Vivian en Sylvia heeft gevraagd hem te helpen toen hij er in zijn eentje niet in slaagde zijn tent op te vouwen. De dood van Clarence drukt op ons, ontneemt ons de lust tot praten, zet ons ertoe aan onze taken zo snel mogelijk te verrichten. Als ik onze tent in de laadruimte van de landrover schuif, zie ik de jutezak met de stoffelijke resten van Clarence naast Johnny's rugzak liggen. Het is een schok om die zak daar te zien liggen, zomaar bij de rest van de spullen. Afgevinkt op de lijst. Tenten: ja. Brander: ja. Botten van gedode man: ja.

Ik klim in de auto en ga naast Richard zitten. Ik heb onbelemmerd zicht op de lege bumperstoel waar Clarence hoort te zitten. Het is een lugubere herinnering aan het feit dat hij er niet meer is, dat zijn beenderen zijn versplinterd en dat zijn vlees is verslonden. Johnny stapt als laatste in. Als hij het portier dichttrekt, kijk ik naar de verlaten kampeerplek en denk: zo dadelijk kun je nergens meer aan zien dat we hier zijn geweest. Wij reizen verder, maar Clarence niet meer.

Opeens vloekt Johnny. Hij stapt weer uit. Er is iets mis.

Hij loopt met grote stappen naar de voorkant van de auto en zet de motorkap omhoog. Seconden verstrijken. Zijn hoofd zit verborgen achter de motorkap, dus kunnen we zijn gezicht niet zien, maar ik word bang van zijn zwijgen. Hij biedt ons geen geruststellend 'het is maar een losgeraakt draadje', of 'ik zie het al'.

'Wat nu weer?' mompelt Richard. Hij stapt ook uit, al weet ik niet wat voor advies hij zou kunnen geven. Hij weet hoe hij benzine moet tanken, maar daarmee houdt zijn kennis van auto's op. Ik hoor hem mogelijke probleempunten noemen: accu? Bougies? Los contactpunt? Johnny geeft heel summier antwoord, nauwelijks verstaanbaar, wat mij nog meer vrees aanjaagt, want ik weet inmiddels dat hoe nijpender een situatie is, hoe zwijgzamer Johnny wordt.

Het is warm in de open auto nu de zon recht boven ons staat. We stappen allemaal uit om in de schaduw van de bomen te wachten. Ik zie dat Johnny zijn hoofd opheft. Hij roept: 'Niet afdwalen!'

Niet dat iemand dat van plan is. We hebben allemaal gezien wat er dan met je kan gebeuren. Meneer Matsunaga en Elliot gaan net als Richard bij de auto staan om advies te geven, want mannen, zelfs mannen die nog nooit motorolie aan hun handen hebben gehad, weten alles van motoren. Dat denken ze tenminste.

Wij vrouwen blijven in de schaduw, slaan insecten van ons af en speuren voortdurend naar verdachte bewegingen van het gras, want dat is misschien de enige waarschuwing dat er een roofdier op ons af sluipt. Zelfs in de schaduw is het vreselijk warm, dus ik ga zitten. Door de takken boven ons zie ik aasgieren cirkelen en naar ons kijken. Ze zijn best mooi, zoals ze met hun zwarte vleugels in de blauwe lucht lome achtjes draaien alsof ze op een feestmaal wachten. Maar wie zal hun maaltijd zijn?

Richard komt foeterend naar ons toe. 'Dat ontbrak er nog maar aan. De motor doet het niet. Hij geeft helemaal geen sjoege.'

Ik ga rechtop zitten. 'Gisteren was er niks mee aan de hand.'

'Gisteren was nergens iets mee aan de hand.' Richard snuift. 'Nu zijn we hier gestrand.'

De blondjes slaken geschrokken een kreet. 'O, nee. Hoe moet dat nou?' stamelt Sylvia. 'Ik moet donderdag weer op mijn werk zijn!'

'Ik ook,' zegt Vivian.

Mevrouw Matsunaga schudt ongelovig haar hoofd. 'Hoe is dit mogelijk? Dit kan gewoon niet.'

Terwijl hun stemmen zich samenvoegen tot een koor van groeiende agitatie, zie ik dat de aasgieren boven ons in steeds kleinere cirkels vliegen, alsof ze weten wat er aan de hand is.

'Luister. *Luister!*' commandeert Johnny.

We draaien ons naar hem om.

'Ik wens geen paniek,' zegt hij. 'Daar is absoluut geen reden voor. We zijn dicht bij de rivier, dus hebben we ruim voldoende water. We hebben tenten. We hebben ammunitie, dus kunnen we wild schieten om te eten.'

Elliot laat een bevend lachje zien. 'Wat wil dat zeggen? Dat we hier moeten blijven en moeten leven als mensen in het stenen tijdperk?'

'Volgens het reisprogramma komt het vliegtuig jullie over een week ophalen bij de vliegstrip. Als we niet komen opdagen, zullen ze een zoektocht organiseren en dan worden we snel genoeg gevonden. Is dit niet wat jullie wilden? Een authentieke ervaring in de wildernis?' Hij kijkt ons een voor een aan, taxeert ons om te zien of we de uitdaging aankunnen. Om te zien wie zal bezwijken en op wie hij kan rekenen. 'Ik ga aan de auto werken. Misschien krijg ik de motor aan de praat, misschien niet.'

'Heb je enig idee wat ermee aan de hand is?' vraagt Elliot.

Johnny kijkt hem indringend aan. 'Ik heb er nog nooit panne mee gehad. Ik heb er geen verklaring voor.' Weer kijkt hij de kring rond, alsof hij op onze gezichten het antwoord denkt te kunnen vinden. 'Intussen moeten we het kamp weer opzetten. Haal de tenten uit de auto. Voorlopig blijven we hier.'

6

Boston

In de psychologie heet het 'weerstand' als een patiënt niet op tijd komt opdagen omdat hij diep vanbinnen zijn problemen niet onder ogen wil zien. Om dezelfde reden ging Jane die ochtend zo laat van huis: ze wilde niet naar Leon Gotts autopsie. Op haar dooie gemak deed ze haar dochter het T-shirt van de Red Sox en de smoezelige overall aan waar Regina nu al vijf dagen in rondliep, omdat die kleine stijfkop weigerde iets anders te dragen. Op hun dooie gemak aten ze hun lettercornflakes en toast. Het gevolg was dat Jane twintig minuten te laat de voordeur van de flat achter zich dichttrok. En vanwege de gebruikelijke files op weg naar Revere, waar haar moeder woonde, lag ze een halfuur achter op haar schema toen ze voor Angela's huis stopte.

Haar moeders huis leek elk jaar kleiner, alsof het van ouderdom slonk, en toen Jane met Regina achter zich aan naar de voordeur liep, zag ze dat de veranda wel een likje verf kon gebruiken, dat de goten vol dode bladeren zaten en dat de vorstbestendige struiken in de voortuin nog niet gesnoeid waren. Ze nam zich voor haar broers te bellen om te vragen of ze hier samen een weekend aan konden besteden, want het was duidelijk dat Angela het niet in haar eentje aankon.

En ze kan ook wel wat meer nachtrust gebruiken, dacht Jane toen Angela opendeed. Het was schrikbarend, hoe vermoeid ze eruitzag. Alles aan haar maakte een versleten indruk, van haar verschoten bloes tot haar lubberende spijkerbroek. En toen Angela zich bukte om Regina op te tillen, zag Jane dat ze grijze haarwortels had, wat haar nog de meeste zorgen baarde, omdat Angela tot dan toe altijd stipt op tijd naar de kapper was gegaan om haar uitgroei te laten bijwerken. Was dit de vrouw die afgelopen zomer nog in een restaurant was verschenen met roodgestifte lippen en stilettohakken?

'Daar is mijn kleine schattebout,' riep Angela terwijl ze met Regina op haar arm naar binnen ging. 'Nonna is zo blij dat je er bent. Zullen we vandaag gaan winkelen? Ben je deze vieze overall nog niet zat? Zullen we iets moois voor je gaan kopen?'

'Ik hou niet van mooi!'

'Een jurkje, wat dacht je daarvan? Dan ben je net een prinses.'

'Ik wíl geen prinses zijn.'

'Alle meisjes willen een prinses zijn.'

'Ik denk dat zij liever een kikker zou zijn,' zei Jane.

'Grote goden, ze is precies zoals jij.' Angela slaakte gefrustreerd een zucht. 'Jij wilde ook nooit een jurk aan.'

'Niet iedereen wil een prinses zijn, mam.'

'En niet iedereen trouwt met een prins,' mompelde Angela toen ze met haar kleindochter wegliep.

Jane volgde haar de keuken in. 'Wat is er aan de hand?'

'Ik ga koffiezetten. Wil je een kopje?'

'Mam, ik kan aan je zien dat er iets is.'

'Ga jij nou maar naar je werk.' Angela zette Regina neer. 'Vooruit, ga boeven vangen.'

'Is het oppassen te vermoeiend voor je? Je hoeft het niet te doen, hoor. Ze kan inmiddels best naar de kinderopvang.'

'Mijn kleindochter naar een kinderopvang? Vergeet het maar.'

'Gabriel en ik hebben het erover gehad. Je hebt al zoveel voor ons gedaan en we vinden dat je wat meer tijd voor jezelf moet nemen. Dat je wat meer van het leven moet gaan genieten.'

'Zíj is waar ik elke dag van geniet,' zei Angela. Ze wees naar haar kleindochter. 'En als zij er is, hoef ik tenminste niet te denken aan...'

'Aan pa?'

Angela wendde zich van haar af om het waterreservoir van het koffiezetapparaat te vullen.

'Sinds hij is teruggekomen,' zei Jane, 'heb ik je niet meer vrolijk zien kijken. Niet één keer.'

'Het is allemaal zo ingewikkeld geworden. Dat ik moet kiezen. Ik word constant heen en weer getrokken, uitgerekt als elastiek. Ik wou dat iemand me vertelde wat ik moet doen, zodat ik niet zelf tussen hen hoef te kiezen.'

'Toch moet jij de keus maken. Pa of Korsak. En ik vind dat je de man moet kiezen die je gelukkig maakt.'

Angela keek haar aan met een gekwelde uitdrukking. 'Hoe kan ik gelukkig zijn als ik de rest van mijn leven door schuldgevoelens achtervolgd word? Als je broers zeggen dat ik ervoor heb gekózen ons gezin te ruïneren?'

'Jij hebt ons gezin niet geruïneerd. Pa heeft jou verlaten.'

'En nu is hij terug en wil hij ons allemaal weer bij elkaar hebben.'

'Jij hebt er recht op een nieuwe weg in te slaan.'

'Maar de jongens willen dat ik je vader nog een kans geef. En pastoor Donnelly zegt dat ik dat als zijn vrouw verplicht ben.'

Welja, waarom niet, dacht Jane. Katholieke schuldgevoelens waren de machtigste schuldgevoelens ter wereld.

Haar mobieltje ging. Ze keek ernaar, zag dat het Maura was en liet de voicemail opnemen.

'Arme Vince,' zei Angela. 'Ik vind het zo erg voor hem. De plannen voor de bruiloft waren al bijna rond.'

'Je kunt alsnog met hem trouwen.'

'Dat zie ik nu niet meer gebeuren.' Angela leunde tegen het aanrecht terwijl het koffiezetapparaat achter haar borrelde en siste. 'Ik heb het hem gisteravond verteld. Het was heel moeilijk. Het moeilijkste wat ik ooit heb moeten doen.' En dat was haar aan te zien. Haar ogen waren gezwollen en haar mondhoeken stonden naar beneden. Was dit de nieuwe Angela Rizzoli, gehoorzame echtgenote en moeder?

Er liepen al genoeg martelaren rond op deze wereld, vond Jane. Ze werd nijdig bij het idee dat haar moeder zich bij die legioenen zou aansluiten.

'Ma, ook als deze beslissing je ongelukkig maakt, moet je goed onthouden dat het je eigen beslissing is. Dat je ervoor hebt gekozen niet gelukkig te zijn. Want daar kan niemand je toe dwingen.'

'Hoe kun je dat zeggen?'

'Omdat het waar is. Je hebt de zeggenschap over je eigen leven en moet de touwtjes in eigen hand nemen.' Een pingeltje gaf aan dat er een sms binnenkwam. Ze zag dat het van Maura was. *Begin aan sectie. Kom je?*

'Vooruit, naar je werk.' Angela gebaarde dat ze moest gaan. 'Dit is jouw probleem niet.'

'Ik wil je graag gelukkig zien, ma.' Bij de voordeur keek ze nog even om. 'Maar dat moet je zelf ook willen.'

Ze was blij toen ze buiten stond, in de frisse lucht. Ze haalde diep adem om de sombere sfeer die in haar ouderlijk huis hing van zich af te schudden. Maar de ergernis om haar vader, haar broers, pastoor Donnelly en alle andere mannen die dachten dat ze vrouwen konden voorschrijven wat hun plichten waren, liet haar niet los, en toen haar telefoon weer ging, nam ze op met een gesnauwd: 'Rizzoli!'

'Eh, ik ben het,' zei Frost.

'Ja, ja, ik ben onderweg. Ik ben over twintig minuten bij het mortuarium.'

'Ik dacht dat je er al was.'

'Ik werd opgehouden bij mijn moeder. Waarom ben jíj er nog niet?'

'Het leek mij beter als ik, eh, andere dingen ging onderzoeken.'

'In plaats van steeds kokhalzend naar de gootsteen te hollen. Heel verstandig.'

'Ik hoop dat de telefoonprovider vandaag de belgegevens van Gott vrijgeeft. Intussen heb ik op Google iets interessants gevonden. Afgelopen mei heeft er in *Hub Magazine* een artikel over Gott gestaan. De kop luidde: "De trofeeënkampioen. Een interview met Bostons meesterpreparateur."'

'Ja, daarvan heb ik bij hem thuis een ingelijste kopie zien hangen. Het gaat over zijn jachtavonturen. Olifanten in Afrika, elanden in Montana.'

'Ja, maar het onlinecommentaar op dat artikel, op de website van het tijdschrift, is de moeite van het lezen waard. Blijkbaar heeft hij de groenvreters – zoals Gott de mensen noemde die fel tegen jagen gekant zijn – erg kwaad gemaakt. Ik citeer een reactie van

"Anoniem": "Dat beest van een Leon Gott zou zelf moeten worden opgehangen en ontweid."'

'Opgehangen en ontweid? Dat klinkt als een dreigement,' zei ze.

'Ja, en misschien heeft iemand de daad bij het woord gevoegd.'

Toen Jane zag wat er op de snijtafel lag, maakte ze bijna rechtsomkeert. Zelfs de indringende geur van formaline kon niet op tegen de stank van de interne organen op de stalen tafel. Maura droeg niet eens een zuurstofmasker, alleen haar gebruikelijke mondmasker en plastic gezichtsbeschermer. Ze was zo geconcentreerd bezig de intellectuele puzzel op te lossen waar de organen haar voor stelden, dat ze immuun leek voor de stank. Naast haar stond een lange man met zilverkleurige wenkbrauwen. Net zoals Maura bestudeerde hij de organen bijna gretig.

'Laten we beginnen met dit darmstelsel,' zei hij. Hij streek er met zijn gehandschoende hand over. 'We hebben de blindedarm, de karteldarm, de colon transversum, de colon descendus...'

'Maar niet de colon sigmoides,' zei Maura.

'Inderdaad. Wel het rectum, maar geen sigmoides. Dat is onze eerste aanwijzing.'

De man gniffelde. 'Ik ben zo blij dat je me hiervoor hebt uitgenodigd, Maura. Je krijgt niet vaak zoiets interessants te zien. Schitterende gespreksstof. Hier kan ik bij dinertjes maanden mee vooruit.'

'Ik zou het aan tafel liever ergens anders over hebben,' zei Jane. 'Is dit nu wat je noemt "ingewanden lezen"?'

Maura keek haar aan. 'We vergelijken de twee sets ingewanden, Jane. Dit is professor Guy Gibbeson. Guy, dit is rechercheur Jane Rizzoli van Moordzaken.'

Professor Gibbeson knikte ongeïnteresseerd naar Jane en keek weer naar de darmen, die hij klaarblijkelijk veel interessanter vond.

'Waarin bent u professor?' vroeg Jane, die een eindje bij de tafel vandaan was blijven staan. Een eindje bij de stank vandaan.

'Vergelijkende anatomie. Harvard,' zei hij zonder op te kijken, zijn ogen gericht op de ingewanden. 'Het andere darmstelsel, dat wél een colon sigmoides heeft, is van het slachtoffer, neem ik aan?' vroeg hij aan Maura.

'Hoogstwaarschijnlijk. De doorgesneden uiteinden lijken te passen, maar definitief uitsluitsel krijgen we pas via het DNA.'

'Wat de longen betreft, zie ik een paar redelijk doorslaggevende aanwijzingen.'

'Waarvan?' vroeg Jane.

'Van de vraag aan wie deze longen toebehoorden.' Hij tilde ze van de tafel en hield ze in beide handen. Toen legde hij ze weer neer en pakte het tweede paar. 'Ongeveer even groot, wat wijst op een gelijksoortig lichaamsgewicht.'

'Op het rijbewijs van het slachtoffer staat dat hij een meter tweeënzeventig lang was en drieënzestig kilo woog.'

'Deze moeten van hem zijn,' zei Gibbeson. Hij bedoelde de longen die hij in zijn handen hield. Hij legde ze neer en pakte het andere paar. 'Maar deze longen zijn veel interessanter.'

'Wat is er zo interessant aan?' vroeg Jane.

'Kijk zelf maar, rechercheur Rizzoli. Nee, u moet echt dichterbij komen om het te kunnen zien.'

Met een wee gevoel in haar maag liep Jane naar de organen die op de snijtafel uitgestald lagen als in een slagersvitrine. Zonder de oorspronkelijke eigenaar zagen ingewanden er wat haar betrof allemaal hetzelfde uit en was dit een verzameling van precies dezelfde vervangbare onderdelen die zijzelf ook bezat. Ze moest opeens denken aan de poster van 'De zichtbare vrouw' in het biologielokaal op school, waarop alle organen in de juiste anatomische positie te zien waren. Mooi of lelijk, iedere vrouw is een pakketje organen gevat in een omhulsel van botten en vlees.

'Ziet u het verschil?' vroeg Gibbeson. Hij wees naar het eerste paar longen. 'Deze linkerlong heeft een bovenste en een onderste longkwab. De rechterlong heeft een bovenste, onderste en middelste longkwab. Hoeveel kwabben zijn dat bij elkaar?'

'Vijf,' zei Jane.

'Dat is normaal voor een mens. Twee longen, vijf kwabben. Kijkt u nu even naar het tweede paar longen dat samen met deze in de vuilnisemmer lag. Ze zijn ongeveer net zo groot en zwaar, maar er is een belangrijk verschil. Ziet u het?'

Jane fronste. 'Deze hebben meer kwabben.'

'Twee kwabben extra, om precies te zijn. De rechterlong heeft er vier, de linkerlong drie. Dit is geen anatomische afwijking.' Hij zweeg theatraal. 'Dit betekent dat deze longen niet aan een mens toebehoorden.'

'Dit is de reden waarom ik professor Gibbeson erbij heb geroepen,' zei Maura. 'Om me te helpen vast te stellen om welke diersoort het gaat.'

'Het gaat in elk geval om een groot dier,' zei Gibbeson. 'Het hart en de longen wijzen erop dat het minstens zo groot is als een volwassen man. Laten we nu eens kijken wat de lever ons vertelt.' Hij liep naar het uiteinde van de tafel, waar de twee levers naast elkaar lagen. 'Lever nummer één heeft linker- en rechterkwabben. Een lobus caudatus en een lobus quadratus...'

'Deze was van een mens,' zei Maura.

'Maar de andere...' Gibbeson tilde de tweede lever op en draaide hem om zodat ze de onderkant konden zien. '... heeft zes kwabben.'

Maura keek Jane aan. 'Niet van een mens.'

'We hebben dus twee sets ingewanden,' zei Jane. 'Een ervan was vermoedelijk van de vermoorde man. En de andere set was van... een hert? Een varken?'

'Geen van beide,' zei Gibbeson. 'De zevenkwabbige long, de zeskwabbige lever en het ontbreken van de colon sigmoides vertellen mij dat deze inwendige organen afkomstig zijn van een lid van de *Felidae*-familie.'

'En dat zijn?'

'De katachtigen.'

Jane keek naar de lever. 'Dat was dan een verdraaid grote kat.'

'Het is ook een grote familie, rechercheur Rizzoli. Tot de *Felidae* behoren leeuwen, tijgers, poema's, luipaarden en jachtluipaarden.'

'Maar van dergelijke dieren hebben we op de plaats delict geen karkas gevonden.'

'Hebt u in de diepvries gekeken?' vroeg Gibbeson. 'Hebt u vlees aangetroffen dat u niet herkende?'

Jane lachte onthutst. 'We hebben geen tijgersteaks gevonden. En wie zou die willen eten?'

'Reken maar dat er een markt is voor exotische vleessoorten.

Hoe exclusiever, hoe beter. Mensen betalen veel geld voor de ervaring iets ongebruikelijks te eten, of dat nu een ratelslang is of het vlees van een beer. De vraag is waar dit dier vandaan is gekomen. En of erop gejaagd mocht worden. En hoe hij geslacht en wel in een doodnormaal woonhuis in Boston is terechtgekomen.'

'De vermoorde man was preparateur,' zei Jane met een blik op het lichaam van Leon Gott, dat op een andere snijtafel lag. Maura had haar scalpel en bottenzaag al gebruikt. Gotts hersenen lagen in een emmer met conserveringsmiddel. 'Hij moet honderden, misschien duizenden dieren hebben ontweid, maar hij zal nooit gedacht hebben dat hem uiteindelijk hetzelfde lot beschoren zou zijn.'

'Preparateurs gaan juist heel anders te werk,' zei Maura. 'Ik heb er gisteravond het een en ander over gelezen. Preparateurs van grote dieren geven er de voorkeur aan het dier eerst te villen en dan pas te ontweien omdat de lichaamssappen anders de pels kunnen bederven. Ze maken een eerste incisie langs de wervelkolom en stropen de pels in zijn geheel van het dier. Het verwijderen van de organen gebeurt pas nadat de pels is verwijderd.'

'Wat interessant,' zei Gibbeson. 'Dat wist ik niet.'

'Ja, voor dergelijke interessante weetjes moet je bij Maura zijn,' zei Jane. Ze wees naar het lijk van Gott. 'Over weetjes gesproken. Weten jullie al wat de doodsoorzaak was?'

'Ik denk het wel,' zei Maura. Ze stroopte haar bebloede handschoenen af. 'Vanwege de grote schade die aan zijn gezicht en nek is toegebracht door zijn huisdieren konden we aanvankelijk niet veel zeggen over de ante-mortumwonden, maar de röntgenfoto's hebben antwoorden opgeleverd.' Ze liep naar een computer en scrolde door een reeks röntgenfoto's. 'Het lichaam bevat geen voorwerpen die niet in het menselijk lichaam thuishoren, niets wat erop wijst dat er een vuurwapen is gebruikt. Maar wel dít.' Ze wees naar een foto van de schedel. 'Het is heel subtiel, waardoor ik het bij de betasting niet kon voelen. Een schedelfractuur in het rechterwandbeen. Zijn hoofdhuid en haar hebben de klap in zoverre opgevangen dat er geen deuk is ontstaan, maar de fractuur is het bewijs dat er flink wat kracht is gebruikt.'

'De fractuur is dus niet veroorzaakt door een val?'

'De zijkant van het hoofd loopt niet snel een breuk op door een val. Je schouder vangt de klap op als je neerkomt, of je steekt je handen uit om je val te breken. Ik ben geneigd te concluderen dat iemand hem een klap op zijn hoofd heeft gegeven, een klap die zo hard is aangekomen dat hij is gevallen en misschien het bewustzijn heeft verloren.'

'Was die klap hard genoeg om hem te doden?'

'Nee. Er is weliswaar sprake van een kleine bloeding onder het schedeldak, maar de hoeveelheid bloed kan niet fataal zijn geweest. We weten dat zijn hart is blijven kloppen nadat hij die klap had gekregen. Hij heeft zeker nog een paar minuten geleefd.'

Jane keek naar het lichaam, dat nu slechts een leeg omhulsel was, ontdaan van alle inwendige machinerieën. 'Ga me alsjeblieft niet vertellen dat hij nog leefde toen de moordenaar hem opensneed.'

'Nee, ik geloof niet dat dat de doodsoorzaak is.' Maura klikte de schedelfoto's weg. Er verschenen twee nieuwe afbeeldingen op het scherm. 'Ik denk dat het hierom gaat.'

Het beendergestel van Gotts nek gloeide op het scherm, en face en en profil.

'De bovenste hoorn van het schildkraakbeen en het tongbeen vertonen breuken en verschuivingen. Het strottenhoofd is zwaar beschadigd.' Maura zweeg even. 'Zijn keel is verpulverd, hoogstwaarschijnlijk toen hij op de vloer lag. Mogelijk door een harde trap, precies op het schildkraakbeen. Het strottenhoofd en het strotklepje zijn gebroken en belangrijke aderen zijn geknapt. Dat werd zichtbaar toen ik de nek ontleedde. Meneer Gott is overleden aan verstikking, hij is verdronken in zijn eigen bloed. Ook het ontbreken van sporen van een slagaderlijke bloeding op de muren van de garage wijst erop dat het lichaam pas is ontweid toen de man al dood was.'

Jane keek zwijgend naar het computerscherm. Het was veel makkelijker om een klinische röntgenfoto te bekijken dan wat er op de snijtafel lag. Röntgenfoto's ontdeden een lichaam op een prettige manier van huid en vlees, lieten alleen de bloedeloze structuur zien, de stutten en dwarsbalken van het menselijk lichaam. Ze dacht aan wat ervoor nodig was om met je hak iemands keel te verbrijzelen.

Wat voelde de moordenaar toen dat strottenhoofd het begaf onder zijn schoen en hij het bewustzijn uit Gotts ogen zag verdwijnen? Woede? Macht? Voldoening?

'Nog één ding,' zei Maura. Ze klikte naar een nieuwe röntgenfoto, ditmaal van de borstkas. Omdat er aan de rest van het lichaam zoveel schade was toegebracht, was het verrassend dat alle beenderen er hier nog normaal uitzagen, dat de ribben en het borstbeen netjes op hun plek zaten. Maar de borstholte was eigenaardig leeg, nu de gebruikelijke wazige vormen van het hart en de longen ontbraken. 'Dit,' zei Maura.

Jane boog zich naar het scherm. 'De krassen op de ribben?'

'Ja. Ik heb die gisteren al aangewezen. Drie evenwijdige krassen. Ze blijken zo diep te zijn geweest dat ze tot in het bot zijn doorgedrongen. En kijk eens.' Maura klikte naar een röntgenfoto van de gezichtsbeenderen, met de diepe oogkassen en schaduwrijke sinussen.

Jane fronste. 'Weer die drie krassen.'

'Aan beide zijden van het gezicht, tot in het bot. Drie evenwijdige krassen. Vanwege de beschadigingen aan de weke delen die door de huisdieren waren veroorzaakt, zijn deze me gisteren niet opgevallen. Ik zag ze pas toen ik deze röntgenfoto's bekeek.'

'Wat voor soort gereedschap kan zoiets veroorzaken?'

'Dat weet ik niet. Ik heb in zijn schuur niets gezien waarmee je dergelijke wonden kunt toebrengen.'

'Je zei gisteren dat het waarschijnlijk post mortem is gedaan.'

'Ja.'

'Wat heeft het voor zin dergelijke verwondingen toe te brengen als het niet je bedoeling is het slachtoffer daarmee te doden of te pijnigen?'

Maura dacht daarover na. 'Het kan iets met een ritueel te maken hebben,' zei ze.

Een ogenblik bleef het stil in de autopsiezaal. Jane dacht aan andere plaatsen waar gruwelijke moorden waren gepleegd, aan andere rituelen. Ze dacht aan de littekens op haar handpalmen, een souvenir van een moordenaar die zelf rituelen had verzonnen. Ze voelde de littekens opeens trekken.

Ze schrok toen de intercom zoemde.

'Dr. Isles?' zei Maura's secretaresse. 'Ik heb een dr. Mikovitz voor u aan de lijn. Hij zegt dat u vanochtend een bericht hebt achtergelaten bij een van zijn collega's.'

'Dat klopt.' Maura pakte de hoorn van de haak. 'Dr. Isles.'

Jane keek weer naar de röntgenfoto. Ze bestudeerde de drie evenwijdige krassen in de jukbeenderen en probeerde zich voor te stellen waardoor die konden zijn veroorzaakt. Het moest een stuk gereedschap zijn dat zij noch Maura ooit eerder had gezien.

Maura hing op en draaide zich om naar dr. Gibbeson. 'Je had gelijk,' zei ze. 'Dat was de Suffolk Zoo. Het karkas van Kovo is afgelopen zondag bij Leon Gott afgeleverd.'

'Waar heb je het over?' zei Jane. 'Wie is Kovo?'

Maura wees naar de ongeïdentificeerde organen op de ontleedtafel. 'Dat is Kovo. Een sneeuwpanter.'

7

'Kovo was een van onze populairste dieren. Hij is achttien jaar bij ons geweest en het deed ons erg veel verdriet dat we hem moesten laten inslapen.' Dr. Mikovitz sprak gedempt, als een rouwend familielid, en de vele foto's in zijn kantoor wezen erop dat hij de dieren van de Suffolk Zoo inderdaad als familie beschouwde. Met zijn springerige rode haar en vlassige sikje had dr. Mikovitz zelf ook iets van een dierentuinbewoner, een exotisch aapje met wijze donkere ogen dat Jane en Frost vanachter het bureau bekeek. 'We hebben trouwens nog geen perscommuniqué uitgegeven, dus waren we erg verbaasd toen dr. Isles belde om te vragen of we recentelijk verliezen hebben geleden onder de grote katten. Hoe wist ze dat?'

'Dr. Isles is erg goed in het opsporen van obscure informatie,' zei Jane.

'Nou, zoals gezegd waren wij erg verbaasd dat ze ervan op de hoogte was. Het is namelijk een nogal gevoelig onderwerp.'

'Waarom is de dood van een dier in een dierentuin een gevoelig onderwerp?'

'Omdat we hem moesten laten inslapen. Dat leidt altijd tot negatieve reacties. Zeker als het gaat om zo'n zeldzaam exemplaar als Kovo.'

'Wanneer is het uitgevoerd?'

'Zondagochtend. Dr. Oberlin, onze dierenarts, heeft de injectie toegediend. Kovo had een nierziekte en was sterk vermagerd.

Dr. Rhodes had hem vier weken geleden al uit de buitenkooi gehaald om hem de stress van de publieke belangstelling te besparen. We hadden gehoopt dat we hem nog konden genezen, maar uiteindelijk waren dr. Oberlin en dr. Rhodes het erover eens dat er niets anders op zat dan hem te laten inslapen. Hoezeer dat hun ook aan het hart ging.'

'Is dr. Rhodes ook dierenarts?'

'Nee, maar Alan is een expert op het gebied van de grote katten. Hij kende Kovo het best van ons allemaal. Hij heeft Kovo zelf bij de preparateur afgeleverd.' Dr. Mikovitz keek op toen er op de deur werd geklopt. 'Ah, daar is hij.'

Bij de beschrijving 'expert op het gebied van grote katten' zou je een stoere buitenman in safarikleding verwachten. De man die binnenkwam droeg inderdaad een kakikleurig uniform – een stoffige broek en een fleece jack dat vol klitten zat, alsof hij zich door struiken een weg had moeten banen – maar Rhodes' prettige, openhartige gezicht had niet het ruige van een buitenman. Hij moest eind dertig zijn, had donker krullend haar en het vierkante voorhoofd van het monster van Frankenstein, maar dan een vriendelijke versie daarvan.

'Sorry dat ik zo laat ben,' zei hij terwijl hij het stof van zijn broek sloeg. 'Er was een incident bij de leeuwenkuil.'

'Niets ernstigs, hoop ik?' vroeg dr. Mikovitz.

'Niets wat de katten kan worden aangerekend. Een stel tieners moest zich zo nodig uitsloven. Een van de jongens was over het hek geklommen om te bewijzen hoe stoer hij was en in de gracht gevallen. Ik heb hem eruit gevist.'

'Lieve hemel. Denk je dat we aangeklaagd zullen worden?'

'Dat lijkt me niet. De jongen verkeerde niet echt in gevaar en ik denk dat hij zich zo schaamt voor het fiasco dat hij het verder aan niemand zal vertellen.' Rhodes glimlachte een beetje benepen naar Jane en Frost. 'Mensen gedragen zich soms zo achterlijk. Mijn leeuwen zijn veel verstandiger.'

'Dit zijn rechercheur Rizzoli en rechercheur Frost,' zei Mikovitz.

Rhodes stak hun een eeltige hand toe. 'Alan Rhodes. Wildlifebioloog, gespecialiseerd in het gedrag van de katachtigen. Alle kat ten, groot en klein.' Hij vroeg aan Mikovitz: 'Hebben ze Kovo gevonden?'

'Dat weet ik niet, Alan. Ze zijn er nog maar net. We hebben het nog nergens over gehad.'

'Het is belangrijk.' Rhodes keek Jane en Frost aan. 'Een pels vergaat snel als het dier eenmaal dood is. Als de pels niet onmiddellijk wordt geoogst en bereid, verliest hij zijn waarde.'

'En hoeveel is de pels van een sneeuwpanter waard?' vroeg Frost.

'Als je bedenkt hoe weinig sneeuwpanters er nog zijn,' zei Rhodes hoofdschuddend, 'zou ik zeggen dat hun waarde niet in geld is uit te drukken.'

'Wilde u het dier daarom laten opzetten?'

'"Opzetten" is een woord dat we niet graag gebruiken,' zei Mikovitz. 'We wilden ervoor zorgen dat Kovo's schoonheid behouden bleef.'

'Dus hebt u hem naar Leon Gott gebracht.'

'Om hem te laten villen en prepareren. Meneer Gott is – was – een van de beste preparateurs van ons land.'

'Kende u hem persoonlijk?' vroeg Jane.

'Nee, alleen van naam.'

Jane keek naar de kattendeskundige. 'En u, dr. Rhodes?'

'Ik heb hem voor het eerst ontmoet toen Debra en ik Kovo bij hem afleverden,' zei Rhodes. 'Ik stond versteld toen ik vanochtend hoorde dat hij was vermoord. We hadden hem zondag nog gezien.'

'Vertel ons hoe het zondag is gegaan. Wat u bij hem thuis hebt gezien en gehoord.'

Rhodes keek naar Mikovitz, alsof hij een bevestiging wilde dat hij antwoord mocht geven op hun vragen.

'Ga je gang,' zei Mikovitz. 'Het gaat per slot van rekening om een moord.'

'Oké.' Rhodes haalde diep adem. 'Greg Oberlin, onze dierenarts, heeft Kovo zondagochtend laten inslapen. Volgens afspraak moesten we het kadaver onmiddellijk naar de preparateur brengen. Kovo woog meer dan vijftig kilo, dus heeft een van onze dierenverzorgers, Debra Lopez, me geholpen. Het was een trieste rit. Ik heb twaalf jaar voor die kat gezorgd en had echt een band met hem, ook al klinkt dat raar, omdat je panters en luipaarden nooit kunt of mag vertrouwen. Zelfs zogenaamd tamme panters zijn in staat een mens te doden en Kovo was groot genoeg om een volwassen man aan te vallen. Niet dat ik me ooit bedreigd heb gevoeld door Kovo. Hij heeft zich tegenover mij nooit agressief gedragen. Het was bijna alsof hij begreep dat ik hem goed gezind was.'

'Hoe laat bent u zondag bij meneer Gott aangekomen?'

'Om tien uur. Debra en ik waren meteen gegaan, omdat het kadaver zo snel mogelijk gevild moest worden.'

'Hebt u met meneer Gott gepraat?'

'Ja, we zijn een poosje gebleven. Hij vond het geweldig dat hij een sneeuwpanter mocht prepareren. Het is een uitermate zeldzaam dier en hij had er nog nooit een onder handen gehad.'

'Kreeg u de indruk dat hij zich ergens zorgen over maakte?'

'Nee. Hij was dolgelukkig dat hij de opdracht had gekregen. We hebben Kovo naar zijn werkplaats gebracht en toen heeft hij ons in zijn huis de dieren laten zien die hij door de jaren heen heeft geprepareerd.' Rhodes schudde zijn hoofd. 'Ik weet dat hij trots was op zijn werk, maar ik vond het afschuwelijk. Dat al die prachtige dieren waren gedood om als trofee aan de muur te hangen. Maar ja, ik ben bioloog.'

'Ik ben geen bioloog,' zei Frost, 'maar ik vond het ook afschuwelijk.'

'Mensen als Gott denken daar heel anders over. De meeste preparateurs jagen zelf ook en begrijpen niet waarom er mensen zijn die iets tegen de jacht hebben. Debra en ik hebben ons best gedaan om beleefd te blijven. Tegen elven zijn we vertrokken, en dat was dat. Ik zou niet weten wat ik u verder nog kan vertellen.' Hij keek Jane en Frost om beurten aan. 'Hoe zit het met de pels? Ik moet weten of u hem hebt gevonden, want hij is ongelooflijk veel waard voor...'

'Alan,' zei Mikovitz.

De mannen wisselden een snelle blik en zwegen toen allebei. Een paar seconden zei niemand iets. De stilte werd zo geladen dat er net zo goed een neonbordje had kunnen gaan knipperen met: ER IS IETS MIS. ZE HOUDEN IETS ACHTER.

'Voor wie is die pels ongelooflijk veel waard?' vroeg Jane.

Mikovitz antwoordde, net iets te snel: 'We bedoelen het in het algemeen. Omdat deze dieren zo zeldzaam zijn.'

'Hoe zeldzaam precies?'

'Kovo was een sneeuwpanter,' zei Rhodes. 'Een *Panthera uncia*, die in het gebergte van Centraal-Azië leeft. Zijn pels is dikker en lichter van kleur dan die van de Afrikaanse luipaard, aan wie hij verwant is. Er zijn op de hele wereld nog maar vijfduizend exemplaren over. Ze leiden een solitair leven, zijn moeilijk te vinden en worden steeds schaarser. Het is verboden hun pelsen te importeren. Binnen Amerika is het zelfs verboden de pelsen te verhandelen, zowel oude als nieuwe. Je mag ze op de vrije markt niet kopen of verkopen. Daarom willen we zo graag weten of u de pels van Kovo hebt gevonden.'

Jane gaf geen antwoord op zijn vraag. 'U zei daarnet iets over een afspraak, dr. Rhodes.'

'Wat?'

'U zei dat u Kovo volgens afspraak naar de preparateur had gebracht. Over wat voor afspraak hebben we het?'

Rhodes en Mikovitz meden allebei haar blik.

'Heren, wij onderzoeken een moord,' zei Jane. 'We komen er sowieso achter en u kunt mij beter niet als tegenstander hebben.'

'Vertel het maar,' zei Rhodes. 'Ze moeten het weten.'

'Als dit bekend wordt, betekent dat ons einde, Alan.'

'Vertel het.'

'Goed dan.' Mikovitz keek erg ongelukkig. 'Een maand geleden heeft iemand ons een voorstel gedaan dat we onmogelijk konden weigeren. Een potentiële geldschieter. Hij wist dat Kovo ziek was en dat we hem waarschijnlijk moesten laten inslapen. In ruil voor het volledige, verse kadaver van het dier zou hij een aanzienlijke schenking doen aan onze dierentuin.'

'Hoe groot is aanzienlijk?'

'Vijf miljoen dollar.'

Jane zette grote ogen op. 'Is een sneeuwpanter zoveel waard?'

'Voor deze geldschieter wel. Het was een win-winvoorstel. Kovo had niet lang meer te leven. Wij zouden een smak geld krijgen waar de dierentuin weer een tijd op kan draaien, en de geldschieter zou een zeldzaam dier krijgen voor zijn trofeeënkamer. Hij stelde als voorwaarde dat niemand er iets van mocht weten. En hij gaf aan dat Leon Gott het dier moest prepareren, omdat Gott een van de beste preparateurs ter wereld is. Ik denk dat ze elkaar kenden.' Mikovitz zuchtte. 'Dat is de reden waarom ik er liever niets over had willen zeggen. Het is een omstreden regeling, die de dierentuin een slechte naam kan bezorgen.'

'Omdat u zeldzame dieren aan de hoogste bieder verkoopt?'

'Ik was er van het begin af aan op tegen,' zei Rhodes tegen Mikovitz. 'Heb ik niet gezegd dat we de kous op de kop zouden krijgen? De negatieve publiciteit zal niet te overzien zijn.'

'Als we het stil kunnen houden, is alles nog niet verloren. Het enige wat mij interesseert, is de pels. Als die maar naar behoren is behandeld en zorgvuldig wordt bewaard.'

'Het spijt me dat ik u dit moet vertellen, dr. Mikovitz,' zei Frost, 'maar wij hebben geen pels gevonden.'

'Wat?'

'We hebben bij Gott geen pels van een sneeuwpanter gevonden.'

'Wat wil dat zeggen? Dat iemand hem heeft gestolen?'

'Ik heb geen idee. We weten alleen dat er geen pels is gevonden.'

Mikovitz liet zich verslagen tegen de rugleuning van zijn stoel zakken. 'O god. Dit is verschrikkelijk. Nu moeten we hem zijn geld teruggeven.'

'Wie is de geldschieter?' vroeg Jane.

'Dit móét geheim blijven. Niemand mag er iets van weten.'

'Wie is het?'

Het was Rhodes die de vraag beantwoordde, met onverholen minachting in zijn stem. 'Jerry O'Brien.'

Jane en Frost keken elkaar verrast aan. 'Dé Jerry O'Brien? Van de radio?' vroeg Frost.

'Bostons allereigenste Brallende O'Brien. Hoe denkt u dat onze andere geldschieters, die allemaal uitgesproken dierenvrienden zijn, zullen reageren als ze horen dat wij een deal hebben gesloten met de duivelse dj? Met de man die voortdurend loopt te pochen over zijn jachtexpedities in Afrika? Over hoe leuk het is om olifanten dood te schieten? Een man die de jacht verheerlijkt?' Rhodes snoof. 'Konden die arme dieren maar terugschieten.'

'Alan, soms zijn we gedwongen een pact met de duivel te sluiten,' zei Mikovitz.

'Ja, maar nu is er geen pact meer, want we hebben hem niets te bieden.'

Mikovitz kreunde. 'Dit is een ramp.'

'Ik heb je gewaarschuwd.'

'Jij hebt makkelijk praten! Jij hoeft je alleen maar te bekommeren om die katten van je. Ik moet de hele dierentuin draaiende houden.'

'Dat is het voordeel van werken met katachtigen. Bij hen weet je tenminste dat ze niet te vertrouwen zijn. En zij proberen me ook nooit van het tegendeel te overtuigen.' Rhodes' mobiel ging over. Op hetzelfde moment vloog de deur van het kantoor open. De secretaresse riep buiten adem: 'Dr. Rhodes! Kom snel!'

'Wat is er?'

'Er is een ongeluk gebeurd in de luipaardenkuil. Een van de verzorgers... Ze hebben het geweer nodig!'

'Nee. Nee!' Rhodes vloog overeind, duwde haar opzij en rende het kantoor uit.

Jane nam razend snel een besluit. Ze sprong overeind en rende achter hem aan. Toen ze de trap af was en naar buiten stormde, had Rhodes al een flinke voorsprong. Hij sprintte tussen de geschrokken bezoekers door en Jane moest haar uiterste best doen om hem niet uit het oog te verliezen. Toen ze om een bocht in het pad kwam, zag ze een muur van mensen bij de luipaardenkuil.

'O god,' hoorde ze iemand zeggen. 'Is ze dood?'

Jane wrong zich tussen hen door naar het traliehek. Eerst zag ze niets anders dan het decor van bomen, struiken en namaakrotsen. Toen zag ze tussen de takken iets bewegen. Het was een staart, die op een richel van de rotspartij zachtjes trilde.

Ze wurmde zich zijwaarts langs het hek om beter zicht op het dier te krijgen. Pas toen ze de hoek van de omheining bereikte, zag ze het bloed: een rood beekje, helder en glinsterend, dat over de namaakrotsen stroomde. Een arm bungelde over de rand van de richel erboven. De arm van een vrouw. De luipaard lag gehurkt bij zijn prooi en keek Jane recht in de ogen, alsof hij haar uitdaagde het te wagen hem zijn prooi af te nemen.

Jane richtte haar pistool maar wachtte, met haar vinger rond de trekker. Lag het slachtoffer in de vuurlinie? Ze kon niet over de rand van de richel heen kijken en had geen idee of de vrouw nog leefde.

'Niet schieten!' hoorde ze dr. Rhodes aan de andere kant van het terrein roepen. 'Ik zal hem naar het nachtverblijf lokken!'

'Daar is geen tijd voor, Rhodes. We moeten haar in veiligheid brengen.'

'Hij mag niet dood.'

'En zij dan?'

Rhodes sloeg met een stang tegen de tralies. 'Rafiki, eten! Kom dan, ik heb iets lekkers voor je!'

Daar ga ik niet op wachten, dacht Jane, en ze richtte opnieuw haar wapen. Ze had het dier goed onder schot, kon met gemak een kogel in zijn kop schieten. Er bestond altijd gevaar dat de vrouw ook werd geraakt, maar als ze haar niet snel daar weghaalden, was het evengoed met haar gedaan. Met beide handen rond de kolf van haar pistool drukte ze op de trekker. Voordat ze kon overhalen werd ze opgeschrikt door een geweerschot.

De luipaard rolde van de richel en kwam neer tussen de struiken. Een blonde man in het uniform van de dierenverzorgers rende dwars door de luipaardenkuil naar de rotspartij.

'Debbie?' riep hij. 'Debbie!'

Jane speurde naar een manier om binnen de omheining te komen en zag een pad met een bordje ALLEEN TOEGANKELIJK VOOR PERSONEEL. Ze volgde het pad naar de achterkant van het terrein, waar een deur in de omheining op een kier stond.

Ze ging naar binnen en zag een plas bloed naast een omgevallen emmer en een bezem. De betonnen vloer was besmeurd met onheilspellende rode vegen en pootafdrukken. Het sleepspoor leidde naar de namaakrotsen in de luipaardenkuil.

Aan de voet van die rotsen bogen Rhodes en de blonde man zich over het lichaam van de vrouw, dat ze van de richel hadden getild.

'Vooruit, Debbie,' smeekte de blonde man. 'Doe je best.'

'Ik voel geen hartslag,' zei Rhodes.

'Waar blijft de ambulance?' De blonde man keek op, paniek in zijn ogen. 'Waar blijft de ambulance!'

'Die is onderweg. Maar, Greg, ik geloof niet dat we nog iets voor haar...'

De blonde man zette zijn handpalmen op de borst van de vrouw en begon met snel opeenvolgende bewegingen te drukken, in een wanhopige poging haar hart weer op gang te brengen. 'Help me, Alan. Beadem haar. We moeten dit samen doen!'

'We zijn te laat, Greg,' zei Rhodes. Hij legde zijn hand op de schouder van de blonde man. 'Greg.'

'Sodemieter op, Alan. Dan doe ik het zelf wel!' Hij drukte zijn mond op die van de vrouw, blies tussen haar bleke lippen lucht naar binnen en begon weer op haar borst te drukken. De ogen van de vrouw waren al dof.

Rhodes keek op naar Jane en schudde zijn hoofd.

8

Maura was voor het laatst in de Suffolk Zoo geweest op een warme zomerdag, toen kinderen met druipende ijsjes over de paden holden en jonge ouders wandelwagens voortduwden. Nu was het er griezelig stil. Rond het meer konden de flamingo's in alle rust hun toilet maken. Pauwen stapten parmantig over de wandelpaden nu ze niet gestoord werden door opdringerige mensen met fototoestellen en argeloze kleuters. Ze had graag een poosje over het terrein gewandeld om op haar gemak de dieren te bekijken, maar ze was hierheen geroepen door de dood, dus was er geen tijd om van het bezoek te genieten. Een van de dierenverzorgers leidde haar in snel tempo langs het apenverblijf naar de Afrikaanse wilde honden. Het territorium van de carnivoren. De dierenverzorger was een jonge vrouw, genaamd Jen. Met haar kakikleurige uniform, blonde paardenstaart en haar gebruinde gezicht zag ze eruit alsof ze zo uit een wildlifedocumentaire van National Geographic was gestapt.

'Na het incident is de dierentuin meteen gesloten,' zei Jen. 'Het heeft ongeveer een uur geduurd voordat alle bezoekers waren vertrokken. Ik kan nauwelijks geloven dat dit echt is gebeurd. We hebben zoiets nog nooit meegemaakt.'

'Hoelang werk je hier?' vroeg Maura.

'Bijna vier jaar. Als kind droomde ik er al van om in een dierentuin te werken. Ik wilde eigenlijk dierenarts worden, maar mijn cijfers waren niet goed genoeg. Maar ik heb in elk geval werk dat ik leuk vind. En dat is wel een vereiste, dat je van dit werk houdt, want om het salaris hoef je het niet te doen.'

'Kende je het slachtoffer?'

'Ja, want we zijn een hechte groep.' Ze schudde haar hoofd. 'Ik snap niet hoe Debbie zo'n fout heeft kunnen maken. Dr. Rhodes heeft ons vaak genoeg voor Rafiki gewaarschuwd. Dat je nooit met je rug naar hem toe mag gaan staan. Dat je een luipaard nooit kunt vertrouwen. Hoe vaak heeft hij dat wel niet gezegd? En ik maar denken dat hij overdreef.'

'Vind je het niet griezelig om zo dicht bij roofdieren te komen?'

'Tot nu toe vond ik dat helemaal niet griezelig, maar nu begin ik daar wel anders over te denken.' Ze sloegen een hoek om en toen zei Jen: 'Daar is het gebeurd.'

Ze hoefde de plek niet aan te wijzen. Aan de sombere gezichten van de mensen bij de omheining kon Maura al zien dat ze haar bestemming had bereikt. Een van die mensen was Jane, die zich uit de groep losmaakte en naar haar toe kwam.

'Zoiets maak je niet elke dag mee,' zei Jane.

'Doe jij het onderzoek?'

'Nee, en ik wilde net vertrekken. Voor zover ik het kan beoordelen, was het een ongeluk.'

'Wat is er precies gebeurd?'

'Het slachtoffer was bezig het terrein schoon te maken toen de luipaard aanviel. Ze moet verzuimd hebben de deur van het nachtverblijf te sluiten, waardoor het dier op het buitenterrein kon komen. Toen ik hier aankwam, was het al te laat.' Ze schudde haar hoofd. 'Dit benadrukt maar weer eens welke plek de mens in de voedselketen heeft.'

'Het was dus een luipaard?'

'Ja. Een mannetje. Er zat er maar één op dit terrein.'

'Is hij nu weer opgesloten?'

'Hij is dood. Dr. Oberlin – dat is die blonde man daar – heeft geprobeerd hem met het verdovingspistool neer te schieten, maar miste tot tweemaal toe. Toen was hij gedwongen hem dood te schieten.'

'Ik kan dus veilig naar binnen.'

'Ja, maar het is er een zootje. Liters bloed.' Jane keek naar haar besmeurde schoenen en schudde haar hoofd. 'En het waren zulke fijne schoenen. Nou ja. Ik bel je straks.'

'Wie kan me wijzen waar ik moet zijn?'

'Dat kan Alan Rhodes wel doen.'

'Wie is dat?'

'De deskundige op het gebied van katachtigen.' Ze riep naar een groepje mannen bij het hek: 'Dr. Rhodes? Dit is dr. Isles van het forensisch laboratorium. Ze wil het lijk graag zien.'

Een donkerharige man kwam naar hen toe. Het was hem aan te zien dat de tragedie hem erg had aangegrepen. De broekspijpen van zijn uniform zaten onder het bloed en zijn poging om Maura met een glimlach te begroeten werd tenietgedaan door de spanning die op zijn strakke gezicht stond te lezen. Hij stak zijn hand uit, besefte dat die bedekt was met opgedroogd bloed en liet zijn arm weer zakken. 'Het spijt me dat u dit moet zien,' zei hij. 'Ik weet dat u wel meer akelige dingen ziet, maar dit is echt heel erg.'

'Ik heb nog nooit een zaak gehad waarbij iemand door een luipaard was gedood,' zei Maura.

'Het is voor mij ook de eerste keer. En ik wil het geen tweede keer meemaken.' Hij haalde een sleutelbos uit zijn zak. 'Loopt u even mee naar achteren. We kunnen via de achterdeur het terrein op.'

Maura nam afscheid van Jane en liep met Rhodes mee naar een achter struiken verborgen pad met een bordje ALLEEN TOEGANKE- LIJK VOOR PERSONEEL. Het liep tussen twee ommuurde terreinen naar de achteringang van het luipaardenverblijf, die voor het grote publiek niet te zien was.

Rhodes maakte de deur open. 'We gaan via het dranghok naar bin- nen. Aan weerskanten daarvan zijn de twee binnenkooien. Een daar- van geeft toegang tot het buitenterrein. De andere tot het nachtverblijf.'

'Waarom heet het een dranghok?'

'Het heeft een beweegbaar deel dat we gebruiken om de kat in bedwang te houden als de dierenarts hem moet behandelen. Zodra het dier zich in deze kooi bevindt, duwen we de wand naar voren tot hij klem zit tussen de tralies. Dan kunnen we hem makkelijk inenten of medicijnen injecteren. Een minimale hoeveelheid stress voor het dier en maximale veiligheid voor de verzorgers.'

'Is het slachtoffer via deze ingang het terrein op gegaan?'

'Haar naam was Debra Lopez. Debbie.'

'Neemt u me niet kwalijk. Heeft Debbie van deze ingang gebruikgemaakt?'

'Dit is een van de manieren om op het terrein te komen. Er is ook nog een aparte ingang voor het nachthok, waar het dier verblijft als de dierentuin gesloten is.' Ze liepen het dranghok in. Toen Rhodes achter hen het hek sloot, bevonden ze zich in een claustrofobisch kleine ruimte. 'Zoals u ziet, zijn er aan beide zijden hekken. Voordat je een van de kooien binnengaat, moet je je ervan verzekeren dat het dier in de andere kooi is opgesloten. Dat is hier de allerbelangrijkste regel. Je moet altijd weten waar de grote katten zich bevinden. In het bijzonder Rafiki.'

'Was hij erg gevaarlijk?'

'Elke luipaard is gevaarlijk, in het bijzonder de *Panthera pardus*, de Afrikaanse luipaard. Die zijn kleiner dan leeuwen en tijgers, maar bewegen zich geruisloos, zijn onvoorspelbaar en ongelooflijk sterk. Een luipaard is in staat met zijn buit, zelfs als die veel zwaarder is dan hijzelf, in een boom te klimmen. Rafiki was in de kracht van zijn leven en erg agressief. Hij leefde afgezonderd van zijn soortgenoten, omdat hij het vrouwtje dat we bij hem wilden plaatsen onmiddellijk had aangevallen. Debbie wist hoe gevaarlijk hij was. Dat wisten we allemaal.'

'Hoe heeft ze dan zo'n fout kunnen maken? Was ze hier nieuw?'

'Debbie werkte hier al zeven jaar, dus kan het niet aan gebrek aan ervaring hebben gelegen. Maar zelfs ervaren dierenverzorgers zijn soms onachtzaam. Ze vergeten te controleren waar het dier is of ze verzuimen een hek op slot te doen. Greg zei dat het hek van het nachtverblijf wijd openstond toen hij hier aankwam.'

'Wie is Greg?'

'Dr. Greg Oberlin, onze dierenarts.'

Maura keek naar het nachtverblijf. 'Het slot is niet defect?'

'Ik heb het zelf gecontroleerd. Rechercheur Rizzoli ook. Er is niets mis mee.'

'Dr. Rhodes, ik begrijp nog steeds niet hoe een ervaren dierenverzorger het hek van een luipaardenkooi wijd open kan laten staan.'

'Ik weet dat het moeilijk te geloven is, maar ik kan u een hele lijst geven van ongelukken waarbij grote katten betrokken waren. Het gebeurt in alle dierentuinen ter wereld. Sinds 1990 zijn er in de Verenigde Staten alleen al meer dan zevenhonderd incidenten geweest, waarbij tweeëntwintig mensen zijn omgekomen. Vorig jaar zijn er zowel in Duitsland als in Groot-Brittannië ervaren dierenverzorgers gedood door tijgers. In beide gevallen hadden ze verzuimd het hek te sluiten. Je wordt afgeleid, of je wordt slordig. Of je begint te geloven dat de grote katten in wezen lieve dieren zijn die jou nooit iets zullen doen. Ik hamer er bij ons personeel voortdurend op dat je ze niet kunt vertrouwen. Dat je ze nooit je rug mag toekeren. Dat het geen huisdieren zijn.'

Maura dacht aan de grijze kat die ze zojuist in huis had genomen, de kat die ze voor zich probeerde te winnen met dure sardientjes en smakelijke brokjes. Ook hij was niets anders dan een sluw roofdier dat Maura had geadopteerd als zijn persoonlijke bediende. Als hij vijftig kilo zwaarder was, zou hij haar niet als een bediende, maar als een lekker hapje beschouwen. Was een doodgewone kat wél te vertrouwen?

Rhodes ontsloot het binnenste hek, dat toegang gaf tot de luipaardenkuil. 'Debbie moet via deze weg naar binnen zijn gegaan,' zei hij. 'De emmer en de bezem lagen in een grote plas bloed, dus moet ze zijn aangevallen toen ze deze ruimte aan het schoonmaken was.'

'Hoe laat was dat?'

'Tussen acht en negen. De dierentuin gaat om negen uur open. Rafiki krijgt altijd iets te eten in het nachtverblijf voordat hij op het buitenterrein wordt losgelaten.'

'Zijn hier beveiligingscamera's?'

'Jammer genoeg niet. Daarom hebben we geen filmbeelden van het incident, noch van wat eraan vooraf is gegaan.'

'Hoe was Debbies gemoedstoestand? Was ze gedeprimeerd? Had ze problemen?'

'Dat vroeg rechercheur Rizzoli ook al. Of ze de luipaard kon hebben gebruikt om zelfmoord te plegen.' Rhodes schudde zijn hoofd. 'Debbie was juist een opgeruimd, optimistisch type. Ik kan me niet voorstellen dat ze zelfmoord zou willen plegen, ongeacht haar persoonlijke problemen.'

'Ze had dus problemen?'

Hij stopte, met zijn hand op het hek. 'Heeft niet iedereen problemen? Ik weet dat ze het onlangs had uitgemaakt met Greg.'

'Greg Oberlin, de dierenarts?'

Hij knikte. 'Debbie en ik hebben het er zondag nog over gehad, toen we met Kovo op weg waren naar de preparateur. Ze leek niet erg van streek. Eerder... opgelucht. Ik geloof dat Greg er meer moeite mee had. Het was niet makkelijk voor hem omdat ze allebei hier werken en elkaar minstens één keer per week zien.'

'Ze konden dus nog wel goed met elkaar overweg?'

'Voor zover ik het kon beoordelen. Rechercheur Rizzoli heeft met Greg gesproken. Hij is vreselijk aangeslagen door het gebeurde. En voordat u ernaar vraagt, Greg zei dat hij niet in de buurt van de luipaardenkuil was toen het gebeurde. Hij zei dat hij ernaartoe is gerend toen hij het gegil hoorde.'

'Het gegil van Debbie?'

Rhodes trok een gepijnigd gezicht. 'Ik betwijfel of ze tijd heeft gehad om geluid te maken. Nee, het was een bezoekster, die begon te gillen toen ze het bloed zag.' Hij duwde het hek naar het buitenterrein open. 'Ze ligt aan de achterkant van het terrein, bij de rotswand.'

Al na drie stappen bleef Maura staan, geschokt door de sporen van de tragedie. Jane had het over 'liters bloed' gehad en dat bloed zat ook op het omliggende gebladerte en lag in vele gestolde plasjes verspreid over het betonnen pad. Slagaderlijk bloed was alle kanten op gespoten toen het hart van het slachtoffer in die laatste seconden wanhopig was blijven kloppen.

Rhodes keek om naar de emmer en de bezem. 'Ik denk dat ze hem helemaal niet heeft zien aankomen.'

Het menselijk lichaam bevat vijf liter bloed en dit was de plek waar vrijwel al het bloed van Debbie Lopez uit haar lichaam was weggevloeid. Het was nog nat geweest toen anderen erdoorheen waren gelopen. Maura zag een groot aantal uitgesmeerde schoen-afdrukken op het beton. 'Als het dier haar hier heeft aangevallen,' zei ze, 'waarom heeft hij haar dan naar die richel gesleept? Waarom heeft hij haar niet hier opgevreten?'

'Omdat de luipaard zijn buit instinctief veiligstelt. In de wildernis zijn er altijd andere roofdieren die zullen proberen hem van hem af te pakken. Leeuwen en hyena's. Daarom slepen luipaarden hun buit naar een plek waar andere dieren er niet bij kunnen.'

Op het betonnen pad gaven bloederige vegen aan waar de lui-paard zijn menselijke buit naartoe had gesleept. In het spoor van de uitgesmeerde rode plassen was één duidelijke pootafdruk zichtbaar, die liet zien hoe angstaanjagend groot en sterk het dier was geweest. Het spoor liep naar het achterste deel van de luipaardenkuil. Het met een olijfgroene deken bedekte lijk lag aan de voet van een grote namaakrots. De dode luipaard lag er niet ver vandaan, met zijn bek wijd open.

'Hij heeft haar naar die richel gesleept,' zei Rhodes. 'Wij hebben haar eraf getild om te proberen haar te reanimeren.'

Maura keek omhoog en zag de rode streep van het bloed dat over de rand van de richel was gestroomd. 'Heeft hij haar helemaal daarheen gesleept?'

Rhodes knikte. 'Zo sterk zijn ze. Ze zijn in staat met een koedoe in hun bek in een boom te klimmen. Ze klimmen zo hoog mogelijk en hangen het kadaver over een tak, zodat ze het ongestoord kun-nen verslinden. Daar was hij mee bezig toen Greg hem doodschoot. Voor Debbie was het toen al te laat.'

Maura trok handschoenen aan en hurkte om de deken op te til-len. Toen ze zag wat er van de hals van het slachtoffer over was, wist ze dat de jonge vrouw de aanval onmogelijk had kunnen over-leven. Onthutst staarde ze naar het verpulverde strottenhoofd en de blootliggende luchtpijp. De wond in de hals was zo diep dat het hoofd achterover was geknikt. Het had niet veel gescheeld of de vrouw was onthoofd.

'Zo doen ze het,' legde Rhodes uit. Hij hield zijn ogen afgewend en sprak met bevende stem. 'Katachtigen zijn door de natuur ont-worpen als volmaakte moordmachines. Ze grijpen hun slachtoffer bij de keel, breken de nekwervels en bijten de keelader en de hals-slagader kapot. Gelukkig zorgen ze er altijd voor dat hun buit dood is voordat ze beginnen te vreten. Ze zeggen dat het een snelle dood is. Omdat het slachtoffer doodbloedt.'

Snel, maar niet snel genoeg. Maura wist hoe de laatste seconden van Debbie Lopez' leven waren verlopen, hoe dat bloed als een waterkanon uit de gescheurde slagaderen was gespoten, maar ook in haar uiteengereten luchtpijp was gevloeid en haar longen had gevuld. Een relatief snelle dood, maar voor dit slachtoffer moesten die laatste seconden van doodsangst, toen ze in haar eigen bloed stikte, een eeuwigheid hebben geduurd.

Ze liet de deken weer zakken en keek naar de luipaard. Het was een prachtig dier met een brede borst en een gezonde pels, die glans-de in het door het gebladerte gevlekte zonlicht. Ze staarde naar de vlijmscherpe tanden, die met zoveel gemak de keel van een vrouw konden openrijten en de botten konden verpulveren. Ze rilde, kwam overeind en zag door de tralies van het hek dat er een team onder-zoekers van het forensisch laboratorium was aangekomen.

'Ze was gek op dat beest,' zei Rhodes, neerkijkend op Rafiki. 'Toen hij was geboren, heeft ze hem met de fles gevoed. Ik weet zeker dat het geen moment in haar is opgekomen dat hij haar zou kunnen aanvallen. En daarom is ze nu dood. Ze was vergeten dat hij een roofdier was dat ook de mens als prooi beschouwt.'

Maura stroopte de handschoenen af. 'Is haar familie op de hoogte gebracht?'

'Haar moeder woont in St. Louis. De directeur van de dierentuin, dr. Mikovitz, heeft haar gebeld.'

'Stuurt u de contactinformatie alstublieft naar mijn kantoor. Die hebben we na de sectie nodig voor de regelingen omtrent de uitvaart.'

'Is een sectie echt noodzakelijk?'

'De doodsoorzaak lijkt duidelijk, maar er zijn vragen die beant-woord moeten worden. Waarom heeft ze deze fatale fout gemaakt? Was ze onder invloed van drugs, alchohol of een ziekte?'

Hij knikte. 'Natuurlijk. Daar had ik helemaal niet aan gedacht. Maar het zou me erg verbazen als u in haar lichaam sporen van drugs zou vinden. Zo was ze niet.'

Dat denk jij, dacht Maura toen ze het terrein verliet. Iedereen heeft geheimen. Ze dacht aan haar eigen geheimen, die ze zo zorgvuldig bewaakte. Ze wist hoe geschokt haar collega's zouden zijn als ze er ooit achter kwamen. Zelfs Jane, die haar zo goed kende.

Toen het team van het forensisch laboratorium de brancard over het met bloed besmeurde pad van de luipaardenkuil duwde, keek Maura vanachter het traliehek toe. Hier kon ze zien wat de bezoekers van de dierentuin hadden gezien. De plek waar Debbie door de luipaard was aangevallen, bevond zich achter een muur en was dus voor het publiek niet zichtbaar, en struiken hadden voorkomen dat bezoekers hadden kunnen zien hoe het dier het lichaam met zich mee had gesleept, maar de richel waarop hij zijn prooi had neergelegd was duidelijk te zien, evenals het bloed dat als een rode waterval over de rotsen was gestroomd.

Geen wonder dat de bezoekers waren gaan gillen.

Maura kreeg opeens kippenvel, alsof de ijzige adem van een roofdier over haar huid streek. Ze draaide zich om en spiedde de omgeving af. Dr. Rhodes stond ineengedoken te praten met bezorgde functionarissen van de dierentuin. Een paar dierenverzorgers probeerden elkaar te troosten. Er keek niemand naar haar. Het leek zelfs alsof niemand zich van haar aanwezigheid bewust was. Niettemin had ze sterk het gevoel dat ze door iemand in de gaten werd gehouden.

Toen zag ze hem, achter de tralies van het aangrenzende terrein. Zijn lichtbruine vacht was bijna niet te onderscheiden van het zandkleurige rotsblok waaronder hij gehurkt lag. Zijn machtige spieren waren gespannen, klaar om overeind te springen. Roerloos staarde hij naar zijn prooi. Naar haar.

Ze keek naar het bordje dat aan de tralies was bevestigd. PUMA CONCOLOR. Een poema. En ze dacht: ik zou hem evenmin hebben zien aankomen.

9

'Jerry O'Brien is een onruststoker. In zijn radioprogramma in elk geval,' zei Frost toen ze naar het in het noordwesten gelegen Middlesex County reden. 'Vorige week heeft hij de voorvechters van dierenrechten een veeg uit de pan gegeven. Hij vergeleek hen met grasetende knaagdieren en vroeg zich af hoe goedmoedige konijntjes zo venijnig zijn geworden.' Frost grinnikte toen hij de audiofile opzocht op zijn laptop. 'Ik heb hier een mooi stukje dat over jagen gaat.'

'Denk je dat hij alle onzin die hij uitbraakt zelf gelooft?' vroeg ze.

'Zou best kunnen. In elk geval heeft hij een enorm luisterpubliek, want zijn programma wordt aan honderden kleinere radiostations verkocht.' Frost typte iets in. 'Oké, dit is van vorige week. Moet je horen.'

U eet vast weleens kip of biefstuk. U koopt dat vlees in de supermarkt en neemt het, keurig verpakt in folie, mee naar huis. Maar waarom denkt u dat u daarom een beter mens bent dan de jager die voor dag en dauw zijn warme bed verlaat om met een zwaar geweer over zijn schouder in de ijzige kou een uitputtende voettocht door de bossen te maken? Die geduldig vier uur of nog langer in de struiken gaat zitten wachten? Die jaren heeft besteed aan het verfijnen van zijn schietvaardigheden? En geloof me, mensen, je moet heel wat schietvaardigheid bezitten om je prooi met één schot om te leggen. Waarom vindt u dat u het recht hebt de jager zíjn recht te ontnemen om het oeroude, eerbiedwaardige beroep uit te oefenen

dat ervoor heeft gezorgd dat de mens sinds het begin van onze ge-
schiedenis voldoende te eten had? Al die metroseksuele betweters
die in dure Franse restaurants een biefstuk bestellen en het gore lef
hebben om tegen ons, de jagers pur sang, te zeggen dat het wreed is
om een hert te schieten. Zijn die vergeten waar vlees vandaan komt?
En dan al die dolzinnige vegetariërs. Hé, dierenliefhebbers! Jullie
hebben vast wel een hond of een kat. Wat geven jullie Fikkie te
eten? Vlees. V.L.E.E.S. Jullie kunnen al die woede dus net zo goed
botvieren op jullie huisdieren!'

Frost zette de uitzending stop. 'Tussen haakjes, ik ben vanochtend
even bij Gott langsgegaan. Ik heb de kat niet gezien, maar het eten
dat ik gisteren had neergezet, was op. Ik heb het bakje opnieuw
gevuld en de kattenbak verschoond.'

'En de medaille van verdienste voor de zorg voor verlaten huisdieren gaat naar... rechercheur Frost!'

'Ja, maar wat moeten we met die kat? Denk je dat dr. Isles er nog
eentje wil?'

'Volgens mij heeft ze er al spijt van dat ze die grijze heeft meegenomen. Waarom neem jij hem niet?'

'Ik ben een man.'

'Nou en?'

'Het is raar als je als man een kat neemt.'

'Waarom? Ben je met een kat minder man?'

'Imago is belangrijk. Als ik een meisje mee naar huis neem en ze
ziet een poezelige witte kat, wat zal ze dan van me denken?'

'Je hebt gelijk, met je goudvissen maak je een veel betere indruk.'
Ze knikte naar de laptop. 'Wat bralt O'Brien nog meer?'

'O, van alles,' zei Frost, en hij klikte op AFSPELEN.

... nee, deze menselijke knaagdieren, deze venijnige konijnen die
louter op groenvoer leven, zijn nog bloeddorstiger dan vleeseters.
En reken maar, beste vrienden, dat ze me dat laten weten. Ze heb-
ben al gedreigd me als een eland te zullen ophangen en te villen, me
te roosteren, in stukken te snijden, te wurgen en te fileren. Had u
gedacht dergelijke dingen ooit uit de mond van vegetariërs te zullen
horen? Pas op voor mensen die op groenvoer leven, vrienden. Er is
niemand zo gevaarlijk als de zogenaamde dierenvriend.

Jane keek Frost aan. 'Misschien zijn ze nog gevaarlijker dan hij denkt,' zei ze.

Dankzij zijn wekelijkse praatprogramma, dat aan zeshonderd radiostations was verkocht en een publiek van meer dan twintig miljoen luisteraars bereikte, kon Brallende O'Brien zich het beste van het beste veroorloven, en dat werd Jane en Frost meteen duidelijk toen ze door de bewaakte poort zijn landgoed op reden. De glooiende weiden met grazende paarden zou je eerder op een farm in Virginia of Kentucky verwachten dan hier. Zo'n pastoraal landschap was op nog geen uur rijden van Boston ongekend. Ze passeerden een grote vijver, reden een groene heuvel met witte schapen op en bereikten een groot, houten huis, dat met zijn brede veranda's en massieve houten stijlen meer op een jachthuis leek dan op een gewoon woonhuis.

Ze waren nog maar net gestopt, toen ze schoten hoorden.

'Jezus,' zei Frost terwijl ze allebei hun holster openden.

Nog meer schoten, snel achter elkaar, en toen was het stil. Te stil.

Ze sprongen uit de auto en renden met hun pistool in de hand naar het huis.

De voordeur ging open en een man met een vollemaansgezicht begroette hen met een overdreven brede grijns. Hij keek naar de twee Glocks die op hem gericht waren en zei lachend: 'Ho! Dat is echt niet nodig. Rechercheurs Rizzoli en Frost, neem ik aan?'

Jane liet haar wapen nog niet zakken. 'We hoorden schoten.'

'Jerry is aan het oefenen. Hij heeft een schietbaan in de kelder. Ik ben Rick Dolan, zijn assistent. Kom binnen.'

Weer klonk er een kort salvo. Jane en Frost keken elkaar aan en staken hun wapen weer in hun holster.

'Dat klinkt als een behoorlijk zwaar kaliber,' zei Jane.

'U mag het zelf gaan bekijken. Jerry pronkt graag met zijn arsenaal.'

Het huis had een hoge hal met eikenhouten wanden en indiaanse wandkleden. Dolan maakte een kast open en gaf zijn bezoekers oorbeschermers.

'Jerry staat erop,' zei hij terwijl hij zelf ook een set om zijn nek hing. 'Hij is als tiener naar iets te veel popconcerten geweest en, zoals hij zelf altijd zegt, "eenmaal doof, altijd doof".'

Vervolgens opende Dolan een met isolerend materiaal beklede deur. Jane en Frost bleven aarzelend staan toen ze het oorverdovende geknal hoorden.

'Het is volkomen veilig,' zei hij. 'Jerry heeft kosten noch moeite gespaard toen hij deze ruimte liet bouwen. Muren van bouwblokken die gevuld zijn met zand, een plafond van voorgespannen beton met daarbovenop nog eens twintig centimeter staal. Afsluitbare schiethokjes en een ondergronds ventilatiesysteem dat alle rook en dampen naar buiten afvoert. Het neusje van de zalm. Kom, het is echt de moeite waard.'

Jane en Frost zetten de oorbeschermers op en liepen achter hem aan de trap af.

In het felle licht van tl-buizen stond Jerry O'Brien met zijn rug naar hen toe. Zijn spijkerbroek en het opzichtige hawaïshirt dat zijn brede bovenlichaam in een vrolijk bloempatroon hulde, pasten absoluut niet bij de omgeving. Hij begroette de bezoekers niet, maar hield zijn blik gericht op een schietschijf in de vorm van een menselijke gedaante, waar hij met regelmaat kogels op afvuurde. Pas toen het hele magazijn leeg was, draaide hij zich om naar Jane en Frost.

'Ah, de politie.' Hij nam zijn oorbeschermers af. 'Welkom in mijn paradijs.'

Frost keek naar de geweren en pistolen die op een tafel lagen. 'Wauw. U hebt mooi spul.'

'En allemaal legaal. Geen ervan heeft een magazijn voor meer dan tien kogels. Ik bewaar ze in een beveiligde opslagkamer en heb een vergunning om in het openbaar een vuurwapen te dragen. Als u wilt, kunt u het navragen op het plaatselijke politiebureau.' Hij pakte een pistool en hield het Frost voor. 'Dit is mijn favoriet. Wilt u hem uitproberen?'

'Nee, dank u.'

'Echt niet? U zult niet vaak een kans krijgen om met zo'n schoonheid te schieten.'

'We zijn hier omdat we wat vragen voor u hebben over Leon Gott,' zei Jane.

O'Brien keek nu pas naar haar. 'Rechercheur Rizzoli, nietwaar? Houdt u van wapens?'

'Als noodzakelijk kwaad.'

'Jaagt u?'

'Nee.'

'Ook nooit gedaan?'

'Alleen op mensen. Dat is opwindender, omdat ze terugschieten.'

O'Brien lachte. 'Een vrouw naar mijn hart. In tegenstelling tot mijn domme exen.' Hij liet het magazijn uit het wapen glijden en controleerde of er geen kogel in de kamer was blijven zitten. 'Wat wilt u weten over Leon? Hij moet hebben gevochten als een leeuw. Ik weet zeker dat hij de moordenaar zou hebben doodgeschoten als hij de kans had gekregen.' Hij keek naar Jane. 'Heeft hij daar de kans toe gekregen?'

'Hoe doof was hij?'

'Wat heeft dat ermee te maken?'

'Hij had zijn hoorapparaat niet in.'

'O. Dat verandert de zaak. Zonder hoorapparaat had er een olifant de trap op kunnen stommelen zonder dat hij er erg in had.'

'Zo te horen kende u hem goed.'

'Goed genoeg om vertrouwen in hem te stellen als jager. Ik heb hem twee keer meegenomen naar Kenia. Vorig jaar heeft hij een prachtige buffel gedood. Haarzuiver schot. Hij aarzelde niet, knipperde niet eens met zijn ogen. Je leert een man goed kennen als je met hem gaat jagen. Je komt er snel achter of hij alleen een grote mond heeft of dat hij echt iets waard is. Of je zoveel vertrouwen in hem kunt hebben dat je hem je rug kunt toekeren. Of hij het lef heeft een aanstormende olifant het hoofd te bieden. Leon had bewezen dat hij zo iemand was. Ik had respect voor hem en dat zul je mij niet over veel mensen horen zeggen.' O'Brien legde het wapen op de tafel en keek Jane aan. 'Laten we boven verder praten. Bij ons staat de koffie altijd klaar.' Hij gooide zijn assistent een sleutel toe. 'Berg jij de wapens op, Rick? We gaan naar de trofeeënkamer.'

O'Brien ging hun voor de trap op, langzaam, amechtig zwoegend in zijn tentachtig overhemd. Toen ze boven waren, hijgde hij zwaar. De trofeeënkamer, had hij gezegd, en dat bleek een twee verdiepingen hoge grot te zijn met massieve, eikenhouten plafondbalken en een grote open haard met een schoorsteenmantel van natuursteen. Waar Jane ook keek, overal zag ze opgezette wilde dieren die het bewijs vormden van O'Briens vaardigheden als schutter. Bij Leon Gott thuis was ze aanvankelijk geschrokken van de wanden vol opgezette dierenkoppen, maar hier viel haar mond open.

'Hebt u deze dieren allemaal zelf geschoten?' vroeg Frost.

'Bijna allemaal,' antwoordde O'Brien. 'Er zitten bedreigde diersoorten bij, waar je niet op mag jagen. Die heb ik op de ouderwetse manier verkregen, door geld op tafel te leggen. Bijvoorbeeld die amoerpanter.' Hij wees naar een opgezette kop met een aangevreten oor. 'Die is zeker veertig jaar oud en ze zijn nu niet meer te krijgen. Ik heb een verzamelaar een hoop geld betaald voor dit armoedige exemplaar.'

'Waarom?' vroeg Jane.

'Had u als kind geen knuffeldier? Niet eens een beer?'

'Ik hoefde mijn beer niet eerst te schieten.'

'Deze amoerpanter is mijn knuffeldier. Ik wilde hem omdat het zo'n magnifiek dier is. Mooi en dodelijk. Een door de natuur ontworpen moordmachine.' Hij wees naar de trofeeënwand tegenover de deur, waar rijen dierenkoppen hingen met vervaarlijke tanden en slagtanden. 'Ik schiet nog weleens een hert, omdat er geen malser vlees bestaat dan verse hertenbiefstuk, maar ik geef meer om dieren waar ik bang voor ben. Ik hoop nog altijd op een Bengaalse tijger. De sneeuwpanter wilde ik ook erg graag hebben. Het is verdraaid jammer dat de pels is verdwenen. Hij was mij een hoop waard, maar dat gold blijkbaar ook voor de schoft die Leon heeft vermoord.'

'Denkt u dat het hem om de pels te doen was?' vroeg Frost.

'Natuurlijk. Als ik jullie was, zou ik de zwarte markt goed in de gaten houden. Als daar een pels wordt aangeboden, kun je de dader zo oppakken. Ik wil jullie daar graag bij assisteren. Dat is niet alleen mijn burgerplicht, maar dat ben ik Leon beslist verschuldigd.'

'Wie wist dat hij een sneeuwpanter ging opzetten?'

'Wie niet? Er zijn niet veel preparateurs die de gelegenheid krijgen zo'n zeldzaam dier onder handen te nemen. Hij heeft het op internetforums van de daken geschreeuwd. Iedereen vindt de grote katten fascinerend. En niet alleen de grote katten, maar alle dieren die in staat zijn ons te doden. Ik in elk geval wel.' Hij keek naar zijn trofeeën. 'Dit is mijn eerbetoon aan de dieren.'

'U eert dieren door ze dood te schieten en aan de muur te hangen?'

'Als ze de kans kregen, zouden ze omgekeerd precies hetzelfde doen. Zo is het leven in de jungle nu eenmaal. Iedereen moet eten en de sterksten overleven.' Hij liet zijn blik over zijn trofeeën gaan als een koning die zijn onderworpen onderdanen aanschouwt. 'De mens is van nature een jager. Niet iedereen is bereid dat toe te geven. Als ik in mijn tuin een steentje naar een eekhoorn gooi, komt mijn geitenwollensokkenbuurvrouw onmiddellijk haar beklag doen. Dat domme wijf roept regelmatig dat ik beter in Wyoming kan gaan wonen.'

'Dat zou u kunnen doen,' zei Frost tussen neus en lippen door.

O'Brien lachte. 'Nee, ik blijf liever een doorn in haar oog. Waarom zou ik in Wyoming gaan wonen? Ik ben hier vlakbij geboren, in Lowell, een armoedige fabrieksstad. Ik blijf omdat ik hier elke dag kan zien hoever ik het heb geschopt.' Hij liep naar een bar en ontkurkte een fles whisky. 'Mag ik u een glaasje aanbieden?'

'Nee, dank u,' zei Frost.

'O ja, natuurlijk, u hebt dienst.' Hij schonk voor zichzelf een flinke hoeveelheid in. 'Ik ben eigen baas, dus maak ik mijn eigen regels. Bij mij begint happy hour om drie uur.'

Frost liep naar een groepje opgezette katachtigen en bekeek de luipaard. Het dier lag op een boomtak, in een agressieve houding, alsof hij op het punt stond een prooi te bespringen. 'Is dit een Afrikaanse luipaard?'

O'Brien draaide zich met het glas in zijn hand om. 'Ja. Die heb ik een paar jaar geleden in Zimbabwe geschoten. Luipaarden zijn lastig. Ze leiden een solitair leven en laten zich niet gauw zien. Als een luipaard zich in een boom verschuilt, kan hij je lelijk verrassen. Vergeleken bij andere grote katten is hij niet erg fors, maar hij is zo sterk dat hij zijn prooi een boom in kan slepen.' Hij nam een slokje en keek bewonderend naar het dier. 'Leon heeft deze voor me opgezet. U ziet wat een vakman hij was. Hij heeft die leeuw ook gedaan,

en die zwarte beer daar. Hij was erg goed, maar niet goedkoop.'
O'Brien liep naar een opgezette poema. 'Dit is het eerste dier dat hij
voor me heeft opgezet, ongeveer vijftien jaar geleden. Hij is zo levensecht dat ik nog steeds van hem schrik als ik hier alleen de schemer-
lampjes laat branden.'

'Leon was dus uw jachtgenoot en preparateur,' zei Jane.

'Hij was niet zomaar een preparateur. Hij genoot wereldwijde
faam.'

'We hebben een artikel over hem gezien in *Hub Magazine*. "De
trofeeënkampioen".'

O'Brien lachte. 'Ja, dat vond hij wel mooi. Hij heeft het ingelijst
en opgehangen.'

'Er was veel commentaar op dat artikel, waaronder vernietigende
opmerkingen over de jacht.'

O'Brien haalde zijn schouders op. 'Dat is onvermijdelijk. Ik word
ook constant bedreigd. Er zijn mensen die tijdens mijn programma
opbellen om te zeggen dat ze me als een varken aan het spit willen
rijgen.'

'Ja, dat heb ik weleens gehoord,' zei Frost.

O'Brien hield zijn hoofd schuin, als een bulldog die een honden-
fluitje hoort. 'Luistert u naar mijn show?'

Wat hij van Frost wilde horen was: 'Ja, natuurlijk. Ik vind het een
geweldig programma. Ik luister altijd.' Voor een man die zo'n flam-
boyant leven leidde, zo met geld smeet en zo nonchalant zijn mid-
delvinger opstak naar de mensen die hem verachtten, had O'Brien
opvallend veel behoefte aan erkenning.

'Wat kunt u ons vertellen over de mensen die u bedreigen?' vroeg
Jane.

O'Brien lachte. 'Mijn programma heeft een wijd bereik en van
alle mensen die ernaar luisteren, is niet iedereen het eens met wat ik
allemaal zeg.'

'Maakt u zich zorgen om de bedreigingen? Die van de tegenstan-
ders van de jacht, bijvoorbeeld?'

'U hebt mijn arsenaal gezien. Knappe jongen die mij te pakken
krijgt.'

'Leon Gott had ook een arsenaal.'

O'Brien aarzelde met het glas aan zijn lippen. Hij liet het glas zakken en fronste. 'Denkt u dat een van die mesjogge dierenvrienden het heeft gedaan?'

'We onderzoeken alle mogelijkheden. We willen dus ook meer weten over de dreigementen aan uw adres.'

'Welke daarvan? Wat ik ook zeg, er is altijd wel iemand die zich eraan ergert.'

'Zijn er mensen bij die specifiek hebben gezegd dat ze u willen ophangen en fileren?'

'Ja, reuze origineel. Die muts kan niets beters verzinnen.'

'Over wie hebt u het?'

'Een van die wijven die aldoor bellen. Ene Suzy. Hangt voortdurend aan de lijn. "Dieren hebben een ziel! De mens is het ware roofdier!" Dat soort gelul.'

'Hebben meer mensen u op deze specifieke manier bedreigd? Gezegd dat ze u willen ophangen en fileren?'

'Jazeker. Het zijn vrijwel altijd vrouwen en ze treden zeer bloeddorstig in detail. Alleen vrouwen doen dat.' Hij zweeg toen de betekenis van Janes vraag tot hem doordrong. 'U gaat me toch niet vertellen dat dit met Leon is gedaan? Dat hij is opgehangen en gefileerd?'

'Ik had graag dat u deze dreigementen van nu af aan noteert. De eerstvolgende keer dat iemand zoiets zegt, willen wij graag het telefoonnummer.'

O'Brien keek naar zijn assistent, die net binnenkwam. 'Kun jij dat regelen, Rick? Dat ze namen en telefoonnummers krijgen?'

'Natuurlijk.'

'Ik denk anders niet dat die blaaskaken hun dreigementen ooit zullen uitvoeren,' zei O'Brien. 'Veel geschreeuw maar weinig wol, als je het mij vraagt.'

'Toch zou ik er niet te licht over denken,' zei Jane.

'Dat doe ik ook niet.' Hij tilde de zoom van zijn hawaïshirt op om hun de Glock te laten zien die hij in een heupholster droeg. 'Ik heb niet voor niets een vergunning om te allen tijde een wapen bij me te dragen.'

'Werd Leon ook bedreigd? Heeft hij daar iets over gezegd?' vroeg Frost.

'Niet in zoverre dat hij zich er zorgen over maakte.'

'Had hij vijanden? Collega's of familieleden die financieel beter zouden worden van zijn dood?'

O'Brien perste zijn lippen op elkaar als een brulkikvors. Hij hief zijn glas op en staarde naar de whisky. 'De enige over wie ik hem ooit heb gehoord, was zijn zoon.'

'Zijn overleden zoon.'

'Ja. De laatste keer dat we in Kenia waren, had hij het de hele tijd over hem. Als je rond het kampvuur whisky zit te drinken, komen de tongen vanzelf los. Je bergt je vangst op, roostert wat wild en gaat zitten kletsen onder de sterrenhemel. Daar is het de mannen om te doen.' Hij keek naar zijn assistent. 'Niet, Rick?'

'Zo is het, Jerry.' Dolan vulde meteen het glas van zijn baas bij.

'Gaan er geen vrouwen mee op die reisjes?' vroeg Jane.

O'Brien keek haar aan alsof ze niet goed bij haar hoofd was. 'Waarom zou je zo'n reis door een vrouw laten verpesten? Vrouwen maken overal een puinzooi van.' Hij knikte. 'Huidig gezelschap uitgezonderd. Ik ben vier keer getrouwd geweest en al die wijven zijn nog steeds bezig me uit te zuigen. Leon had ook een slecht huwelijk. Toen zijn vrouw hem verliet, heeft ze hun enige zoon meegenomen en de jongen tegen zijn vader opgehitst. Leon is dat nooit te boven gekomen. Zelfs nadat het kreng was gestorven, is de zoon zijn vader blijven treiteren. Ik ben blij dat ik geen kinderen heb.' Hij nam een slokje en schudde zijn hoofd. 'God, ik zal hem missen. Hoe kan ik u helpen de vuile hufter op te sporen die hem heeft vermoord?'

'Door antwoord te geven op onze vragen.'

'Ik ben toch geen verdachte?'

'Zou u dat moeten zijn?'

'Geen spelletjes, alstublieft. Stel nu maar gewoon uw vragen.'

'Volgens de directeur van de Suffolk Zoo was u met hem overeengekomen dat u vijf miljoen dollar zou doneren in ruil voor de sneeuwpanter.'

'Dat klopt. En ik heb gezegd dat Leon de enige preparateur was die eraan mocht werken.'

'Wanneer heb u meneer Gott voor het laatst gesproken?'

'Zondag, toen hij me belde om te vertellen dat hij het dier had gevild en ontweid. Hij vroeg of ik het kadaver ook wilde hebben.'

'Hoe laat was dat?'

'Rond het middaguur.' O'Brien keek hen aan. 'Kom, kom, hou u niet van den domme. U hebt de belgegevens vast al.'

Jane en Frost wisselden een geïrriteerde blik. Er was een gerechtelijk bevel uitgevaardigd, maar de telefoonmaatschappij had de belgegevens nog niet gestuurd. Er werden in het hele land dagelijks honderden van die verzoeken gedaan, waardoor er dagen, zelfs weken, overheen gingen voordat ze de informatie kregen.

'Hij belde u vanwege het kadaver,' zei Frost. 'En toen?'

'Ik heb het bij hem afgehaald,' zei O'Briens assistent. 'Ik was er rond twee uur 's middags, heb het kadaver in mijn auto geladen en ben meteen teruggereden.'

'Waarom? Ik bedoel, ik neem aan dat u geen sneeuwpantervlees eet.'

O'Brien zei: 'Ik ben bereid elk soort vlees minstens één keer te eten. Ik zou zelfs niet vies zijn van een menselijke biefstuk als die me werd voorgezet. Maar ik eet geen vlees van een dier dat met chemicaliën in slaap is gebracht. Ik wilde het kadaver om het geraamte. Toen Rick ermee terugkwam, hebben we een kuil gegraven en het daarin begraven. Als we Moeder Natuur en de wormen een paar maanden hun gang laten gaan, hebben we straks een mooi skelet om op te zetten.'

Daarom hadden ze alleen de ingewanden van de panter gevonden, dacht Jane. Het kadaver bevond zich toen al op O'Briens landgoed, waar het in een kuil lag te verrotten.

'Hebben u en meneer Gott nog ergens over gepraat toen u er was?' vroeg Jane aan Dolan.

'Nee. Hij was aan de telefoon. Ik heb een paar minuten gewacht, maar hij gebaarde dat ik kon gaan. Dus heb ik het kadaver ingeladen en ben ik vertrokken.'

'Wie had hij aan de telefoon?'

'Dat weet ik niet. Ik hoorde hem zeggen dat hij meer foto's van Elliot in Afrika wilde. "Alles wat je hebt", zei hij.'

'Elliot?' Jane keek O'Brien aan.

'Zijn dode zoon,' zei O'Brien. 'Zoals ik al zei had hij het de laatste tijd vaak over Elliot. Het is zes jaar geleden gebeurd, maar ik geloof dat de schuldgevoelens steeds zwaarder op hem begonnen te drukken.'

'Waarom voelde Leon zich schuldig?'

'Omdat hij na de echtscheiding bijna geen contact met de jongen had gehad. Zijn ex had de jongen opgevoed. Ze had volgens Leon een verwijfd ventje van hem gemaakt. Elliot had een vriendin, zo'n troel van de dierenbescherming, maar dat was waarschijnlijk alleen om zijn vader te pesten. Leon heeft zijn best gedaan contact met hem te houden, maar zijn zoon had daar niet veel zin in. Daarom had Leon het zo te kwaad toen Elliot overleed. Het enige wat hij van zijn zoon overhad, was een foto. Die hing bij hem thuis aan de muur. Het was een van de laatste foto's die van Elliot was genomen.'

'Hoe is Elliot gestorven? U zei dat het zes jaar geleden is gebeurd.'

'Ja, hij had het domme plan opgevat om naar Afrika te gaan. Hij wilde de dieren zien voordat ze allemaal werden uitgemoord door jagers zoals ik. Volgens Interpol had hij in Kaapstad twee meisjes ontmoet en is hij samen met hen naar Botswana gevlogen voor een safari.'

'En wat is daar gebeurd?'

O'Brien dronk zijn glas leeg en keek haar aan. 'Er is nooit meer iets van hen vernomen.'

10

Botswana

Johnny zet de punt van zijn mes op de buik van de impala en snijdt door de huid en het onderhuidse vet tot het glanzende buikvlies zichtbaar wordt. Hij heeft het dier zojuist gedood en terwijl hij het opensnijdt, zie ik de ogen dof worden, alsof de kille adem van de dood het oogvocht doet bevriezen. Je kunt aan zijn snelle, efficiënte manier van werken zien dat Johnny dit vaak heeft gedaan. Met zijn ene hand snijdt hij de buik open, met zijn andere hand beschermt hij de ingewanden tegen het mes om te voorkomen dat het vlies wordt doorboord, want dan zou het vlees oneetbaar worden. Het is een weerzinwekkend maar secuur werkje. Mevrouw Matsunaga kan het niet aanzien, maar de rest van de groep kijkt gefascineerd toe. Zijn we hiervoor niet naar Afrika gekomen? Om deel uit te maken van het leven en de dood in de wildernis? Vanavond zullen we ons te goed doen aan geroosterde impala en daarvoor betaalt het dier dat nu ontweid wordt, de prijs. De geur van bloed die opstijgt van het kadaver is zo sterk dat de aaseters zich beginnen te roeren. Als ik mijn oren spits, hoor ik ze door het hoge gras stilletjes naderbij sluipen.

Boven ons cirkelen de aasgieren.

'De darmen zitten vol bacteriën, dus die neem ik weg om te voorkomen dat het vlees bedorven raakt,' legt Johnny tijdens het snijden uit. 'Bovendien is het dier zonder de ingewanden minder zwaar en dus makkelijker te dragen. Er gaat niets verloren, alles wordt opgegeten. Aaseters zullen zich ontfermen over wat we achterlaten. En het is beter om de ingewanden hier te verwijderen, zodat we de aaseters niet naar ons kamp lokken.' Hij steekt zijn hand in de borstholte, grijpt het hart en de longen en snijdt met een paar halen van het mes de luchtpijp en de slagaderen door. De organen glijden uit de borstholte als een pasgeborene, slijmerig van het bloed.

'Getver,' kreunt Vivian.

Johnny kijkt op. 'Jij eet toch vlees?'

'Ja, maar nu ik dit heb gezien, weet ik niet of ik het nog wel wil.'

'Ik vind dat iedereen moet kijken,' zegt Richard. 'We moeten weten waar onze maaltijd vandaan komt.'

Johnny knikt. 'Inderdaad. Als carnivoren moeten we weten wat ervoor nodig is om een stuk vlees op je bord te krijgen. Besluipen, schieten, villen, ontweien. De mens is een jager. Al sinds de oertijd.' Hij steekt zijn hand in de onderbuik van de impala, trekt de blaas eruit, grijpt dan handenvol darmen en gooit die in het gras. 'De moderne mens is vergeten wat ervoor nodig is om in leven te blijven. De moderne mens gaat naar de supermarkt en betaalt voor het vlees dat hij eet. Zo is vlees niet bedoeld.' Hij komt overeind en kijkt naar de geslachte impala. Zijn blote armen zitten onder het bloed. 'Dít is hoe vlees bedoeld is.'

We staan in een kring om de buit terwijl het laatste bloed uit het schoongemaakte dier sijpelt. De organen beginnen onder de hete zon al op te drogen. Boven ons cirkelen steeds meer aasgieren, die zich op de stinkende berg ingewanden willen storten.

'Hoe vlees bedoeld is,' zei Elliot. 'Daar heb ik eigenlijk nooit over nagedacht.'

'In de wildernis merk je pas wat je plaats op de wereld is,' zegt Johnny. 'Hier worden we eraan herinnerd wat we zijn.'

'Beesten,' mompelt Elliot.

Johnny knikt. 'Beesten.'

En dat is wat ik zie als ik 's avonds naar de mensen rond het kamp-vuur kijk: hongerige beesten die hun tanden in het geroosterde impalavlees zetten. We zijn pas één dag gestrand, maar veranderen nu al in een primitieve versie van onszelf. We grijpen het vlees met onze blote handen, laten het sap van onze kin druipen, krijgen zwarte vegen op ons gezicht van het verkoolde vet. We maken ons geen zorgen meer of we van de honger zullen omkomen, want in de wildernis wemelt het van gehoefd en gevleugeld vlees en Johnny zal er met zijn geweer en jachtmes voor zorgen dat we elke dag onze maag kunnen vullen.

Hij zit buiten de kring terwijl wij ons te goed doen. Ik zou willen dat ik iets van zijn gezicht kon aflezen, maar vanavond vertelt het me niets. Bekijkt hij ons met minachting, deze onnozele vakantiegangers, hulpeloos als baby's, die voor hun voedsel van hem afhankelijk zijn? Geeft hij ons om welke reden dan ook de schuld van Clarence' dood? Hij raapt de lege whiskyfles op die Sylvia achter zich heeft neergegooid en doet hem in de jutezak waarin we ons afval verzamelen. Hij staat erop dat we al het afval meenemen. Laat geen sporen achter, zegt hij. Dan toon je respect voor het land. In de zak rinkelen al wat lege flessen, maar we hoeven niet bang te zijn dat we zonder sterkedrank komen te zitten. Mevrouw Matsunaga kan niet tegen alcohol, Elliot drinkt heel weinig en Johnny lijkt zich te hebben voorgenomen geen druppel te drinken tot we gered zijn.

Hij keert terug naar het kampvuur en komt tot mijn verbazing naast mij zitten.

Ik kijk naar hem, maar hij houdt zijn blik op het vuur gericht. 'Je weert je erg goed,' zegt hij zachtjes.

'Meen je dat? Ik vind zelf van niet.'

'Nog bedankt voor je hulp daarstraks, bij het villen en ontweien van de impala. Je hebt het in de vingers.'

Daar moet ik om lachen. 'En dat terwijl ik helemaal niet op safari wilde. Ik wilde warme douches en normale toiletten. Ik ben uit loyaliteit meegegaan.'

'Voor Richard.'

'Inderdaad.'

'Ik hoop dat hij dat waardeert.'

Ik werp een blik op Richard. Hij kijkt niet naar mij, maar zit te praten met Vivian, wier strakke topje er geen twijfel over laat bestaan dat ze geen bh aanheeft. Ik kijk weer naar het vuur. 'Wie zo meegaand is, komt misschien niet erg ver in het leven.'

'Ik hoorde van Richard dat je in het boekenvak zit.'

'Ja, ik ben manager van een boekhandel in Londen. Ver weg, in de echte wereld.'

'Is dit niet de echte wereld?'

Ik kijk naar de schaduwen rond ons kampvuur. 'Dit is een illusie, Johnny. Een decor voor een boek van Hemingway. Richard zal het binnenkort wel voor een van zijn thrillers gebruiken.' Ik lach. 'En het zal me niet verbazen als hij daarin jou de schurk laat spelen.'

'Welke rol geeft hij jou in zijn boeken?'

Ik staar naar de vlammen en zeg peinzend: 'Tot nu toe was ik altijd het liefje van de held.'

'Maar nu niet meer?'

'Dingen veranderen.' Nu ben ik het blok aan zijn been. De overtollige vriendin die maar beter door de schurk kan worden afgevoerd, zodat de held zich aan een nieuwe verovering kan wijden. Ik weet precies hoe dat gaat in thrillers, omdat ik er stapels van verkoop aan bleke, vadsige mannen die zich allemaal een James Bond wanen.

Richard weet hoe hij de fantasieën van die mannen moet voeden, omdat hij ze zelf ook koestert. Zelfs nu, als hij zich met zijn zilveren aansteker opzij buigt om meneer Matsunaga een vuurtje te geven, waant hij zich de hoffelijke held. Je zult James Bond nooit met lucifers zien prutsen.

Met een tak duwt Johnny een blok hout wat dieper in het vuur. 'Voor Richard was dit misschien een droomwens, maar deze safari is nu menens geworden.'

'Je hebt gelijk. Het is geen illusie. Het is een nachtmerrie.'

'Dan begrijp je dus hoe ernstig de situatie is,' zegt hij zachtjes.

'Ik weet dat alles is veranderd. Het is geen vakantie meer.' Fluisterend voeg ik eraan toe: 'En ik ben bang.'

'Je hoeft niet bang te zijn, Millie. Wel alert, maar niet bang. In een stad als Johannesburg, dáár moet je bang zijn. Maar hier?' Hij schudt zijn hoofd en glimlacht. 'Hier probeert alles en iedereen gewoon in leven te blijven. Als je dat begrijpt, kun je zelf ook in leven blijven.'

'Dat kun jij makkelijk zeggen. Jij bent hier opgegroeid.'

Hij knikt. 'Mijn ouders hadden een boerderij in Limopopo. Als ik door de velden liep, zaten er in de bomen altijd luipaarden naar me te loeren. Ik leerde hen kennen en zij mij.'

'Vielen ze nooit aan?'

'Ik heb altijd het idee gehad dat we een verstandhouding hadden, die luipaarden en ik. Het wederzijdse respect van jagers. Maar dat wil niet zeggen dat we elkaar ooit vertrouwden.'

'Ik zou me niet eens buiten de deur wagen. Je kunt hier op zoveel manieren doodgaan. Leeuwen. Luipaarden. Slangen.'

'Ik heb voor al die dieren dan ook veel ontzag, des te meer omdat ik precies weet waartoe ze in staat zijn.' Hij kijkt naar het kampvuur en grinnikt. 'Ik ben op mijn veertiende gebeten door een groefkopadder.'

Ik staar hem aan. 'En daar lach je om?'

'Het was mijn eigen schuld. Ik verzamelde slangen. Ik ving ze zelf en hield ze in terraria in mijn slaapkamer. Op een dag werd ik overmoedig en hap! zei de slang.'

'Jezus. En toen?'

'Gelukkig was het een droge beet, zonder gif. Maar ik heb daar wel van geleerd dat je onmiddellijk gestraft wordt als je je aandacht ook maar een ogenblik laat verslappen.' Hij schudt spijtig zijn hoofd. 'Het ergste was dat ik van mijn moeder alle slangen toen moest wegdoen.'

'Ik snap niet dat je ze überhaupt mocht houden. En dat je in de wildernis mocht rondstruinen terwijl daar luipaarden zaten.'

'Maar zo leefden onze oerouders ook, Millie. Dit is de plek waar we allemaal vandaan komen. Ieder mens heeft een oeroude herinnering diep in zijn brein waardoor hij dit werelddeel herkent als zijn thuis. De meeste mensen hebben er geen band meer mee, maar het instinct is niet uit te roeien.' Hij heft zijn hand op en raakt zachtjes mijn voorhoofd aan. 'Zo blijf je hier in leven. Door diep in jezelf te reiken om die oeroude herinnering naar boven te halen. Ik help je ze te vinden.'

Opeens voel ik dat Richard naar ons kijkt. Johnny voelt het ook en laat meteen een brede glimlach zien. Het is alsof er een schakelaar is omgedraaid. 'Er gaat niets boven vers wild op de barbecue, nietwaar, mensen?' zegt hij op luide toon.

'Het vlees is veel malser dan ik had gedacht.' Elliot likt zijn vingers af. 'Ik voel me bijna een oermens.'

'Jij en Richard kunnen de volgende keer het dier wel villen.'

Elliot kijkt geschrokken. 'Ik?'

'Je hebt vandaag gezien hoe het moet.' Johnny kijkt naar Richard. 'Denk je dat jullie dat kunnen?'

'Natuurlijk,' zegt Richard. Hij kijkt Johnny recht in de ogen. Ik zit tussen hen in en alhoewel Richard de hele avond niet één keer naar me heeft gekeken, slaat hij nu zijn arm om me heen alsof hij me voor zich opeist. Alsof hij Johnny beschouwt als een mededinger die probeert mij van hem af te pikken.

Bij die gedachte krijg ik een kleur.

'We willen trouwens allemaal graag helpen,' zegt Richard. 'We kunnen vannacht al beginnen door om beurten de wacht te houden.' Hij steekt zijn hand uit naar het geweer, dat Johnny altijd bij zich heeft. 'Jij moet ook een keertje slapen.'

'Maar jij hebt nog nooit met zo'n geweer geschoten,' zeg ik.

'Dat kan ik leren.'

'Vind je niet dat Johnny daarover moet beslissen?'

'Nee, Millie, ik vind juist niet dat hij als enige de zeggenschap over het geweer moet hebben.'

'Waar ben je mee bezig, Richard?' fluister ik.

'Dat kan ik jou ook vragen.' De blik waarmee hij me aankijkt lijkt radioactief. Rond het kampvuur is het opeens stil en in die stilte horen we in de verte het geblaf van de hyena's, die zich te goed doen aan de achterlaten ingewanden van de impala.

Johnny zegt rustig: 'Ik heb al aan Isao gevraagd of hij de tweede wacht op zich kan nemen.'

Richard kijkt verbaasd naar meneer Matsunaga. 'Waarom hij?'

'Hij weet hoe je met een jachtgeweer moet omgaan. Ik heb hem daarstraks op de proef gesteld.'

'Ik ben kampioen scherpschieten op mijn schietclub in Tokio,' zegt meneer Matsunaga met een trotse glimlach. 'Hoe laat moet ik beginnen?'

'Ik maak je om twee uur wakker,' zegt Johnny. 'Ga dus maar vroeg naar bed.'

De razernij in onze tent is net een levend wezen, een monster met gloeiende ogen dat wacht op het juiste moment om aan te vallen. Ik ben degene die hij in zijn vizier heeft, het slachtoffer waar hij zijn klauwen in wil zetten. Ik praat zo zacht en kalm mogelijk om die klauwen van me af te houden tot de gloed in de ogen gedoofd zal zijn. Maar Richard laat het er niet bij zitten.

'Wat heeft hij allemaal gezegd? Waar hebben jullie zo knus over zitten fluisteren?' vraagt hij woedend.

'Over hoe we deze week heelhuids kunnen doorkomen. Wat anders?'

'Over survival dus.'

'Ja.'

'En daar is Johnny zo verrekte goed in dat we nu hier gestrand zijn.'

'Geef je hém daar de schuld van?'

'Hij heeft bewezen dat we niet op hem kunnen rekenen. Maar jij ziet dat uiteraard niet in.' Hij lacht. 'Weet je dat er een woord voor is? Het heet "kakikoorts".'

'Wat?'

'Als vrouwen verliefd worden op de safarigids. Ze hoeven maar een man in kaki te zien of ze spreiden hun benen al.'

Hij had me niet erger kunnen beledigen, maar ik blijf kalm omdat zijn woorden me niet meer kunnen kwetsen. Het kan me niet meer schelen wat hij zegt. Ik lach er zelfs om. 'Weet je wat, Richard? Dit bewijst voor eens en voor al wat een enorme hufter je bent.'

'In elk geval ben ik niet degene die met de safarigids naar bed wil.'

'Hoe weet je zo zeker dat ik dat niet allang heb gedaan?'

Hij draait zich met een ruk om en blijft met zijn rug naar me toe liggen. We waren allebei het liefst de tent uit gestormd, maar hij weet net zo goed als ik dat dat veel te gevaarlijk is. En waar zouden we naartoe moeten? Ik schuif zo ver mogelijk bij hem vandaan en blijf stil liggen. Ik ken deze man niet meer. In hem is iets veranderd, er heeft een transformatie plaatsgevonden toen ik eventjes niet keek. Het komt door de wildernis. Door Afrika. Richard is nu een vreemde voor me, of misschien is hij dat altijd geweest. Leer je een ander mens ooit echt kennen? Ik heb eens een artikel gelezen over een vrouw die tien jaar getrouwd was voordat ze erachter kwam dat haar man een seriemoordenaar was. Ik weet nog dat ik me afvroeg hoe zoiets mogelijk is.

Maar nu begrijp ik het. Ik lig in een tent met een man die ik al vier jaar ken, een man die ik dacht lief te hebben, en ik voel me precies zoals de vrouw van de seriemoordenaar toen de waarheid over haar man aan het licht was gekomen.

Buiten hoor ik een zachte bons en geknisper. Het kampvuur vlamt op. Johnny heeft er nog wat hout op gelegd om de dieren op een afstand te houden. Heeft hij ons horen praten? Weet hij dat onze ruzie over hem gaat? Misschien maakt hij dit vaker mee tijdens safari's. Stellen die ruzie krijgen en elkaar beschuldigingen naar het hoofd slingeren. Kakikoorts. Iets wat zo vaak voorkomt dat het een naam heeft gekregen.

Als ik mijn ogen dichtdoe, zie ik Johnny in het hoge gras staan, zijn schouders in silhouet afgetekend tegen de opgaande zon. Lijd ik misschien een heel klein beetje aan die koorts? Hij is degene die ons beschermt en ons in leven houdt. Ik stond naast hem toen hij de impala zag, zo dicht bij hem dat ik kon zien hoe de spieren van zijn arm zich spanden toen hij het geweer richtte. Weer voel ik de opwinding van het schot. Het is alsof ik zelf de trekker heb overgehaald, alsof ik zelf de impala heb gedood. Een gedeelde buit, die ons met elkaar verbindt door bloed.

Ja, Afrika heeft mij ook veranderd.

Ik houd mijn adem in als Johnny's silhouet bij onze tent stopt. Dan loopt hij door en glijdt zijn schaduw weg. Als ik in slaap val, droom ik niet van Richard maar van Johnny, die kaarsrecht in het hoge gras staat. Johnny, bij wie ik me veilig voel.

Tot de volgende ochtend, als ik bij het ontwaken te horen krijg dat Isao Matsunaga verdwenen is.

II

Keiko knielt in het gras en huilt onhoorbaar. Haar bovenlichaam gaat heen en weer als een metronoom die het ritme van verdriet aangeeft. We hebben het geweer gevonden. Het lag bij de draad met de belletjes die de begrenzing van het kamp vormt. Haar echtgenoot hebben we nog niet gevonden. Ze weet wat dat betekent. We weten allemaal wat dat betekent.

Ik ga naast haar staan en streel haar schouder omdat ik niet weet wat ik anders moet doen. Ik ben niet goed in mensen troosten. Toen mijn vader was overleden en mijn moeder in de ziekenhuiskamer zat te huilen, wist ik niets anders te verzinnen dan haar arm te strelen en te blijven strelen, tot ze uitriep: 'Hou daar alsjeblieft mee op, Millie. Ik krijg er wat van!' Ik denk dat Keiko zo in haar verdriet is verzonken dat ze niet eens merkt dat ik haar aanraak. Ik kijk naar haar gebogen hoofd en zie witte haarwortels. Met haar gladde, blanke huid leek ze veel jonger dan haar man, maar nu besef ik dat ze helemaal niet zo jong is. Als ze hier een paar maanden zou blijven, zou haar ware leeftijd genadeloos aan het licht komen omdat haar zwarte haar helemaal zilver en haar blanke huid donker en gerimpeld zou worden. Ze lijkt zelfs al te verschrompelen waar ik bij sta.

'Ik ga bij de rivier zoeken,' zegt Johnny. Hij pakt het geweer. 'Jullie wachten hier in het kamp. Of nee, jullie gaan in de auto zitten.'

'In de auto?' zegt Richard. 'Bedoel je dat stuk schroot dat niet meer wil starten?'

'Zolang je in de auto zit, word je niet door dieren aangevallen. Ik kan niet tegelijk naar Isao zoeken en jullie beschermen.'

'Wacht even, Johnny,' zeg ik. 'Zou jij wel in je eentje gaan?'

'Hij heeft het geweer, Millie,' zegt Richard vinnig. 'Wij hebben niks.'

'Hij moet naar sporen zoeken. Dan moet iemand hem rugdekking geven,' antwoord ik.

Johnny knikt kort. 'Oké, jij gaat met mij mee, Millie. Blijf dicht bij me.'

Als ik over de draad stap, blijft mijn schoen er even achter hangen, waardoor de belletjes gaan rinkelen. Het klinkt zo lieflijk, als een windorgel in een zachte bries, maar hier betekent dit geluid dat een vijand het kamp binnensluipt en mijn hart begint vanzelf sneller te kloppen. Ik haal diep adem en loop achter Johnny aan.

Het is maar goed dat ik ben meegegaan. Johnny houdt zijn blik op de grond gericht, zoekend naar sporen, en zou er geen erg in hebben als er tussen de struiken zachtjes een pluim van een leeuwenstaart heen en weer zou gaan. We lopen langzaam en ik kijk voortdurend achter me en om ons heen. Het gras is hoog, het komt tot mijn heupen en ik hoop maar dat er geen pofadders zijn, want als je daar per ongeluk op trapt, zet hij zijn tanden in je been voordat je iets kunt doen.

'Kijk,' zegt Johnny zachtjes.

Hij wijst een plek aan waar het gras is geplet. Ik zie sleepsporen op een kaal stukje grond. Johnny loopt door. Hij volgt het spoor van het geplette gras.

'Hebben de hyena's hem te pakken gekregen?'

'Nee. Deze keer waren het geen hyena's.'

'Hoe weet je dat?'

Zonder antwoord te geven loopt hij door, in de richting van een groep bomen, waarvan ik inmiddels weet dat het wilde vijgenbomen en jakhalsbes zijn. Ik kan de rivier niet zien, maar hoor het water stromen en denk aan krokodillen. In de bomen, in de rivier, in het gras, overal zitten dieren met vlijmscherpe tanden, en Johnny rekent erop dat ik ze op tijd zal zien. Van pure angst zijn mijn zintuigen zo verscherpt dat ik me bewust word van dingen die me tot nu toe niet waren opgevallen. De kus van de koele rivierwind op mijn wang. De uiengeur van het geplette gras. Ik kijk, ik luister, ik snuif de lucht op. We zijn een team, Johnny en ik, en ik zal hem niet teleurstellen.

Opeens verandert er iets. Johnny blijft staan. Hij houdt zijn adem in. Hij kijkt niet meer naar de grond, maar is overeind gekomen en recht zijn rug.

Ik volg Johnny's blik naar een boom recht tegenover ons, een majestueuze vijgenboom, met wijde takken en dicht gebladerte, een boom om een hut in te bouwen. Maar ik zie verder niets bijzonders.

'Daar ben je dan,' fluistert Johnny. 'En wat ben je mooi.'

Dan zie ik hem ook. Hij ligt languit op een tak. Een luipaard, zo goed gecamoufleerd door de vlekkerige schaduwen dat hij vrijwel onzichtbaar is. Hij heeft ons al die tijd in de gaten gehouden, geduldig gewacht terwijl we dichterbij kwamen, en bekijkt ons nu met zijn intelligente ogen terwijl hij nadenkt over zijn volgende zet, net zoals Johnny nadenkt over de onze. Zijn staart gaat heen en weer. Johnny verroert geen vin. Hij doet wat hij ons heeft geïnstrueerd. *Je moet een grote kat je gezicht laten zien. Hem laten zien dat je ogen aan de voorzijde van je hoofd zitten. Dat jij ook een roofdier bent.*

Seconden verstrijken. Ik ben nog nooit van mijn leven zo bang geweest. Elke hartslag stuwt het bloed naar mijn hals en mijn hoofd. Ik hoor het in mijn oren suizen. De blik van de luipaard blijft op Johnny gefixeerd. Johnny heeft het geweer in beide handen. Waarom richt hij het niet? Waarom schiet hij niet?

'Achteruit,' fluistert hij. 'Voor Isao kunnen we niets meer doen.'

'Denk je dat die luipaard hem heeft gedood?'

'Dat weet ik wel zeker.' Hij beweegt zijn hoofd een fractie, met zo'n subtiele beweging dat het me bijna ontgaat. 'Bovenste tak. Links.'

Het hing daar al die tijd, maar ik had het niet gezien. Net zoals ik de luipaard niet had gezien. Een arm hangt naar beneden als een van die eigenaardige vruchten van de *worsboom*. De aangevreten hand is een vingerloze stomp. Vanwege het dichte lover kunnen we van de rest van Isao niet veel zien, alleen de vorm van zijn lichaam.

Het lijkt klem te zitten in de vork van de tak, alsof hij uit de lucht is komen vallen en als een lappenpop in die boom is blijven hangen.

'O mijn god,' fluister ik. 'Hoe moeten we hem...'

'Sst. Wees. Stil.'

De luipaard is half overeind gekomen en lijkt zich gereed te maken om te springen. En nu kijkt hij naar míj. Zijn ogen priemen zich in de mijne. Johnny zet onmiddellijk het geweer aan zijn schouder, maar haalt de trekker niet over.

'Waar wacht je op?' fluister ik.

'Achteruit. Samen.'

We doen een stap achteruit. En nog een. De luipaard gaat weer liggen. Zijn staart gaat traag heen en weer.

'Hij beschermt zijn buit,' fluistert Johnny. 'Luipaarden slepen hun buit een boom in, waar andere roofdieren en aaseters er niet bij kunnen. Zie je die nek- en schouderspieren? Hij is zo sterk dat hij een prooi die zwaarder is dan hijzelf naar de hoogste takken kan slepen.'

'Johnny, we kunnen Isao daar niet laten hangen.'

'Hij is dood.'

'Maar we kunnen hem toch niet hier achterlaten?'

'Als we naar die boom lopen, bespringt de luipaard ons. En ik schiet voor een dode man geen luipaard neer.'

Ik herinner me dat hij heeft gezegd dat hij grote katten nooit zou doodschieten. Dat die voor hem heilig zijn, te zeldzaam om op te offeren, om welke reden dan ook, zelfs niet als het hem zijn eigen leven zou kosten. Hij laat nu zien dat hij dat meent, nu de dode Isao in de boom hangt en de luipaard vastbesloten is zijn buit te beschermen. Voor mij is Johnny opeens net zo'n vreemd wezen als alle andere vreemde wezens die ik hier in de wildernis zie, een man wiens respect voor dit land peilloos diep geworteld is. Ik denk aan Richard met zijn metallic blauwe BMW, zijn zwarte leren jack en zijn pilotenbril, de dingen waarvan ik vond dat ze hem zo'n mannelijke uitstraling gaven toen ik hem voor het eerst ontmoette. Maar dat waren alleen uiterlijke kenmerken, versierselen die door etalagepoppen worden getoond. Een menselijk ogende pop die iets etaleert, maar niet echt is. Opeens weet ik dat ik tot nu toe alleen etalagepoppen heb gekend, mannen die eruitzien als mannen, doen alsof ze mannen zijn, maar gemaakt zijn van plastic. Ik zal nooit meer een man vinden als Johnny, niet in Londen noch ergens anders, en het is heel verdrietig om dat te moeten beseffen. Dat ik de rest van mijn leven naar zo'n man zal zoeken en altijd aan dit moment zal terugdenken, het moment waarop ik wist wat voor man ik wilde.

En dat ik hem nooit zou kunnen krijgen.

Ik steek mijn hand naar hem uit en fluister: 'Johnny.'

Het schot is zo onverwachts dat ik achteruitdeins alsof ik geraakt ben. Johnny blijft roerloos staan, als een standbeeld van een schutter, met zijn geweer nog op het doelwit gericht. Dan slaakt hij een diepe zucht en laat het wapen zakken. Hij buigt zijn hoofd alsof hij om vergiffenis bidt, hier in de kerk van de wildernis, waar leven en dood twee helften van hetzelfde wezen zijn.

'Godallemachtig,' stamel ik. Ik kijk naar de luipaard die op nog geen twee meter afstand van mij is geveld, midden in zijn sprong, een halve seconde voordat hij zijn klauwen in mijn vlees zou hebben gezet. Ik kan niet zien waar de kogel zijn lichaam is binnengedrongen. Ik zie alleen het bloed dat in het gras stroomt en door de warme grond wordt opgezogen. De schitterende, glanzende pels is iets waar de opzichtige vrouwen van de industriemagnaten in Knightsbridge een moord voor zouden doen. Ik zou hem willen aaien, maar dat kan ik natuurlijk niet doen, want dan zou ik doen alsof het dier door zijn dood in een onschuldig poesje is veranderd. Een paar seconden geleden was hij nog in staat mij te verslinden, en dat dien ik te respecteren.

'We laten hem hier liggen,' zegt Johnny zacht.

'Dan vreten de hyena's hem op.'

'Dat doen ze evengoed.' Hij haalt diep adem en kijkt naar de vijgenboom, maar met een verre blik, alsof hij niet de boom ziet en veel verder kijkt dan deze dag. 'Ik kan het lijk nu uit de boom halen.'

'Je zei dat je nooit een luipaard zou doden. Zelfs niet als het jou je leven zou kosten.'

'Dat klopt.'

'Maar je hebt deze gedood.'

Hij draait zich naar me om. 'Deze zou niet mij het leven hebben gekost, maar jou.'

Die avond slaap ik in mevrouw Matsunaga's tent, zodat ze niet alleen is. Ze heeft de hele dag voor zich uit zitten staren, met haar armen strak om haar lichaam geslagen, zachtjes jammerend in het Japans. De blondjes hebben geprobeerd haar over te halen iets te eten, maar Keiko heeft alleen een paar kopjes thee naar binnen weten te krijgen. Ze heeft zich teruggetrokken in een onbereikbare grot diep in haar geest en we zijn allemaal blij dat ze nu stil en beheerst is. Johnny heeft Isao uit de boom gehaald en begraven. We hebben er uiteraard voor gezorgd dat Keiko het lijk niet te zien kreeg.

Maar ik heb het gezien. Ik weet hoe hij is gestorven.

'Katachtigen doden hun prooi door de keel te verbrijzelen,' vertelde Johnny me terwijl hij het graf aan het graven was. Met gelijkmatige bewegingen stak hij de scherpe rand van de spade steeds in de hardgebakken aarde. Hinderlijke insecten zoemden om ons hoofd, maar hij sloeg er niet één keer naar, zo geconcentreerd was hij bezig Isao's laatste rustplaats uit te graven. 'Ze grijpen je bij de keel, klemmen hun klauwen rond je luchtpijp en zetten hun nagels in je slagaderen. Je sterft een wurgdood; je stikt in je eigen bloed.'

Dat had ik zelf gezien toen ik naar Isao's lijk keek. De luipaard had zijn buik opengeklauwd om zich te goed te doen aan de ingewanden, maar het was de gebroken nek die me duidelijk had gemaakt hoe de laatste seconden van Isao's leven waren verlopen. Hoe hij naar adem moest hebben gesnakt toen het bloed in zijn longen stroomde.

Keiko weet hier niets van. Ze weet alleen dat haar man dood is en dat we hem hebben begraven.

Ik hoor haar in haar slaap zuchten, ik hoor haar soms zachtjes jammeren, en dan is ze weer stil. Ze beweegt zich nauwelijks, ligt op haar rug, gewikkeld in een wit laken, als een mummie. De tent van de Matsunaga's ruikt anders dan die van Richard. Er hangt een aangename, exotische geur, alsof hun kleding is doortrokken van oosterse kruiden. Alles ziet er ook keurig netjes uit. Isao's overhemden, die hij nooit meer zal dragen, liggen opgevouwen in zijn koffer, samen met zijn gouden polshorloge, dat nog rond zijn arm zat toen we hem vonden. Alles heeft een vaste plek, alles is harmonieus. Heel anders dan de tent die ik deel met Richard, waar niets harmonieus is.

Ik ben blij dat ik bij hem uit de buurt kan blijven. Dat is ook de reden waarom ik meteen had voorgesteld Keiko gezelschap te houden. Ik wil vannacht beslist niet in Richards tent slapen, waar de vijandigheid in de lucht hangt als een gifwolk. Hij heeft de hele dag nog geen twee woorden met me gewisseld. Hij zit de hele tijd met Elliot en de blondjes te smoezen. Zij vieren lijken nu een team te zijn, alsof we meedoen aan *Survivor Botswana* en mijn team het tegen hen moet opnemen.

Alleen heb ik geen team, tenzij je de arme, aangeslagen Keiko meetelt, en Johnny. Maar Johnny hoort bij geen enkel team; hij is een eenling en sinds hij de luipaard heeft gedood, is hij stil en somber. Ook hij heeft sindsdien nauwelijks nog iets tegen me gezegd.

En zo ben ik nu de vrouw met wie niemand praat, die in een tent ligt naast een vrouw die met niemand praat. In de tent is het stil, maar erbuiten is het nachtconcert begonnen, met de insecten als piccolo's en de nijlpaarden als bassen. Ik ben van die muziek gaan houden en zal er vast van dromen als ik weer thuis ben.

Als ik de volgende ochtend wakker word, hoor ik de vogels zingen. Geen gegil vandaag, alleen de lieflijke geluiden van de dageraad. De vier leden van team Richard zitten al op een kluitje bij het kampvuur koffie te drinken. Johnny zit apart, onder een boom. De vermoeidheid lijkt van zijn schouders te druipen en zijn hoofd knikt steeds naar voren, alhoewel hij zijn best doet om wakker te blijven. Ik zou het liefst naar hem toe gaan om zijn vermoeidheid weg te masseren, maar omdat de anderen naar me kijken, loop ik naar het kampvuur.

'Hoe is het met Keiko?' vraagt Elliot.

'Ze slaapt nog. Ze was rustig vannacht.' Ik schenk een mok koffie in. 'Mooi dat we er allemaal nog zijn.' Het is een onkiese opmerking, waar ik meteen spijt van heb.

'Denk je dat híj dat ook vindt?' mompelt Richard met een blik op Johnny.

'Hoe bedoel je?'

'Ik vind het erg vreemd dat alles hier misgaat. Eerst wordt Clarence opgevreten. Dan Isao. En de auto... Landrovers hebben de naam onverwoestbaar te zijn.'

'En daar geef jij Johnny de schuld van?'

Richard kijkt naar de andere drie en dan besef ik dat hij niet de enige is die vindt dat het Johnny's schuld is. Zitten ze daarom aldoor met de koppen bij elkaar? Om hun theorieën te delen en elkaar op te stoken met hun paranoïde ideeën?

Ik schud mijn hoofd. 'Doe niet zo raar.'

'Zie je wel?' zegt Vivian. 'Ik zei toch dat ze zo zou reageren?'

'Wat wil je daarmee zeggen?'

'We weten allemaal dat Johnny jou graag mag. Ik wist dat je voor hem zou opkomen.'

'Er hoeft niemand voor hem op te komen. Hij is degene die ervoor zorgt dat we in leven blijven.'

'Is dat zo?' Vivian kijkt omzichtig in Johnny's richting. Hij zit te ver bij ons vandaan om te kunnen verstaan wat we zeggen, maar ze gaat evengoed zachter praten. 'Weet je dat zeker?'

Dit is belachelijk. Ik bekijk het groepje en vraag me af wie van hen met deze lastercampagne begonnen is. 'Denken jullie soms dat Isao door Johnny is vermoord en die boom in is gesleept? Of dat Johnny hem naar de luipaard heeft geduwd en de rest aan het dier heeft overgelaten?'

'Hoe goed kennen we Johnny eigenlijk, Millie?' vraagt Elliot.

'Jemig. Begin jij nou ook al?'

'Als ik heel eerlijk moet zijn... is wat zij allemaal zeggen...' Elliot kijkt over zijn schouder en ik hoor zijn paniek als hij fluistert: 'Ik word er doodnerveus van.'

'Denk er even over na,' zegt Richard. 'Hoe zijn wij allemaal bij deze safari terechtgekomen?'

Ik kijk hem woedend aan. 'Ik ben hier vanwege jou. Jij moest zo nodig naar Afrika. Jij moest zo nodig op avontuur. Nou, je hebt je zin gekregen. Is dit niet wat je voor ogen had? Of is dit zelfs voor jou te avontuurlijk aan het worden?'

'Wij hebben Johnny op het internet gevonden,' zegt Sylvia, die tot nu toe heeft gezwegen. Ik zie dat haar handen trillen om haar koffie-mok, zelfs zo erg dat ze hem moet neerzetten om niet te morsen. 'Vivian en ik hadden zin in een kampeertocht door de wildernis, maar het mocht niet al te duur zijn. Toen zagen we zijn website. Verdwalen in Botswana.' Ze lachte half hysterisch. 'Dat kun je wel zeggen.'

'Ik ben hier vanwege hén,' zegt Elliot. 'Ik heb Sylvia en Viv in Kaapstad in een bar ontmoet. Ze zeiden dat ze op een fantastische safari gingen.'

'Het spijt me, Elliot,' zegt Sylvia. 'Was je maar nooit met ons aan de praat geraakt in die bar. Het spijt me dat we je hebben overge-haald mee te komen.' Ze haalt beverig adem en haar stem breekt. 'Ik wil gewoon naar huis!'

'Meneer en mevrouw Matsunaga hebben deze reis ook via de website geboekt,' zei Vivian. 'Isao zei dat hij een authentieke Afri-kaanse reis wilde. Geen luxe toeristenlodge maar een kans om echt de wildernis in te duiken.'

'Wij ook,' zegt Richard. 'Wij hebben ook via de website Verdwalen in Botswana geboekt.'

Ik herinner me de avond dat Richard me die liet zien. Hij had dagen op het web zitten surfen, kwijlend bij foto's van lodges, tentenkampen en luxe maaltijden bij kaarslicht. Ik weet niet meer waarom hij uiteindelijk Verdwalen in Botswana had gekozen. Mis-schien omdat die site de reiziger een authentiek avontuur beloofde. De echte wildernis, reizen zoals Hemingway dat deed, al was Hemingway waarschijnlijk gewoon iemand die het allemaal heel leuk op papier kon zetten. Ik heb geen deel gehad aan de plannen voor deze vakantie; het was Richards keuze, Richards droom. Een droom die een nachtmerrie is geworden.

'Wat willen jullie hiermee zeggen? Dat zijn website nep is?' vraag ik. 'Dat hij die heeft gebruikt om ons hierheen te lokken? Zijn jullie helemaal gek geworden?'

'Mensen komen uit de hele wereld hierheen om op wild te jagen,' zegt Richard. 'Maar wat als wíj ditmaal het wild zijn?'

Als hij op een reactie uit was, is hij daar zeker in geslaagd. Elliot ziet eruit alsof hij moet overgeven. Sylvia slaat haar hand voor haar mond, alsof ze een snik onderdrukt.

Maar ik snuif minachtend. 'Jij denkt dat Johnny Posthumus op ons jaagt? God, Richard, doe alsjeblieft niet alsof dit een verhaal zoals een van jouw thrillers is.'

'Johnny heeft het geweer. Híj heeft alle macht in handen. Als wij niet met ons allen schouder aan schouder staan, is het straks met ons gedaan.'

Nu is de aap uit de mouw. Ik hoor het aan zijn bittere toon. Ik zie het aan de achterdochtige manier waarop ze allemaal naar me kijken. Ik ben de judas in hun midden, degene die het aan Johnny zal verklikken. Het is zo belachelijk dat ik erom zou hebben gelachen als ik niet zo woedend was geweest. Met moeite slaag ik erin mijn stem in bedwang te houden als ik opsta en zeg: 'Als dit eenmaal achter de rug is, als we volgende week in het vliegtuig naar Maun zitten, zal ik jullie herinneren aan wat jullie zojuist hebben gezegd. Dan zullen jullie begrijpen hoe belachelijk jullie bezig zijn.'

'Ik hoop dat je gelijk hebt,' fluistert Vivian. 'Ik hoop dat we belachelijk bezig zijn. Ik hoop dat we straks allemaal gewoon in dat vliegtuig zitten en niet hier als een hoopje bloederige beenderen in de...' Ze zwijgt geschrokken als er een schaduw over haar heen valt.

Johnny is zo geruisloos komen aanlopen dat ze hem niet hebben gehoord en nu staat hij achter Vivian. Hij laat zijn blik over ons groepje gaan. 'We hebben water en brandhout nodig,' zegt hij. 'Richard, Elliot, kom mee naar de rivier.'

De mannen staan op, maar ik zie aan Elliots ogen hoe bang hij is. Angst sluimert ook in de ogen van de blondjes. Johnny houdt het geweer losjes in beide handen, als een soldaat die op de plaats rust maakt, maar het feit dat hij in het bezit is van dat geweer, maakt een machtsevenwicht onmogelijk.

'En de meisjes dan?' vraagt Elliot met een nerveuze blik op de blondjes. 'Is het niet beter als ik, eh, hier blijf om over hen te waken?'

'Zij kunnen in de auto gaan zitten. Ik heb spierkracht nodig.'

'Als je mij het geweer geeft,' stelt Richard voor, 'kunnen Elliot en ik samen hout en water gaan halen.'

'Niemand verlaat zonder mij het kamp. En ik verlaat het kamp niet zonder het geweer.' Johnny kijkt bars. 'Als jullie in leven willen blijven, zul je me moeten vertrouwen.'

12

Boston

Gabriels biefstuk was perfect bereid, medium rare, zoals hij het altijd bestelde als ze bij Matteo's aten. Maar vanavond, zittend van hun favoriete tafeltje in het restaurant, kon Jane slecht tegen het bloed dat uit het sappige vlees sijpelde toen haar man zijn mes erin zette. Het herinnerde haar aan het bloed van Debra Gomez dat over de richel was gestroomd. En aan het lijk van Gott, ondersteboven opgetakeld, als een rund. Rund of mens, we bestaan allemaal uit vlees.

Gabriel zag dat ze nog geen hap van haar karbonade had genomen en keek haar onderzoekend aan. 'Het laat je niet los, hè?'

'Ik kan het niet helpen. Heb jij dat nooit? Dat je met de beste wil van de wereld bepaalde beelden niet uit je hoofd kunt zetten?'

'Je moet het toch proberen, Jane.' Hij reikte over de tafel naar haar hand. 'We zijn al zo lang niet met z'n tweeën uit eten geweest.'

'Ik doe mijn best, maar deze zaak...' Ze keek naar zijn steak en rilde. 'Ik zou er bijna vegetariër van worden.'

'Is het zo erg?'

'Jij en ik hebben al heel veel gruwelen gezien en we moeten veel te vaak naar de autopsiezaal, maar deze zaak raakt me dieper dan anders. Dat iemand ondersteboven wordt opgehangen en opengesneden. En dat zijn eigen huisdieren aan hem zijn gaan vreten.'

'Daarom nemen wij geen hond.'

'Het is geen grap, Gabriel.'

Hij nam een slokje wijn. 'Ik probeer alleen maar de sfeer te verlichten. Zo vaak gaan we niet uit en als we niet oppassen, hebben we het vanavond alleen maar over lijken. Zoals gebruikelijk.'

'Het is ons werk. Waar moeten we anders over praten?'

'Over onze dochter? Of over waar we dit jaar op vakantie zullen gaan?' Hij zette zijn glas neer en keek haar aan. 'Het leven draait niet alleen om moorden.'

'We hebben het anders aan een moord te danken dat we elkaar hebben gevonden.'

'Maar moord is niet wat ons bij elkaar houdt.'

Nee, dacht ze, terwijl haar man zijn mes weer pakte en als een geroutineerde chirurg in zijn biefstuk sneed. Op de dag dat ze hem had ontmoet, op een plaats delict in de Stony Brook Reservation, had ze zijn onverstoorbaarheid intimiderend gevonden. In de chaos van agenten en rechercheurs die zich rond het half ontbonden lijk verdrongen, had Gabriel er kalm en gezaghebbend bij gestaan. De objectieve waarnemer die het slagveld overzag. Het had Jane niet verbaasd toen ze hoorde dat hij bij de FBI zat. Het was haar meteen duidelijk geweest dat hij niet alleen een outsider was, maar eentje die van plan was de zaak van haar over te nemen. Maar de reden waarom ze toen als kemphanen tegenover elkaar hadden gestaan, was ook de reden waarom ze later tot elkaar waren gekomen. Duwen en trekken, de aantrekkingskracht van tegenpolen. Ze keek naar haar onverstoorbare echtgenoot en wist nog precies waarom ze verliefd op hem was geworden.

Hij keek weer op en zuchtte berustend. 'Oké, we moeten het dus over deze moord hebben, of ik wil of niet. Zeg het maar.' Hij legde zijn bestek neer. 'Denk jij dat Brallende O'Brien de sleutel tot deze zaak is?'

'De hatelijke telefoontjes naar zijn radioprogramma komen bijna letterlijk overeen met de feedback op het artikel over Leon Gott. Ze hadden het over ophangen en ontweien.'

'Die beeldspraak is niet bepaald uniek. Dat is wat jagers doen. Ik heb het zelf ook een keer gedaan toen ik een hert had geschoten.'

'Een van de mensen die regelmatig naar de radio bellen, ene Suzy, zegt dat ze lid is van het Veganistische Actieleger. Volgens hun website hebben ze in Massachusetts vijftig leden.'

Gabriel schudde zijn hoofd. 'Zegt me niets. Voor zover ik me herinner staat deze groepering niet op de federale lijsten van organisaties die in de gaten gehouden moeten worden.'

'Bij het Boston PD ook niet. Maar misschien zijn ze zo snugger om zich koest te houden. Om niet de eer op te eisen voor hun acties.'

'Een jager ophangen en opensnijden? Klinkt dat als iets wat veganisten zouden doen?'

'En het Earth Liberation Front dan? Die hebben bomaanslagen gepleegd.'

'Alhoewel ELF altijd probeert te voorkomen dat er dodelijke slachtoffers vallen.'

'Maar toch... denk even aan de symboliek. Leon Gott was een preparateur en jager op groot wild. *Hub Magazine* publiceert een artikel over hem met de kop "De trofeeënkampioen". Een paar maanden later hangt hij ondersteboven in zijn eigen garage, met een opengesneden lichaam waar alle organen uit zijn verwijderd. En hij was zo laag gehangen dat zijn eigen huisdieren zich aan hem te goed konden doen. Geen passender manier om je van het lijk van een jager te ontdoen dan door hem te laten opvreten door zijn eigen hond.' Ze zweeg toen ze merkte dat het erg stil was geworden in het restaurant. Ze keek om zich heen en zag dat de mensen aan de tafel naast hen naar haar staarden.

'Niet nu en niet hier, Jane,' zei Gabriel.

Ze keek weer naar haar karbonade. 'Lekker weertje vandaag.'

Pas toen het normale geroezemoes was hervat, zei ze zachtjes: 'De symboliek is duidelijk.'

'Maar misschien heeft het feit dat hij jager was er niets mee te maken. Misschien gaat het om een ordinaire diefstal.'

'Als dat zo is, is de dief wel erg specifiek bezig geweest. Gotts portefeuille lag open en bloot in de slaapkamer, plus wat kleingeld. Het enige wat er is gestolen, voor zover wij het hebben kunnen nagaan, is de sneeuwpanterpels.'

'Die heel veel geld waard is.'

'Maar zo'n zeldzame pels kun je niet zomaar verkopen. Dan moet er een verzamelaar achter zitten. En als het alleen om diefstal ging, waarom is Gott dan niet gewoon vermoord maar op rituele wijze toegetakeld?'

'Oké, we hebben dus te maken met twee specifieke vormen van symboliek. Eén: de diefstal van een zeldzame pels. Twee: wat er met het lijk is gedaan.' Gabriel keek peinzend naar de kaars op de tafel. Nu Jane erin was geslaagd hem in dit vraagstuk te interesseren, zette hij zich er ook helemaal voor in. Dit was hun avondje uit, de ene avond in de maand dat ze niet over hun werk zouden praten, maar weer ging het gesprek over moorden. Hoe kon het ook anders? Dat was waar ze zich allebei dagelijks mee bezighielden. Jane keek naar het flakkerende kaarslicht op Gabriels gezicht terwijl hij in gedachten de feiten schiftte. Wat bofte ze toch dat ze deze dingen met hem kon bespreken. Ze probeerde zich voor te stellen hoe het zou zijn als ze getrouwd was met een man die niet in het vak zat. Stel je toch voor dat ze zou barsten van verlangen om hem te vertellen wat haar bezighield en ze er met hem niet over mocht praten. Gabriel en zij deelden niet alleen een huis en een kind, maar wisten allebei hoe abrupt iemands leven kon veranderen. Of worden beëindigd.

'Ik kijk wel even wat er bij ons bekend is over het Veganistische Actieleger,' zei hij. 'Maar als ik jou was zou ik me concentreren op die sneeuwpanterpels, als dat inderdaad het enige voorwerp van waarde is dat ze hebben meegenomen.' Toen vroeg hij: 'Wat vond je van Jerry O'Brien?'

'Afgezien van het feit dat hij een chauvinistische etter is?'

'Ik bedoel als verdachte. Had hij een reden om Gott te vermoorden?'

Ze schudde haar hoofd. 'Ze waren vrienden, gingen samen jagen. Als hij hem wilde vermoorden, had hij hem in het bos kunnen neerschieten en kunnen zeggen dat het een ongeluk was. Ik beschouwde hem aanvankelijk wel als verdachte. En zijn assistent ook. Gott was zo'n eenzame figuur dat er niet veel verdachten zijn om uit te kiezen. Voor zover wij weten.' Maar als je maar diep genoeg in iemands leven graaft, stuit je vanzelf op verrassingen. Ze dacht aan andere slachtoffers, andere onderzoeken waarbij minnaars, verborgen bankrekeningen en talloze heimelijke voorkeuren pas aan het licht waren gekomen nadat iemand op een gewelddadige manier van het leven was beroofd.

Ze dacht aan haar vader, die ook geheimen had, een relatie met een andere vrouw, waardoor zijn huwelijk op losse schroeven was komen te staan. Zelfs haar eigen vader, de man met wie ze jaar in jaar uit feestdagen en verjaardagen had gevierd, was een vreemde voor haar.

En later die avond, toen ze voor Angela's huis stopten om hun dochter op te halen, zag ze zich gedwongen een confrontatie met deze vreemde aan te gaan. Ze zag zijn auto op de oprit en zei: 'Wat doet pa hier?'

'Het is zijn huis.'

'Wás zijn huis.' Ze stapte uit. De Chevy stond op zijn vertrouwde plek, alsof hij nooit was weggeweest. Alsof Frank Rizzoli zonder blikken of blozen de draad van zijn oude leven kon oppakken en alles weer net zo zou zijn als vroeger. Ze zag een deuk in de linkerkant van de voorbumper en vroeg zich af of Franks bimbo daar schuldig aan was en of hij tegen haar tekeer was gegaan zoals hij tekeer was gegaan tegen Angela toen ze een kras op het portier had gemaakt. Als je lang genoeg bij een vent bleef, kwamen zelfs bij de charmantste minnaars gebreken aan het licht. Wanneer had de bimbo ingezien dat Frank een doodgewone man was met haren in zijn neus en een allesbehalve frisse ochtendadem?

'Laten we alleen Regina ophalen en regelrecht naar huis gaan,' fluisterde Gabriel toen ze het trapje van de veranda bestegen.

'Wat dacht je dan dat ik ging doen?'

'Niet je in een familieruzie mengen, hoop ik.'

'Een familie zonder ruzies,' zei ze terwijl ze op de bel drukte, 'zou niet mijn familie zijn.'

Haar moeder deed open. Althans, ze leek op Angela, maar het was een fletse zombieversie van haar moeder die hen met een lusteloze glimlach begroette. 'Alles is prima gegaan. Ze slaapt. Hebben jullie lekker gegeten?'

'Ja, heerlijk. Wat doet pa hier?' vroeg Jane.

Frank riep vanuit de woonkamer: 'Wat doet pa hier? Wat is dat nou voor vraag? Dit is mijn huis.'

Jane liep de woonkamer in en zag haar vader pontificaal in zijn leunstoel zitten, als een zwerflustige koning die was teruggekeerd om zijn troon weer op te eisen. Zijn haar was pikzwart. Sinds wanneer verfde hij het? Er was nog meer aan hem veranderd: een zijden overhemd met openstaande kraag, een duur horloge. Hij zag eruit als een Las Vegas-versie van Frank Rizzoli. Was ze in het verkeerde huis? Was dit een parallel universum met een androidmoeder en een discovader?

'Ik ga Regina halen,' zei Gabriel, en hij verdween. Lafaard.

'Je moeder en ik zijn het eindelijk eens geworden,' kondigde Frank aan.

'Waarover?'

'We gaan alles goedmaken. Alles wordt weer zoals vroeger.'

'Met of zonder de bimbo?'

'Doe niet zo flauw. Waarom moet jij alles altijd meteen verpesten?'

'Dat hoef ik niet te doen. Dat heb jij al gedaan.'

'Angela! Hoor je wat je dochter zegt?'

Jane keek naar haar moeder, die naar de vloer staarde. 'Is dit wat je wilt, mam?'

'Het komt wel goed, Janie,' zei Angela zachtjes. 'Het zal best lukken.'

'Wat een enthousiasme.'

'Ik hou van je moeder,' zei Frank. 'We horen bij elkaar, we hebben samen een gezin gesticht en we horen bij elkaar. Daar gaat het om.'

Jane keek van de een naar de ander. Haar vader keek terug, rood aangelopen en strijdlustig. Haar moeder ontweek haar blik. Jane had veel op haar hart en wist dat ze het zou moeten spuien, maar het was laat en Gabriel stond al bij de voordeur met hun slapende dochter.

'Bedankt voor het oppassen, ma,' zei ze. 'Ik bel je wel.'

Ze liepen naar de auto. Gabriel had Regina net in haar autostoeltje gezet, toen de voordeur openging en Angela naar buiten kwam met Regina's pluchen giraf.

'Het huis is te klein als ze Benny niet heeft,' zei ze. Ze gaf het beest aan Jane.

'Gaat het, mam?'

Angela klemde haar armen om haar eigen lichaam en wierp een blik over haar schouder alsof ze verwachtte dat iemand anders antwoord op de vraag zou geven.

'Mam?'

Angela zuchtte. 'Het moet gewoon zo zijn. Frankie wil het. Mike ook.'

'De jongens hebben hier niets over te zeggen. Het gaat om wat jíj wilt.'

'Je vader heeft de echtscheidingspapieren nooit ondertekend, Jane. We zijn nog steeds getrouwd, en dat wil toch wel iets zeggen. Het wil zeggen dat hij ons eigenlijk niet wilde opgeven.'

'Het wil zeggen dat hij van twee walletjes wil eten.'

'Hij is je vader.'

'Ja, en ik hou van hem, maar ik hou ook van jou en jij maakt niet de indruk gelukkig te zijn.'

Het was vrij donker op de stoep, maar ze zag dat haar moeder dapper probeerde te glimlachen. 'We zijn een gezin. Ik zorg er wel voor dat alles goed komt.'

'En Vince dan?'

Bij het horen van Korsaks naam verdween de glimlach op slag. Angela sloeg haar handen voor haar mond en wendde zich af. 'O god. O god.' Toen ze begon te huilen, sloeg Jane haar armen om haar heen. 'Ik mis hem,' zei Angela. 'Ik mis hem elke dag. Hij heeft dit niet verdiend.'

'Hou je van Vince?'

'Ja!'

'Hou je van pa?'

Angela aarzelde. 'Natuurlijk.' Maar het ware antwoord was die aarzeling, die korte stilte voordat ze in staat was geweest te ontkennen wat haar hart wist. Ze maakte zich los uit Janes omhelzing, haalde diep adem en rechtte haar rug. 'Maak je over mij nu maar geen zorgen. Het komt best in orde. Ga naar huis en stop dat meidje in bed. Goed?'

Jane keek haar moeder na toen ze naar binnen ging. Door het raam zag ze dat Angela op de bank ging zitten, tegenover Frank, die nog steeds in zijn leunstoel zat. Net zoals vroeger, dacht Jane. Mam in haar hoek, pa in de zijne.

13

Maura bleef halverwege de oprit staan toen ze de schelle kreet van een kraai hoorde. Ze keek omhoog en zag dat er tientallen kraaien op de takken boven haar hoofd zaten, als sinistere boomvruchten, scherp afgetekend tegen de grijze lucht. Het was een griezelig tafereel, maar het paste goed bij deze waterkoude namiddag met de naderende donderwolken en bij de naargeestige taak die haar hier wachtte. Aan het begin van het pad naar de achtertuin was afzetlint gespannen. Ze dook eronderdoor. Toen ze over de omwoelde grond liep, voelde ze de ogen van de kraaien in haar rug. Het was alsof ze haar in de gaten hielden en de bewegingen van de nieuwe indringer in hun koninkrijk luidruchtig bespraken.

In de achtertuin stonden twee rechercheurs, Darren Crowe en Johnny Tam, bij een graafmachine en een bergje vochtige aarde. Toen Maura naar hen toe liep, stak Tam groetend zijn hand op. Hij was een gespannen, van gevoel voor humor gespeende jongeman die kortgeleden was overgeplaatst vanuit Chinatown. Jammer genoeg voor hem was hij gekoppeld aan Darren Crowe, die zijn voormalige partner, Thomas Moore, tot een welverdiend vervroegd pensioen had gedreven. Jane noemde het 'een hels huwelijk' en op de afdeling werden al weddenschappen afgesloten hoelang het zou duren voordat de gespannen Tam zijn geduld zou verliezen en naar Crowe zou uithalen. Het zou funest zijn voor Tams carrière, maar iedereen was het erover eens dat het een mooi schouwspel zou zijn.

Zelfs hier, in de aan het bos grenzende achtertuin waar geen enkele televisiecamera te bekennen was, zag Crowe eruit om door een ringetje te halen met zijn filmsterrenkapsel en een kostuum dat zijn brede schouders accentueerde. Hij was een man die alle aandacht voor zich opeiste, waardoor je de stille Tam makkelijk over het hoofd kon zien, maar toch was het Tam tot wie Maura zich richtte, omdat ze wist dat ze erop kon rekenen van hem accurate, onopgesmukte feiten te krijgen.

Voordat Tam echter aan het woord kon komen, zei Crowe lachend: 'Ik denk niet dat deze mensen verwacht hadden dit in hun zwembad aan te treffen.'

Maura zag een met modder besmeurde schedel en ribbenkast op een gedeeltelijk opengeslagen stuk blauw zeildoek. Ze zag meteen dat het de stoffelijke resten van een mens waren.

Ze trok handschoenen aan en vroeg: 'Hoe is dit geraamte ontdekt?'

'Dit moet een zwembad worden. De mensen die hier wonen, hebben het huis drie jaar geleden gekocht. Nu hadden ze Lorenzo Construction ingehuurd voor het graafwerk. Op zestig centimeter diepte kwam het zeildoek tevoorschijn. De grondwerker keek wat erin zat, schrok zich een ongeluk en heeft de politie gebeld. Gelukkig heeft de graafmachine niet veel schade aangericht.'

Maura zag geen kleding of sieraden, maar had die ook niet nodig om te kunnen bepalen of het om een man of een vrouw ging. Ze ging op haar hurken zitten en bekeek de smalle randen van de oogkassen. Toen sloeg ze het zeildoek iets verder open en zag een heupbekken met een breedgevleugeld darmbeen. De lengte van het bot van het bovenbeen vertelde haar dat het ging om iemand die niet erg lang was geweest, hooguit één meter zestig.

'Ze ligt hier al een tijdje,' zei Tam, die zonder hulp van Maura wist te deduceren dat het om een vrouw ging. 'Hoelang, denkt u?'

'Het lijk is volledig geskeletteerd. De wervels zijn niet meer met elkaar verbonden,' zei Maura. 'De bindweefselbanden zijn allang vergaan.'

'Dus maanden? Jaren?' vroeg Crowe.

'Ja.'

Crowe maakte een ongeduldig gebaar. 'Kunt u iets specifieker zijn?'

'Ik heb weleens een lijk gezien dat na slechts drie maanden in een ondiep graf volledig was geskeletteerd. Daarom kan ik niet specifieker zijn. Als ik een schatting moet doen, zou ik zeggen dat dit lijk hier minstens zes maanden heeft gelegen. De vrouw droeg geen kleren en het graf is vrij ondiep, dus zal het rottingsproces vrij snel zijn verlopen. Gelukkig was het graf wel diep genoeg om het lijk te beschermen tegen roofzuchtige carnivoren.'

Boven hen begonnen de kraaien te krassen alsof ze reageerden op die opmerking. Ze keek omhoog en zag er op een tak vlakbij drie naar hen kijken. Maura wist hoeveel schade kraaien konden toebrengen aan een lijk, hoe ze met hun scherpe snavels bindweefsel konden verscheuren en ogen wegpikten. Opeens vlogen de vogels eendrachtig op, met een luid gefladder van hun spitse vleugels.

'Enge beesten. Net aasgieren, alleen kleiner.' Tam keek ze na toen ze wegvlogen.

'Ze zijn erg intelligent. Het zou mooi zijn als ze met ons konden praten.' Ze keek Tam aan. 'Vertel me over het huis.'

'Het was oorspronkelijk van een vrouw die er veertig jaar heeft gewoond. Zij is vijftien jaar geleden overleden zonder een testament na te laten. Daardoor kon het huis lange tijd niet verkocht worden en raakte het in verval. Af en toe werd het verhuurd, maar het grootste deel van de tijd stond het leeg. Uiteindelijk is het drie jaar geleden toch verkocht.'

Maura keek om zich heen. 'Geen schutting. En de tuin grenst aan het bos.'

'Ja, aan de Stony Brook Reservation. Makkelijk toegankelijk voor wie zich van een lijk wilde ontdoen.'

'Wie is de huidige eigenaar?'

'Een aardig jong stel. Ze zijn het huis stukje bij beetje aan het opknappen. Ze hebben de badkamer en de keuken klaar en hadden besloten dit jaar een zwembad te laten graven. Volgens hen was dit deel van de tuin volledig overwoekerd door onkruid.'

'Dan lag dit lijk er dus al toen ze het huis kochten.'

Crowe mengde zich in het gesprek. 'En over het lijk gesproken. Hebt u al enig idee hoe deze dame is gestorven?'

'Geduld, rechercheur Crowe. Ik heb het geraamte nog niet eens helemaal blootgelegd.' Maura tilde het zeildoek van het scheenbeen, het kuitbeen, de enkels...' Ze verstijfde. Rond de enkels zat een stuk oranje nylonkoord. Meteen flitste een andere scène voor haar ogen. Een andere plaats delict. Oranje nylonkoord. Een lichaam dat onderdsteboven was opgehangen en was opengesneden.

Ze zei niets, maar keek naar de ribbenkast en ging er wat dichter bij zitten om het zwaardvormig uitsteeksel te kunnen bekijken. Hoewel het licht op deze bewolkte dag erg flauw was, en de bomen de tuin nog donkerder maakten, was de kerf in het bot duidelijk te zien. Ze beeldde zich in hoe dit lijk ondersteboven had gehangen, opgetakeld aan de enkels. Hoe een mes door buik en borst was gegleden, van de pelvis tot de strot. De kerf zat precies op de plek waar de punt van het mes zou zijn gestopt.

Ze voelde hoe haar handen, in de latex handschoenen, opeens ijskoud werden.

'Dr. Isles?' zei Tam.

Ze negeerde hem. Aandachtig bekeek ze de schedel. Op de plek waar het voorhoofd overgaat in de oogkas zaten drie parallelle krasjes.

Verbluft zakte ze terug op haar hakken. 'Bel Rizzoli.'

Dit wordt ruzie, dacht Jane toen ze onder het gele afzetlint door dook. Dit was niet haar plaats delict, niet haar onderzoek, en dat zou Darren Crowe haar goed laten merken. Ze dacht aan Leon Gott, die 'scheer je weg' had geroepen naar het zoontje van zijn buurvrouw. Misschien zou Crowe over dertig jaar net zo'n chagrijnige ouwe man zijn die 'Scheer je weg van mijn plaats delict!' riep.

Maar het was Johnny Tam die haar opwachtte. 'Rizzoli,' zei hij.

'In wat voor bui is hij?'

'Stralend.'

'Is het zo erg?'

'Hij is niet erg te spreken over dr. Isles.'

'Ik ook niet.'

'Ze stond erop dat we jou erbij haalden. En als zij iets zegt, gehoorzaam ik.'

Jane keek hem aan, maar kon zoals gewoonlijk niets van zijn gezicht aflezen. Alhoewel hij nog maar kort bij Moordzaken zat, had hij nu al naam gemaakt als een man die met stille volharding zijn werk deed. In tegenstelling tot Crowe had Tam er geen behoefte aan in de schijnwerpers te staan.

'Ben je het met haar eens dat er verband bestaat tussen de twee zaken?' vroeg ze.

'Ik weet dat dr. Isles niet snel afgaat op vage vermoedens. Daarom was ik een beetje verbaasd dat ze jou erbij wilde hebben. Gezien de te verwachten repercussie.'

Hij hoefde geen namen te noemen. Ze wisten allebei dat hij het over Crowe had.

'Hoe erg is het om met hem te moeten werken?' vroeg ze toen ze over de flagstones naar de achtertuin liepen.

'Als ik je nou eens vertel dat ik in de sportzaal al drie boksballen heb vernield?'

'Veel beter zal het niet worden. Met hem werken is een soort Chinese watermarteling...' Ze stopte abrupt. 'Nou ja, je begrijpt wel wat ik bedoel.'

Tam lachte. 'Die martelmethode is misschien door de Chinezen uitgevonden, maar door Crowe geperfectioneerd.'

Ze sloegen de hoek om naar de achtertuin en zagen de man aan wie ze zo'n hekel hadden naast Maura staan. Alles aan Crowes lichaamstaal, van zijn starre nek tot zijn geprikkelde gebaren, liet zien hoe kwaad hij was.

'Voordat u Jan en alleman erbij haalt,' zei hij tegen Maura, 'mag u weleens iets specifieker zijn over hoelang deze persoon al dood is.'

'Ik heb al uitgelegd dat ik niet specifieker kan zijn,' antwoordde Maura. 'En de toedracht moet u zelf uitzoeken. Dat is uw taak.'

Crowe zag Jane aankomen en zei: 'Ik neem aan dat de oppermachtige Rizzoli het ons haarfijn kan vertellen.'

'Ik ben hier op verzoek van dr. Isles,' zei Jane. 'Ik kom alleen maar een kijkje nemen.'

'Ja, dat kennen we.'

Maura zei bedaard: 'Het geraamte ligt daar, Jane.'

Jane liep met haar mee naar de graafmachine. Een skelet lag op een blauw stuk zeildoek aan de rand van de zojuist gegraven kuil.

'Volwassen vrouw,' zei Maura. 'Lengte ongeveer één meter zestig. geen artritische veranderingen aan de wervelkolom, de groeischijven zijn gesloten. Daarom schat ik haar leeftijd tussen de twintig en midden dertig...'

'Waarom doe je me dit aan?' sputterde Jane.

'Pardon?'

'Ik sta al op zijn zwarte lijst.'

'Ik ook, maar dat weerhoudt me er niet van mijn werk te doen.' Maura zweeg even. 'Aangenomen dat ik dit werk blijf doen.' Iets waarover twijfel had bestaan sinds een populaire politieagent een gevangenisstraf opgelegd had gekregen na Maura's getuigenis in de rechtszaak. Vanwege haar afstandelijke – sommigen noemden het zonderlinge – houding was ze nooit geliefd geweest bij het Boston PD en sinds die rechtszaak vonden de agenten dat Maura verraad had gepleegd aan hun broederschap.

'Eerlijk gezegd,' zei Jane, 'was ik niet erg gealarmeerd door je telefoontje.' Ze keek naar het slachtoffer, van wie alleen de beenderen over waren. 'Punt één: dit is een vrouw.'

'Haar enkels waren samengebonden met oranje nylonkoord. Hetzelfde koord zat rond Gotts enkels.'

'Zulk koord is niet bepaald uniek. Punt twee: in tegenstelling tot Gott heeft iemand de moeite genomen het slachtoffer te begraven.'

'Er zit een kerf in de onderkant van haar borstbeen, precies zoals bij Gott. Ik acht het heel goed mogelijk dat ze is ontweid.'

'Je acht dat heel goed mogelijk?'

'Ik kan het niet bewijzen, omdat er niets over is van de weke delen en de organen, maar die kerf is veroorzaakt door een scherp instrument. Zo'n kerf kan makkelijk worden veroorzaakt als je met kracht een mes in een lichaam zet. En er is nog iets.' Maura ging op haar knieën zitten en wees naar de schedel. 'Zie je dat?'

'Wat? Die krasjes?'

'Ik heb je op de röntgenfoto van Gotts schedel net zulke krasjes aangewezen. Als de krassen van een klauw.'

'Dit zijn geen lijntjes. Het zijn eerder putjes.'

'Maar ze hebben gelijke tussenruimten. Ze kunnen zijn veroorzaakt door hetzelfde instrument.'

'Of door een dier. Zelfs door de graafmachine.' Jane keek om toen ze stemmen hoorde. De technische recherche was gearriveerd. Crow kwam met drie onderzoekers naar het lijk.

'En?' vroeg Crowe aan Jane. 'Wil je aanspraak maken op dit lijk?'

'Ik ga echt geen landjepik met je spelen, Crowe. Ik bekijk alleen wat overeenkomsten.'

'Wie was jouw slachtoffer ook alweer? Een man van vierenzestig?'

'Ja.'

'Dit is een jonge vrouw. Klinkt dat als een overeenkomst?'

'Nee,' erkende Jane. Ze voelde dat Maura naar haar keek.

'Wat heeft de sectie uitgewezen over jouw mannelijke slachtoffer? Waaraan is hij overleden?'

'Er zat een haarscheurtje in de schedel en het strottenhoofd was verbrijzeld,' zei Maura.

'Op het oog mankeert er niets aan de schedel van mijn jongedame,' zei Crowe. *Mijn jongedame.* Alsof ze van hem was, dit naamloze slachtoffer. Alsof hij haar al had opgeëist als zijn eigendom.

'Deze vrouw was klein, dus kon ze makkelijker in bedwang worden gehouden dan een man,' zei Maura. 'Het was misschien niet nodig haar eerst een klap op haar hoofd te geven.'

'Maar het is een verschil,' zei Crowe. 'Het is een gegeven dat niet overeenkomt met de gegevens van de andere zaak.'

'Rechercheur Crowe, ik kijk naar de gestalt, naar het totaalbeeld van deze twee zaken.'

'Een totaalbeeld dat alleen u schijnt te kunnen zien. Het ene slachtoffer is een man op leeftijd, het andere een jonge vrouw. De man heeft een schedelfractuur, de vrouw niet. De man is in zijn garage vermoord en opgehangen, de vrouw is in een achtertuin begraven.'

'Beiden waren naakt, bij beiden waren de enkels vastgebonden met oranje nylonkoord en waarschijnlijk zijn beiden van hun ingewanden ontdaan. Op de manier die jagers...'

Jane viel haar snel in de rede. 'Maura, laten we de rest van de plaats delict even bekijken.'

'Die heb ik al bekeken.'

'Ja, maar ik niet. Kom.'

Met tegenzin liep Maura met haar mee bij de kuil vandaan tot aan de rand van de tuin, waar het op deze deprimerende, grauwe namiddag al schemerig was vanwege de overhangende takken.

'Jij denkt dat Crowe gelijk heeft,' zei Maura een beetje verbitterd.

'Je weet dat ik jouw mening altijd respecteer, Maura.'

'Maar in dit geval ben je het niet met me eens.'

'Je kunt niet ontkennen dat er veel verschillen zijn tussen deze twee slachtoffers.'

'De krassen. De kerven. Het nylonkoord. Zelfs de knopen in het koord zijn hetzelfde.'

'Een dubbele platte knoop is niets bijzonders. Als ik de dader was, zou ik die waarschijnlijk ook gebruiken als ik het slachtoffer vastbond.'

'En het verwijderen van de organen dan? Hoe vaak ben jij dát de laatste tijd tegengekomen?'

'Je hebt een kerf in het onderste gedeelte van het borstbeen gevonden. Dat zegt niet veel. Voor de rest zijn er geen overeenkomsten tussen de slachtoffers. Andere leeftijd, andere sekse, ander soort locatie.'

'We zullen pas weten of er een verband tussen deze vrouw en Gott bestaat als we erachter zijn wie ze was.'

'Oké,' zei Jane met een zucht. 'Daar heb je gelijk in.'

'Waarom staan we te ruziën? Je mag altijd proberen te bewijzen dat ik iets bij het verkeerde eind heb. Maar doe je werk.'

Jane verstijfde. 'Doe ik dat niet altijd?'

Dat antwoord, zo kort en zo geladen, bracht Maura tot zwijgen. Haar donkere haar, dat ze altijd in een glad kapsel droeg, was door de kille vochtigheid veranderd in een warrig net waarin twijgjes bleven hangen. Met haar modderige broekspijpen en verkreukelde bloes zag ze er in het schemerdonker onder de bomen uit als een verwilderde versie van zichzelf, een vreemdeling met ogen die te fel schitterden. Koortsachtig.

'Maura, wat is er?' vroeg Jane zachtjes.

Maura wendde haar ogen af, meed plotseling Janes blik alsof het antwoord op die vraag zo pijnlijk was dat ze het niet met haar kon delen. Ze waren door de jaren heen getuige geweest van elkaars verdriet en misstappen. Ze kenden elkaar door en door. Waarom had Maura er dan zoveel moeite mee antwoord te geven op zo'n eenvoudige vraag?

'Maura?' drong Jane aan. 'Wat is er aan de hand?'

Maura zuchtte. 'Ik heb een brief ontvangen.'

14

Ze zaten in JP Doyle's, een van de stamkroegen van het Boston PD. Tegen vijven zou het café vollopen met agenten die sterke verhalen kwamen uitwisselen, maar dat was pas over twee uur en nu waren er maar twee andere tafeltjes bezet. Jane had hier talloze keren gegeten, maar Maura was er voor het eerst, wat weer eens duidelijk maakte dat er nog altijd een kloof tussen hen bestond, hoewel ze elkaar nu al zo lang kenden als collega's en zelfs goede vriendinnen waren geworden. Het was de kloof tussen de politie-agent en de arts, tussen een eenvoudige hogeschool en Stanford University, tussen bier en sauvignon blanc. De serveerster wachtte geduldig terwijl Maura de menukaart bekeek met een gezicht van 'wat staat me het minst tegen?'

'De fish-and-chips is niet gek,' zei Jane behulpzaam.

'Doe mij maar een caesar salad,' zei Maura. 'De saus apart, graag.'

De serveerster liep weg. Even bleef er een geladen stilte hangen. Aan een tafel aan de andere kant van het café zat een stel dat niet van elkaar kon afblijven. Oudere man, jongere vrouw. Middagje seks, dacht Jane, zo clandestien als wat, natuurlijk. Het deed haar denken aan haar vader, die met zijn blonde vriendin zijn huwelijk kapot had gemaakt en de doodongelukkige Angela in de armen van Vince Korsak had gedreven. Ze zou tegen deze man willen zeggen: 'Ga terug naar je vrouw, voordat je je gezin in de vernieling helpt.'

Niet dat mannen in de greep van testosteron ooit naar rede luisterden.

Maura wierp een blik op het hartstochtelijk verstrengelde stel en zei: 'Leuke kroeg. Verhuren ze ook kamers per uur?'

'Het eten is hier goed en de porties zijn ruim. Dat is belangrijk voor wie van een politiesalaris moet rondkomen. Het spijt me als het niet aan jouw eisen voldoet.'

Maura kromp ineen. 'Ik weet niet waarom ik dat zei. Ik ben vandaag geen goed gezelschap.'

'Je zei dat je een brief had ontvangen. Van wie?'

'Van Amalthea Lank.'

De naam had het effect van een winterse tochtvlaag. Jane rilde en voelde de haartjes in haar nek overeind komen. Maura's moeder. De moeder die haar baby kort na de geboorte had weggedaan. De moeder die nu in de vrouwengevangenis in Framingham zat, tot levenslang veroordeeld voor de moorden die ze had gepleegd.

Geen moeder. Een monster.

'Waarom krijg je in godsnaam brieven van haar?' vroeg Jane. 'Ik dacht dat je geen contact meer met haar had.'

'Dat had ik ook niet. Ik heb gezegd dat ze mij geen brieven van haar meer mochten sturen. Ik accepteer ook geen telefoontjes van haar.'

'Hoe komt het dan dat je nu toch een brief hebt gekregen?'

'Ik weet niet hoe ze erin is geslaagd hem te versturen. Misschien heeft ze een bewaker omgekocht. Of de brief in de envelop van een andere gevangene gestopt. In elk geval lag hij in mijn brievenbus toen ik gisteravond thuiskwam.'

'Waarom heb je mij niet gebeld? Ik zou dat varkentje wel eventjes gewassen hebben. Ik hoef maar even naar Framingham te gaan om ervoor te zorgen dat ze je nooit meer lastigvalt.'

'Ik kon je niet bellen. Ik wilde er eerst over nadenken.'

'Waarom?' Jane leunde naar voren. 'Ze zit weer eens met je hoofd te klooien. Dat vindt ze prachtig. Ze doet niets liever dan psychologische spelletjes met je spelen.'

'Dat weet ik.'

'De deur hoeft maar op een kiertje open te gaan of ze wurmt zich naar binnen. Het is maar goed dat je niet door haar bent opgevoed. Nu ben je haar tenminste niets verschuldigd. Geen enkel woord, zelfs geen enkele gedachte.'

'Ik bezit haar DNA, Jane. Toen ik haar zag, zag ik mezelf in haar gelaatstrekken.'

'Genen worden veel te hoog aangeslagen.'

'Genen bepalen wie je bent.'

'Wil dat zeggen dat jij net als zij een scalpel gaat gebruiken om mensen te vermoorden?'

'Natuurlijk niet. Maar de laatste tijd...' Maura zweeg en sloeg haar ogen neer. 'Waar ik ook kijk, overal zie ik onheil. Overal zie ik het kwaad.'

Jane snoof. 'Gezien het werk dat jij doet, vind ik dat helemaal niet vreemd.'

'Als ik een kamer binnenga waar veel mensen zijn, vraag ik me af voor wie ik moet oppassen. Wie ik in de gaten moet houden.'

'Dat heet "je bewust zijn van je omgeving". En dat is juist goed.'

'Maar het is niet alleen dat. Het is alsof ik het kwaad kan vóélen. Ik weet niet of het van buitenaf tot me komt of dat het al in me zit.' Ze staarde naar haar handen alsof de antwoorden daarop te lezen stonden. 'Ik zoek tegenwoordig voortdurend naar sinistere patronen. Naar hoe dingen met elkaar in verband staan. Toen ik vandaag dat skelet zag en aan het lijk van Leon Gott dacht, zag ik een patroon. De signatuur van een moordenaar.'

'Dat wil niet zeggen dat je afglijdt naar het kwaad. Het wil alleen maar zeggen dat je als forensisch patholoog je werk doet. Je ziet het totaalbeeld, zoals je zelf zei.'

'Jij zag de signatuur niet. Waarom ik wel?'

'Omdat jij intelligenter bent dan ik?'

'Je moet er niet mee spotten, Jane. Bovendien is dat niet zo.'

'Oké, dan zal ik mijn fantástische agentenbrein eventjes gebruiken om je iets duidelijk te maken. Je hebt een moeilijk jaar achter de rug. Je hebt het uitgemaakt met Daniel en je mist hem waarschijnlijk nog steeds. Klopt?'

'Natuurlijk mis ik hem.' Ze voegde er zachtjes aan toe: 'En ik weet zeker dat hij mij ook mist.'

'Daarna moest je getuigen tegen Wayne Graff. Door jouw getuigenis is een politieman tot een gevangenisstraf veroordeeld en dat neemt het Boston PD je erg kwalijk. Ik heb gelezen dat je van stress letterlijk ziek kunt worden. Een ongelukkige liefde, conflicten op je werk... jouw stressniveau is zo hoog dat je zo onderhand kanker had moeten krijgen.'

'O, fijn, nóg iets om me zorgen over te maken.'

'En nu die brief. Van dat rotwijf.'

Ze zwegen toen de serveerster hun eten opdiende. Een clubsandwich voor Jane, de caesar salad, met de saus apart, voor Maura. Pas toen ze weer weg was, vroeg Maura zachtjes: 'Krijg jij ooit brieven van hém?'

Ze hoefde zijn naam niet te noemen, ze wisten allebei over wie ze het had. In een reflex sloot Jane haar vingers over haar handpalmen, die Warren Hoyt had doorboord met zijn scalpels. Ze had hem nu vier jaar niet gezien, maar herinnerde zich elk detail van zijn gezicht, een gezicht dat zo alledaags was dat hij zich overal onder de mensen kon mengen zonder ooit op te vallen. De gevangenschap en zijn lichamelijke conditie hadden ongetwijfeld hun sporen achtergelaten, maar ze had er geen behoefte aan die veranderingen te zien. Ze was er tevreden mee dat ze met een kogel in zijn ruggengraat gerechtigheid had laten gelden en dat zijn straf tot het eind van zijn leven zou duren.

'Hij heeft geprobeerd me brieven te sturen vanuit het revalidatiecentrum,' zei Jane. 'Hij dicteerde ze aan zijn bezoekers en die stuurden ze dan naar mij. Ik heb ze allemaal in de vuilnisbak gemikt.'

'Zonder ze te lezen?'

'Waarom zou ik ze lezen? Met die brieven probeert hij zich met mijn leven te bemoeien. Me te laten weten dat hij nog steeds aan me denkt.'

'Omdat jij de vrouw bent die is ontsnapt.'

'Ik ben niet alleen ontsnapt. Ik heb hem ten val gebracht.' Jane lachte scherp en pakte haar sandwich. 'Hij is door mij geobsedeerd, maar ik ben niet van plan ook maar een seconde van mijn leven aan hem te verkwisten.'

'Denk je echt nooit aan hem?'

De vraag, zo zacht gesteld, bleef een ogenblik hangen. Jane staarde naar haar sandwich en probeerde zichzelf ervan te overtuigen dat wat ze had gezegd, waar was. Maar dat was natuurlijk niet zo. Warren Hoyt zat dan wel gevangen in zijn verlamde lichaam, maar had nog steeds macht over haar vanwege hun gezamenlijke verleden. Hij had haar hulpeloos en doodsbang gezien. Hij was getuige geweest van het moment waarop ze zich verslagen had geweten.

'Ik weiger hem die macht te geven,' zei Jane. 'Ik weiger aan hem te denken. En jij zou mijn voorbeeld moeten volgen.'

'Hoewel ze mijn moeder is?'

'Dat woord is niet op haar van toepassing. Ze is een DNA-donor. Dat is alles.'

'Maar dat is het hem juist. Haar DNA zit in elke cel van mijn lichaam.'

'Ik dacht dat je hiermee had afgerekend, Maura. Je hebt haar je rug toegekeerd en gezworen nooit meer om te kijken. Waarom verander je nu van mening?'

Maura keek naar haar onaangeroerde salade. 'Omdat ik de brief heb gelezen.'

'Ik neem aan dat ze alle oude wonden heeft opengepeuterd. "Ik ben je enige bloedverwant. Tussen ons bestaat een onbreekbare band." Zoiets?'

'Ja,' gaf Maura toe.

'Ze is een psychopaat en jij bent haar niets verschuldigd. Verbrand die brief en zet het van je af.'

'Ze is stervende.'

'Wat?'

Eindelijk hief Maura haar hoofd op. Er lag een gekwelde blik in haar ogen. 'Ze heeft nog zes maanden tot een jaar.'

'Ja, vast. Ze probeert gewoon op je gemoed te werken.'

'Toen ik gisteravond die brief had gelezen, heb ik de gevangenis gebeld. Amalthea had al een ontheffingsformulier ondertekend, dus mochten ze me vertellen wat er in haar medisch dossier staat.'

'Zoals gewoonlijk heeft ze overal aan gedacht. Ze wist hoe je zou reageren en jij loopt met open ogen in de val.'

'De verpleegkundige heeft bevestigd dat Amalthea alvleesklier-kanker heeft.'

'Ze verdient niet beter.'

'Ze is mijn enige bloedverwant en ze ligt op sterven. Ze wil dat ik haar vergeef. Ze smeekt om vergiffenis.'

'Denkt ze echt dat jij haar zult vergeven?' Jane pakte haar servet en veegde met nijdige bewegingen de mayonaise van haar vingers. 'En al die mensen die ze heeft afgeslacht? Wie zou haar al die moorden moeten vergeven? Jij niet. Daar heb je geen recht toe.'

'Maar ik kan haar vergeven dat ze mij als baby heeft weg-gedaan.'

'Dat ze jou heeft weggedaan is het enige goede wat ze ooit heeft gedaan, want daardoor ben jij niet grootgebracht door een psycho-patische moeder, maar heb je een normaal leven kunnen leiden. En geloof me, Maura, dat heeft ze echt niet gedaan omdat het juist was.'

'Maar ze heeft het gedaan, Jane. Ik ben grootgebracht door ouders die van me houden en heb alles gekregen wat mijn hartje begeerde, dus ik heb geen enkele reden om bitter te zijn. Waarom zou ik een vrouw die op sterven ligt dan niet tegemoetkomen?'

'Schrijf haar dan een brief. Schrijf dat je haar vergeeft en vergeet haar daarna.'

'Ze heeft nog maar zes maanden te leven en ze wil me zien.'

Jane gooide haar servet neer. 'Ben je vergeten wie ze is? Je hebt me ooit verteld dat er een koude rilling over je rug gleed toen je haar aankeek, omdat het geen mens was die terugkeek. Je zei dat je een leegte zag, een wezen zonder ziel. Je noemde haar "een monster".'

Maura zuchtte. 'Ik weet het.'

'Waag je niet in de kooi van dat monster.'

Opeens blonken er tranen in Maura's ogen. 'En als ze over een halfjaar dood is, hoe moet ik dan omgaan met mijn schuldgevoelens? Met het feit dat ik haar laatste wens niet heb vervuld? Dan is het te laat. Dan kan ik niet meer van gedachten veranderen. Dát is wat me nog het meest dwarszit. Dat ik me de rest van mijn leven schuldig zal voelen. En dat ik er nooit achter zal kunnen komen.'

'Waarachter?'

'Waarom ik ben zoals ik ben.'

Jane keek naar het gekwelde gezicht van haar vriendin. 'Hoe bedoel je? Briljant? Analytisch? Te eerlijk voor je eigen bestwil?'

'Geplaagd,' zei Maura zachtjes. 'Door het kwaad dat in me sluimert.'

Janes mobieltje ging. Terwijl ze het uit haar tas opviste, zei ze: 'Het komt door het werk dat we doen en de dingen die we zien. We hebben allebei voor ons beroep gekozen omdat we geen vrouwen zijn voor theekransjes.' Ze drukte op een toets. 'Rizzoli.'

'De provider heeft eindelijk de belgegevens van Leon Gott gestuurd,' zei Frost.

'Zit er iets interessants bij?'

'Iets héél interessants. Op de dag dat hij is vermoord, heeft hij een aantal mensen gebeld. Een van hen was Jerry O'Brien, maar dat wisten we al.'

'Over het afhalen van Kovo's karkas.'

'Ja. Hij heeft ook met Interpol in Johannesburg gebeld.'

'Met Interpol? Waarom?'

'Vanwege de verdwijning van zijn zoon in Botswana. De rechercheur die hij wilde spreken, was er niet, dus heeft Gott gezegd dat hij later nog een keer zou bellen, maar dat heeft hij niet gedaan.'

'Zijn zoon is zes jaar geleden verdwenen. Waarom belde Gott daar nu opeens over?'

'Dat weet ik niet. Maar dit was niet eens het interessantste. Hij heeft 's middags om halfdrie naar een mobiele telefoon gebeld die op naam staat van ene Jodi Underwood in Brookline. Het gesprek heeft zes minuten geduurd. Diezelfde avond, om kwart voor tien, heeft Jodi Underwood hem teruggebeld. Dat gesprek duurde maar zeventien seconden, dus heeft ze misschien alleen een bericht op zijn antwoordapparaat ingesproken.'

'Er waren die avond geen berichten ingesproken.'

'Inderdaad. En om kwart voor tien was Gott waarschijnlijk al dood. Volgens de buurvrouw was het licht bij Gott tussen negen uur en halfelf uitgegaan.'

'Wie heeft dat bericht dan gewist? Dit is erg vreemd, Frost.'

'Het wordt nog veel vreemder. Ik heb tweemaal naar Jodi Underwoods mobiele nummer gebeld en kreeg tweemaal de voicemail. Opeens drong tot me door dat haar naam me bekend voorkwam. Weet je het nog?'

'Geef me een hint.'

'Vorige week. Brookline. Het was op het journaal.'

Janes hartslag versnelde. 'Er was een moord gepleegd...'

'Jodi Underwood is zondagavond in haar huis vermoord. Op dezelfde avond als Leon Gott.'

15

'Ik heb haar Facebookpagina opgezocht,' zei Frost onderweg naar Brookline. 'En haar profiel bekeken.'

Frost reed ditmaal, terwijl Jane haar achterstand inhaalde door op zijn iPad door de webpagina's te scrollen die hij had bekeken. Ze vond de Facebookpagina en zag een foto van een aantrekkelijke jonge vrouw met rood haar. Volgens het profiel was ze zevenendertig, single, en werkte ze als bibliothecaresse op een school. Ze had één zus, Sarah, en was vegetariër. In het lijstje van haar favoriete pagina's stonden PETA, dierenrechten en holistische gezondheid.

'Ze was niet bepaald Leon Gotts type,' zei Jane. 'Waarom zou een vrouw die diepe minachting moet hebben gehad voor alles wat Leon Gott deed, met hem getelefoneerd hebben?'

'Dat weet ik niet. Ik heb de belgegevens tot vier weken terug nagelopen en heb geen andere telefoongesprekken tussen hen gevonden. Alleen die twee op zondag. Hij heeft haar om halfdrie gebeld en zij hem om kwart voor tien. Toen hij waarschijnlijk al dood was.'

Jane probeerde zich het scenario voor te stellen. De moordenaar is nog in Gotts huis. Het lijk hangt al in de garage. De moordenaar is net begonnen het te ontweien als de telefoon gaat. Het antwoordapparaat slaat aan. Jodi Underwood laat een bericht achter. Wat had ze gezegd? Waarom had de moordenaar het noodzakelijk gevonden dat bericht te wissen, waarbij hij een veeg bloed op de toets van het antwoordapparaat had achtergelaten? Waarom had hij het noodzakelijk gevonden diezelfde avond nog naar Brookline te rijden en een tweede moord te plegen?

Ze zei tegen Frost: 'We hebben bij Gott thuis geen adresboekje gevonden.'

'Nee, en we hebben overal gezocht om achter zijn contactadressen te komen.'

In haar verbeelding zag ze de moordenaar bij de telefoon staan. Hij zag Jodi's nummer op het scherm, een nummer dat Gott eerder op de dag had gebeld. Een nummer dat Gott mogelijk in zijn adresboekje had genoteerd, samen met Jodi's adres.

Jane scrolde door Jodi's Facebookpagina en las wat er op haar prikbord stond. Jodi had vrij regelmatig berichtjes geplaatst, om de paar dagen. Het laatste was van één dag voor haar dood.

Uitstekend recept voor vegetarische Pad Thai. Ik heb het gisteren gemaakt voor mijn zus en haar man. Ze hebben het vlees niet eens gemist. Gezond, lekker en goed voor de natuur!

Had Jodi toen ze die avond rijstnoedels met tofoe at, enig idee gehad dat dit een van haar laatste maaltijden zou zijn? Dat al haar moeite om gezond te eten kort daarna niet meer relevant zou zijn?

Jane scrolde door naar oudere berichten, over boeken die ze had gelezen en films die ze mooi vond, over bruiloften en verjaardagen van vrienden en kennissen, over een depri dag in oktober, toen ze zich afvroeg wat de zin van het leven eigenlijk was. Ze scrolde nog verder terug, naar september, waar Jodi vrolijker berichtjes had gepost over het begin van het nieuwe schooljaar. *Fijn om weer bekende gezichten in de bibliotheek te zien.*

Begin september had ze een foto geplaatst van een glimlachende jongeman met donker haar. Eronder stond een melancholisch berichtje.

Zes jaar geleden ben ik mijn grote liefde verloren. Ik mis je nog steeds, Elliot.

Elliot. 'Zijn zoon,' zei Jane zachtjes.

'Wat?'

'Jodi heeft het op Facebook over een man die Elliot heet. Ze schrijft: "Zes jaar geleden ben ik mijn grote liefde verloren."'

'Zes jaar geleden?' Frost keek haar onthutst aan. 'Toen is Elliot Gott verdwenen.'

In november, als de klok weer is verzet, gaat in New England de zon vroeg onder en op deze sombere namiddag was het om halfvijf al schemerig. Er had de hele dag regen in de lucht gehangen en toen Jane en Frost het huis van Jodi Underwood naderden, bedekte motregen de voorruit met een mistige waas. Voor het huis stond een grijze Ford Fusion met achter het stuur het silhouet van een vrouw. Nog voordat Jane haar veiligheidsgordel had losgekoppeld, ging het portier van de Ford open en stapte de vrouw uit. Ze was een statige verschijning, met stijlvolle grijze lokken in haar donkere haar en praktische maar nette kleding: een grijze broek met daarop een jasje, een lichtbruine regenjas en stevige schoenen met platte hakken. Een outfit die uit Janes eigen kast had kunnen komen, wat niet verwonderlijk was, want deze vrouw was eveneens rechercheur.

'Andrea Pearson,' zei ze. 'Brookline PD.'

'Jane Rizzoli, Barry Frost,' zei Jane. 'Bedankt dat u bent gekomen.'

Ze gaven elkaar een hand en liepen vanwege de motregen snel naar het huis. Het was een bescheiden woning met een kleine voortuin waarin paarsgewijs forsythia's waren geplant, die er nu kaal bij stonden. Aan de balustrade van de veranda hing een stukje afzetlint, als een seinvlag: *Hier heeft een tragedie plaatsgevonden.*

'Ik moet zeggen dat ik erg verrast was door uw telefoontje,' zei Pearson terwijl ze de huissleutel tevoorschijn haalde. 'Wij hebben de belgegevens van Jodi Underwoods telefoon nog niet gekregen en haar mobieltje is niet gevonden, dus we wisten niet dat zij en meneer Gott telefonisch contact hadden gehad.'

'U hebt haar mobieltje niet gevonden?' herhaalde Jane. 'Is het gestolen?'

'Dat moet wel. Er is nog meer gestolen.' Ze maakte de deur open. 'Vandaar dat we dachten dat het om inbraak ging.'

Ze gingen naar binnen. Pearson deed het licht aan. Jane zag een houten vloer, een woonkamer die was ingericht met minimalistisch Zweeds meubilair, maar geen bloedvlekken. Alleen aan het achtergebleven vingerafdrukpoeder was te zien dat in dit huis een misdaad was gepleegd.

'Het lijk lag hier, dicht bij de voordeur,' zei Pearson. 'Toen Jodi maandag niet op haar werk verscheen, heeft de school haar zus Sarah gebeld. Die is meteen een kijkje gaan nemen. Dat was rond tien uur. Jodi lag hier, in haar pyjama en haar badjas. De doodsoorzaak was meteen duidelijk, want rond haar hals was de striem van een wurgkoord te zien. De forensisch patholoog heeft later bevestigd dat ze is gewurgd. Er zat ook een flinke bloeduitstorting op haar rechterslaap, wat erop kan wijzen dat de dader haar eerst een klap op haar hoofd heeft gegeven om haar uit te schakelen. Er zijn geen sporen gevonden van seksueel geweld. Het was een blitzaanval. Zodra ze de deur had geopend, is ze overmeesterd en vermoord.'

'Ze droeg een pyjama en een badjas, zegt u?' zei Frost.

Pearson knikte. 'Volgens de schatting van de forensisch patholoog is de dood tussen acht uur 's avonds en twee uur 's nachts ingetreden. Als ze Gott om kwart voor tien heeft gebeld, kunnen we die schatting nu iets bijstellen.'

'Aangenomen dat zijzelf heeft gebeld en niet de persoon die haar telefoon heeft gestolen.'

Pearson knikte. 'Dat kan inderdaad ook. Iedereen die op maandagochtend heeft geprobeerd haar te bellen, kreeg de voicemail. Blijkbaar had de moordenaar het mobieltje tegen die tijd uitgezet.'

'U zei dat u dacht dat het om een inbraak ging. Wat is er nog meer gestolen?' vroeg Jane.

'Volgens haar zus ontbreken Jodi's MacBook Air-laptop, een fototoestel, haar mobiele telefoon en haar handtas. Er is de laatste tijd in deze buurt vaker ingebroken, maar altijd als de bewoners van huis waren. In alle gevallen zijn dezelfde soorten voorwerpen gestolen, hoofdzakelijk elektronische apparatuur.'

'Denkt u dat het dezelfde inbreker was?'

Pearson gaf niet meteen antwoord. Ze staarde naar de vloer alsof ze het lijk van Jodi Underwood nog zag liggen. Een zilveren krul gleed langs haar wang. Ze streek hem naar achteren en keek Jane aan. 'Ik weet het niet. In de andere gevallen hebben we vingerafdrukken gevonden, achtergelaten door iemand die duidelijk een amateur is. Hier is geen bewijsmateriaal achtergelaten. Geen vinger-afdrukken, geen sporen van gereedschap, geen schoenafdrukken. De plaats delict is zo netjes achtergelaten en de misdaad lijkt zo efficiënt te zijn gepleegd dat je bijna zou denken...'

'... dat dit het werk van een beroepsmoordenaar is.'

Pearson knikte. 'Daarom vind ik die telefoongesprekken met Leon Gott zo intrigerend. Zag de andere plaats delict eruit alsof de moord met voorbedachten rade was gepleegd?'

'Van voorbedachten rade ben ik niet zeker,' zei Jane, 'maar de plaats delict was beslist niet netjes achtergelaten.'

'Hoe bedoelt u?'

'Ik stuur u de foto's wel, dan kunt u zelf zien dat de moord op Leon Gott heel wat bloederiger was. Bloederig en grotesk.'

'Misschien bestaat er dan toch geen verband tussen deze twee zaken,' zei Pearson. 'Weet u waarom ze elkaar gebeld hebben? Weet u waar ze elkaar van kenden?'

'Ik heb een vermoeden, maar dat kan alleen bevestigd worden door Jodi's zus. U zei dat ze Sarah heet?'

'Ja, en ze woont hier vlakbij. Ik bel haar wel even om te zeggen dat we komen. Rijdt u achter me aan?'

'Mijn zus haatte alles wat Leon Gott vertegenwoordigde. De jacht op groot wild, zijn politieke ideeën, maar vooral zijn houding ten opzichte van zijn zoon,' zei Sarah. 'Ik heb geen idee waarom hij Jodi heeft opgebeld. Noch waarom zij hem heeft teruggebeld.'

Ze zaten in Sarahs keurige woonkamer, die was ingericht met licht hout en glas. De zussen hadden dezelfde smaak, hielden allebei van Zweedse chic. Ze leken ook op elkaar. Beiden hadden rode krullen en een zwanenhals. Maar in tegenstelling tot Jodi's lachende Facebookfoto was Sarahs gezicht een portret van uitputting. Ze had haar bezoekers thee en koekjes geserveerd, maar liet zelf haar thee onaangeroerd koud worden. Ze was achtendertig, maar zag er ouder uit in het grijze licht dat door het raam naar binnen viel. Het was alsof haar verdriet een nieuw soort zwaartekracht uitoefende op haar gezicht, waardoor haar mondhoeken en ooghoeken neer-waarts werden getrokken.

Pearson en Sarah kenden elkaar al vanwege het onderzoek naar de moord op Jodi, dus lieten Jane en Frost het aan haar over om de eerste vragen te stellen.

'Misschien hebben de telefoontjes niets met de moord op Jodi te maken, Sarah,' zei Pearson, 'maar het is wel érg toevallig. Heeft Jodi het de afgelopen weken over Leon Gott gehad?'

'Nee, en ook niet in de afgelopen maanden en jaren. Nadat ze Elliot had verloren, had ze geen reden om over zijn vader te praten.'

'Wat heeft ze in vroeger jaren over Leon Gott gezegd?'

'Dat hij een waardeloze vader was. Jodi en Elliot hebben ongeveer twee jaar samengewoond, dus heeft ze veel over Leon gehoord. Dat hij meer van zijn vuurwapens hield dan van zijn gezin. Dat Elliot op zijn dertiende mee moest op jacht. Dat hij Elliot opdracht gaf het hert dat ze hadden geschoten te ontweien en dat hij hem een mietje noemde toen hij weigerde.'

'Wat vreselijk.'

'Kort daarna heeft Leons vrouw haar man verlaten en Elliot meegenomen. Dat was het beste wat ze als moeder had kunnen doen. Het was alleen jammer dat ze het niet eerder had gedaan.'

'Heeft Elliot daarna nog contact gehad met zijn vader?'

'Sporadisch. Jodi zei dat Leon zijn zoon op zijn verjaardag voor het laatst heeft gebeld, maar dat het bij een kort gesprek was gebleven. Elliot probeerde beleefd te blijven, maar heeft opgehangen toen zijn vader begon af te geven op zijn overleden moeder. Een maand later is Elliot naar Afrika vertrokken. Het was een reis waar hij jaren van had gedroomd. Ik ben nog steeds blij dat Jodi geen vrij kon krijgen om met hem mee te gaan, anders was zij misschien ook...' Sarah boog haar hoofd en staarde naar haar thee.

'En nadat Elliot was verdwenen?' vroeg Pearson. 'Heeft Jodi toen nog contact gehad met Leon?'

Sarah knikte. 'Een paar keer. Toen zijn zoon dood was, drong blijkbaar tot hem door wat een waardeloze vader hij was geweest, en mijn zus was nog zo goed om te proberen hem wat op te beuren. Ze hadden nooit goed met elkaar overweg gekund, maar na de herdenkingsdienst voor Elliot heeft ze Leon een kaart gestuurd. Ze heeft zelfs de laatste foto van Elliot, die in Afrika was genomen, laten afdrukken en inlijsten en aan Leon gegeven. Tot haar verbazing kreeg ze een bedankbriefje van hem. Maar daarna verwaterde het contact. Voor zover ik weet, hadden ze elkaar al jaren niet gesproken.'

Jane had er zwijgend bij gezeten en de vraagstelling aan Pearson overgelaten, maar nu mengde ze zich in het gesprek.

'Had uw zus nog meer foto's van Elliot in Afrika?'

Sarah keek haar verwonderd aan. 'Een paar. De foto's die hij tijdens de reis vanaf zijn mobiel heeft gestuurd. Zijn fototoestel is nooit teruggevonden, dus dat waren de enige foto's die ze van zijn reis had.'

'Hebt u ze gezien?'

'Ja. Het waren gewone vakantiekiekjes. Van de vlucht naar Zuid-Afrika en van toeristische attracties in Kaapstad. Niets bijzonders.' Ze lachte triest. 'Elliot was niet zo'n beste fotograaf.'

Rechercheur Pearson keek Jane fronsend aan. 'Waarom hebt u zo'n belangstelling voor de foto's uit Afrika?'

'We hebben met een getuige gesproken die op zondagmiddag rond halfdrie bij Gotts huis was. Hij hoorde Gott met iemand telefoneren en tegen die persoon zeggen dat hij alle foto's van Elliot uit Afrika wilde hebben. Gezien het tijdstip moet dat het gesprek met Jodi zijn geweest.' Jane vroeg aan Sarah: 'Waarom wilde Leon die foto's?'

'Ik heb geen idee. Schuldgevoel?'

'Waarom?'

'Omdat hij op zoveel niveaus een betere vader had kunnen zijn. Alle fouten die hij had gemaakt, alle mensen die hij had gekwetst. Misschien was hij eindelijk gaan nadenken over de zoon die hij al die jaren had genegeerd.'

Dat had Jerry O'Brien ook gezegd: dat Leon Gott zich de laatste tijd obsessief had beziggehouden met de verdwijning van zijn zoon. Met de jaren kwam de spijt, spijt over dingen die je anders had moeten aanpakken, en Leon had geen gelegenheid gekregen de breuk met Elliot te herstellen. Had hij, in zijn eentje in dat huis, met alleen een hond en twee katten als gezelschap, beseft dat huisdieren nooit een vervanging konden zijn voor de liefde van een zoon?

'Meer kan ik u niet vertellen over Leon Gott,' zei Sarah. 'Ik heb hem maar één keer ontmoet, zes jaar geleden, bij de herdenkingsdienst voor Elliot. Daarna heb ik hem niet meer gezien.'

Het daglicht was nu helemaal verdwenen en achter het raam was de wereld zwart. In de warme gloed van het lamplicht leek Sarah een paar jaar te hebben gewonnen. Ze zag er iets jonger en energieker uit. Misschien omdat ze de rol van rouwende zus had afgelegd om zich te buigen over het vraagstuk wat er gedurende de laatste uren van haar zusters leven was gebeurd en wat Leon Gott ermee te maken had. 'U zei dat hij Jodi om halfdrie had gebeld,' zei Sarah tegen rechercheur Pearson. 'Toen was ze nog in Plymouth. Op het congres.'

Pearson legde dit aan Jane en Frost uit: 'We zijn nagegaan wat Jodi op de laatste dag van haar leven heeft gedaan. Ze was die zondag naar een congres voor bibliothecarissen. De bijeenkomst duurde tot vijf uur, dus was ze vermoedelijk pas na etenstijd thuis. Dat kan de reden zijn waarom ze Gott pas om kwart voor tien heeft teruggebeld.'

'We weten dat hij haar om halfdrie over de foto's heeft gebeld,' zei Jane. 'Het lijkt logisch dat ze hem 's avonds daarover heeft teruggebeld. Misschien om te zeggen dat ze...' Jane stopte abrupt. Ze keek Sarah aan. 'Waar bewaarde uw zuster de foto's van Elliots reis naar Afrika?'

'Het waren digitale mappen, dus moeten ze op haar laptop staan.'

Jane en rechercheur Pearson keken elkaar aan. 'En die is gestolen,' zei Jane.

Huiverend in de kille motregen stonden de drie rechercheurs bij hun geparkeerde auto's na te praten.

'We zullen u onze informatie sturen en zouden het prettig vinden als we ook de uwe konden krijgen,' zei Jane.

'Uiteraard. Al heb ik nog niet helemaal begrepen waar we precies naar op zoek zijn.'

'Ik ook niet,' gaf Jane toe, 'maar er lijkt iets te zijn en het lijkt iets te maken te hebben met Elliots foto's uit Afrika.'

'U hebt gehoord wat Sarah zei. Dat het gewone vakantiekiekjes waren, niets bijzonders.'

'In haar ogen in elk geval.'

'En ze zijn van zes jaar geleden. Waarom zouden die nu opeens belangrijk zijn?'

'Ik weet het niet. Ik ga af op mijn...'

'Intuïtie?'

Jane aarzelde. Ze dacht aan het gesprek dat ze eerder op de dag met Maura had gehad, toen ze Maura's vage idee over het ontdekte skelet had weggewuifd. Iedereen vertrouwt alleen zijn eigen intuïtie, ook als je het tegenover een ander niet kunt uitleggen.

De zachte regen glinsterde in Pearsons haar. Ze streek een krul naar achteren en zuchtte. 'Informatie uitwisselen is altijd goed. Graag zelfs. Bij ons willen de mannen altijd al mijn info hebben, maar doen ze niet graag afstand van hun eigen gegevens.' Ze keek Frost aan. 'Niet om van álle mannen kwaad te spreken.'

Jane lachte. 'Deze man is niet zo. Hij deelt alles, behalve zijn zakjes chips.'

'Die jij evengoed inpikt,' zei Frost.

'Zodra ik thuis ben, mail ik u wat ik heb,' zei Pearson. 'Het rapport over de sectie op Jodi kunt u bij de forensisch patholoog opvragen.'

'Welke patholoog heeft die verricht?'

'Ik ken ze niet allemaal. Het was een grote man met een bulderende stem.'

'Dat klinkt als dr. Bristol,' zei Frost.

'Ja, klopt. Dr. Bristol. Hij heeft de autopsie dinsdag verricht.' Pearson haalde haar autosleutels uit haar zak. 'En die heeft geen verrassingen opgeleverd.'

16

Dat is het leuke van verrassingen. Je weet nooit waar er eentje zal opduiken en of die het onderzoek een heel andere draai zal geven.

Jane besteedde de volgende dag een groot deel van de middag aan het zoeken naar zo'n verrassing in de dossiers die Andrea Pearson haar had gemaild. Achter haar computer, met de kruimels van haar lunch over haar hele bureau verspreid, las ze allereerst de getuigenverklaringen en de bijbehorende aantekeningen van Pearson. Het huis in Brookline waarin Jodi Underwood de afgelopen acht jaar had gewoond, had ze van haar ouders geërfd. Volgens haar buren was ze een rustige, vriendelijke vrouw. Een alleenstaande vrouw die nooit met iemand ruzie had. Geen van de buren had op de avond van de moord gegil of lawaai gehoord of iets anders wat erop wees dat er iemand in doodsnood verkeerde.

Een blitzaanval, had Pearson gezegd. Het slachtoffer was zo snel overmeesterd dat ze geen kans had gekregen terug te vechten. De foto's van de plaats delict ondersteunden Pearsons mening. Jodi's levenloze lichaam lag in de hal, op haar rug, met één arm naar de voordeur uitgestrekt, alsof ze zich over de drempel had willen slepen. Ze droeg een gestreepte pyjama en een donkerblauwe badjas. Aan haar linkervoet zat een pantoffel. De andere pantoffel lag naast haar. Jane had precies zulke pantoffels, lichtbruin suède met een fleecevoering, online gekocht bij L.L. Bean. Ze zou ze nooit meer kunnen dragen zonder aan deze foto van de vermoorde vrouw te denken.

Ze klikte naar het autopsierapport dat was gedicteerd door Maura's collega, dr. Bristol. Abe Bristol was een uitbundige man met een bulderende lach, een onuitputtelijke eetlust en slordige tafelmanieren, maar in de autopsiezaal werkte hij net zo secuur als Maura. Het moordwapen was niet op de plaats delict aangetroffen, maar Bristol had aan de wond in de hals van het slachtoffer kunnen afleiden dat er geen ijzerdraad maar een koord was gebruikt. Het tijdstip waarop de dood was ingetreden lag tussen acht uur 's avonds en twee uur 's nachts.

Jane scrolde naar de beschrijving van de inwendige organen (allemaal gezond) en de genitaliën (geen sporen van geweld of recentelijke seksuele activiteit). Tot zover geen verrassingen.

Vervolgens bekeek ze de specificatie van de kleding van het slachtoffer: gestreepte damespyjama, broek en jasje, honderd procent katoen, maat small. Badjas, donkerblauw fluweel, maat small. Pantoffels, met fleece gevoerd, maat achtendertig, merk L.L. Bean.

Ze klikte naar de lijst van de sporenbewijzen die naar het forensisch laboratorium waren gestuurd en zag de gebruikelijke dingen, zoals nagels, haren uit de schaamstreek en wattenstokjes met monsters die uit de verschillende lichaamsopeningen waren genomen. Ze stopte bij het laatste item op de lijst.

Drie haren, wit-grijs, mogelijk dierlijk, drie tot vier centimeter lang. Aangetroffen op de badjas van het slachtoffer, bij de zoom.

Mogelijk dierlijk.

Jane dacht aan Jodi's smetteloze houten vloer en gestroomlijnde Zweedse meubilair en probeerde zich te herinneren of ze iets had gezien wat erop wees dat Jodi een huisdier had. Een kat, bijvoorbeeld, die langs de zoom van de blauwe fluwelen badjas was gestreken. Ze pakte de telefoon en belde Jodi's zus.

'Ze hield veel van dieren, maar had zelf geen huisdier, tenzij je de goudvis meetelt die een paar maanden geleden het loodje heeft gelegd,' zei Sarah.

'Heeft ze nooit een hond of kat gehad?' vroeg Jane.

'Nee, want ze was er allergisch voor. Als ze maar bij een kat in de buurt kwam, kwam ze al in ademnood.' Sarah lachte triest. 'Ze wilde eigenlijk dierenarts worden en toen ze nog op school zat, had ze zich als vrijwilliger aangemeld in het plaatselijke dierenziekenhuis. Daar kreeg ze haar eerste astma-aanval.'

'Had ze misschien een bontjas? Iets met konijnenbont of mink?'

'Welnee. Ze was lid van PETA.'

Jane hing op en staarde naar de woorden op het computerscherm. *Drie haren, mogelijk dierlijk.*

En ze dacht: Leon Gott had katten.

'Deze drie haren vormen een interessante puzzel,' zei Erin Volchko. De crimineloog was gespecialiseerd in haar en vezels en had bij het Boston PD door de jaren heen tientallen rechercheurs uitleg gegeven over de ingewikkelde analyse van tapijtvezels en haren, en hun de verschillen uitgelegd tussen wol en katoen, synthesische en natuurlijke stoffen, en afgeknipte en uitgerukte haren. Alhoewel Jane vaak door haar microscoop had meegekeken om iets te leren over de haren en vezels die op plaatsen delict waren aangetroffen, had ze nooit de kunst verworven die Erin bezat om de ene haar van de andere te kunnen onderscheiden. Voor Jane zagen alle blonde haren er nog steeds hetzelfde uit.

'Ik heb er eentje op het objectglaasje liggen,' zei Erin. 'Ga zitten, dan zal ik je laten zien wat het probleem is.'

Jane ging op het krukje zitten en keek door de tweede lens van de onderwijsmicroscoop. De haar nam diagonaal het hele beeld in beslag.

'Dit is haar nummer een, afkomstig van de badjas van Jodi Underwood,' zei Erin terwijl ze door de andere lens keek. 'Kleur: wit. Kromming: geen. Lengte: drie centimeter. De cuticula, cortex en medulla zijn goed zichtbaar. Let even op de kleur. Zie je dat die niet geheel uniform is? De haar is bleker naarmate je dichter bij de punt komt. Dat noemen wij kleurverloop. Bij de mens is het haar over het algemeen gelijk van kleur van de wortel tot de punt. Dit is dus de eerste aanwijzing dat we hier niet te maken hebben met mensenhaar. Kijk nu even naar de medulla, de schacht die door de haar loopt. De medulla van deze haar is breder dan die van een mensenhaar.'

'Wat voor soort haar is dit dan?'

'De buitenste laag van de haar geeft ons daarover de nodige aanwijzingen. Ik heb er microfoto's van genomen.' Erin draaide zich om naar de computer op haar bureau en tikte iets in. Een uitvergroot beeld van de haar verscheen op het scherm. De oppervlakte van de haar bestond uit smalle driehoekige schubben die over elkaar heen lagen, als een pantser.

'Dit zijn doornachtige schubben,' zei Erin. 'Zie je dat ze iets omhoogkomen, alsof ze zich van de steel wegbuigen, zoals bloemblaadjes? Is het niet schitterend, hoe gecompliceerd dingen eruitzien als je ze zo sterk uitvergroot? Het is een heel nieuwe wereld, die met het blote oog niet te zien is.' Erin glimlachte naar het scherm alsof ze naar een buitenlandse stad keek die ze graag zou willen bezoeken. In deze raamloze zaal waar ze zoveel van haar tijd doorbracht, waren deze microscopische, uit keratine en proteïne bestaande landschappen haar link met de criminele buitenwereld.

'De haar heeft dus doornachtige schubben. Wat wil dat zeggen?' vroeg Jane.

'Het bevestigt mijn eerste indruk dat het geen mensenhaar is. Wat de diersoort betreft, is dit karakteristiek voor mink, zeehonden en katten.'

'Dan zou ik zeggen dat deze haar afkomstig is van een kat.'

Erin knikte. 'Ik kan het nog niet met honderd procent zekerheid zeggen, maar dit is waarschijnlijk inderdaad een kattenhaar. Een kat verliest per jaar honderdduizenden haren.'

'Allemachtig. Dan blíjf je aan het stofzuigen.'

'En als je meer dan één kat hebt, of zelfs heel veel, zoals sommige mensen die ze van de straat halen, kun je wel uitrekenen hoeveel losse haren dat bij elkaar zijn.'

'Dat reken ik liever niet uit.'

'Ik heb eens een forensisch onderzoek gelezen dat uitwees dat er altijd kattenharen aan je kleding hangen als je in een huis bent geweest waar ze een kat hebben. In Amerika hebben de meeste huisgezinnen minstens één hond of kat, dus is het erg moeilijk te bepalen hoe deze specifieke haar op de badjas van het slachtoffer terecht is gekomen. Als ze zelf geen kat had, is de haar misschien aan haar kleding blijven hangen toen ze bij andere mensen was die een kat hebben.'

'Volgens haar zuster was ze allergisch voor dieren. Misschien zijn de haren bij haar terechtgekomen via een andere bron. Misschien kleefden ze aan de kleding van de moordenaar.'

'Jij denkt dat de moordenaar onbewust haren heeft meegenomen uit de andere plaats delict, uit het huis van Leon Gott.'

'Gott had twee katten en een hond, dus lagen er in zijn huis vermoedelijk genoeg haren om een bontjas van te maken. Wie door dat huis loopt, komt onwillekeurig onder het kattenhaar te zitten. Er zullen dus wel wat haren aan de moordenaar zijn blijven plakken. Als ik jou een paar haren zou brengen van Gotts katten, kun jij het DNA daarvan dan vergelijken met dat van deze drie haren?'

Erin zuchtte en schoof haar bril naar haar voorhoofd. 'Dat is nog niet zo makkelijk. De drie haren die aan Jodi Underwoods badjas zaten, zijn door het dier verloren toen de haren zich in de telogeenfase bevonden. Ze hebben daardoor geen haarzakje en dus geen nucleair DNA.'

'En als we ze onder de microscoop leggen om de vorm te vergelijken?'

'Dan zouden we alleen zien dat het om witte haren gaat die misschien van dezelfde kat afkomstig zijn. Als gerechtelijk bewijsmateriaal is dat niet voldoende.'

'Is er een andere manier waarop ik kan bewijzen dat deze haren afkomstig zijn uit Gotts huis?'

'Misschien. Wie katten kent, weet dat het erg schone dieren zijn. Ze likken zich voortdurend schoon en elke keer dat ze aan hun eigen haar likken, laten ze daarop via het speeksel epitheliale cellen achter. Het is mogelijk om uit die haren mitochondriaal DNA te onttrekken. Het duurt echter een paar weken voordat je de uitslag van het onderzoek krijgt.'

'Maar dat zou rechtsgeldig bewijs zijn?'

'Ja.'

'Dan moet ik maar eens wat kattenharen gaan verzamelen.'

'Maar die moet je dan uit zijn vacht trekken, zodat we meteen wortelmateriaal krijgen.'

Jane kreunde. 'Dat zal niet makkelijk zijn, want een van de katten heeft zich nog steeds niet laten vangen. Hij houdt zich verscholen in het huis van het slachtoffer.'

'Het arme beest. Ik hoop dat iemand hem te eten geeft.'

'Drie keer raden wie er elke dag naartoe gaat om brokjes en water neer te zetten en de kattenbak te verschonen.'

Erin lachte. 'Nee, toch. Frost?'

'Hij zegt dat hij niks met katten heeft, maar ik weet zeker dat hij een brandend gebouw zou binnengaan om er een te redden.'

'Ik heb Frost altijd al graag gemogen. Hij is echt een lieverd.'

Jane snoof. 'En bij hem vergeleken ben ík een harpij.'

'Hij moet zien dat hij weer een vrouw krijgt,' zei Erin. Ze nam het objectglaasje uit de microscoop. 'Ik wilde hem koppelen aan een vriendin van me, maar zij wil niet uit met een politieman. Ze zegt dat politiemensen een te dominerende inslag hebben.' Ze legde een ander objectglaasje onder de microscoop. 'Oké, nu zal ik je een andere haar laten zien die op dezelfde badjas is aangetroffen. Een haar die me voor raadsels stelt.'

Jane keek weer door de lens. 'Hij lijkt erg op de vorige. Wat is het verschil?'

'Op het eerste gezicht lijkt hij inderdaad op de vorige. Wit, recht, een lengte van ongeveer vijf centimeter. Hij heeft hetzelfde kleurverloop waaraan we kunnen zien dat dit waarschijnlijk geen mensenhaar is. Eerst dacht ik dat deze haar eveneens afkomstig was van een *Felis catus*, een huiskat, maar als je hem vijftienhonderd maal vergroot, zie je dat hij uit een heel andere bron afkomstig is.' Ze zwenkte weer naar haar computer en splitste het scherm om een tweede microfoto te laten zien, waarbij ze de beelden iets verschoof zodat de afbeeldingen van de haren precies naast elkaar kwamen te staan.

Jane fronste. 'De tweede haar lijkt inderdaad niet op die van de gewone huiskat.'

'De schubben zijn heel anders. Ze zien eruit als kleine, afgeplatte bergtoppen. Ze hebben niet de vorm van de doornachtige schubben van de kat.'

'Van welk dier is de tweede haar dan afkomstig?'

'Ik heb deze haar vergeleken met alle dierenharen in mijn databank, maar het is er een die ik nog niet eerder in behandeling heb gehad.'

Een mysterieus dier. Jane dacht aan Leon Gotts huis, met de muren vol opgezette dierenkoppen. En aan zijn werkplaats, waar hij dagelijks bezig was geweest pelsen van dieren uit de hele wereld schoon te schrapen, te drogen en op te spannen. 'Kan deze haar afkomstig zijn van een sneeuwpanter?' vroeg ze.

'Dat is erg specifiek. Waarom een sneeuwpanter?'

'Omdat Gott aan de pels van een sneeuwpanter zou gaan werken, een pels die sinds de moord spoorloos verdwenen is.'

'Sneeuwpanters zijn erg zeldzaam, dus ik weet niet hoe ik aan een haar zou kunnen komen waar ik deze mee kan vergelijken. Maar er is wel een manier om de diersoort te bepalen. Weet je nog hoe we achter de origine van die eigenaardige haar zijn gekomen bij de moord in Chinatown? De haar die uiteindelijk van een primaat bleek te zijn?'

'Je hebt die naar een laboratorium in Oregon gestuurd.'

'Het Wildlife Forensics Lab. Daar hebben ze een databank met keratinepatronen van diersoorten uit de hele wereld. Je kunt door middel van elektroforese het proteïnecomponent van een haar analyseren en vergelijken met de reeds bekende keratinepatronen.'

'Laten we dat dan doen. Als deze haar afkomstig is van een sneeuwpanter, is hij zo goed als zeker afkomstig uit Gotts huis.'

'Breng me ook een paar haren van zijn katten,' zei Erin. 'Als het DNA overeenkomt met de haar die we al hebben, heb je het bewijs dat er een verband bestaat tussen deze twee moorden.'

17

'Jou had ik niet mee naar huis moeten nemen,' zei Maura. De kat negeerde haar en begon uitgebreid zijn poot te likken nadat hij zich te goed had gedaan aan uit Spanje geïmporteerde tonijn in olijfolie. Het was een buitensporige maaltijd die haar tien dollar had gekost, maar de kat weigerde brokjes te eten en ze was vergeten om blikjes kattenvoer te kopen. Een speurtocht in de voorraadkast had het blikje tonijn opgeleverd, dat ze speciaal had gekocht voor een salade niçoise met verse sperziebonen en rode aardappelen. Nu had haar gulzige logé de dure vis tot en met het laatste stukje opgeschrokt en liep hij op zijn dooie akkertje de keuken uit om haar duidelijk te maken dat hij haar diensten verder niet nodig had.

Hoezo een gezelschapsdier? Ik ben gewoon het dienstmeisje. Ze waste het etensbakje met warm water en zeep en zette het in de vaatwasser zodat alle bacteriën vernietigd zouden worden. Kon je in één week besmet raken met *Toxoplasma gondii*? Ze moest de laatste tijd voortdurend aan toxoplasmose denken, omdat ze had gelezen dat je er schizofreen van kon worden. Krankzinnige kattenvrouwen waren krankzinnig vanwege hun katten. Zo krijgen die doortrapte beesten controle over ons, dacht ze. Ze besmetten ons met een parasiet waardoor we ons gedwongen voelen hen te voeden met peperdure tonijn.

Er werd gebeld.

Ze waste en droogde haar handen. Dood aan alle parasieten, dacht ze toen ze naar de deur liep.

Het was Jane. 'Ik kom voor het kattenhaar,' zei ze. Ze haalde een pincet en een plastic zakje uit haar jaszak. 'Alsjeblieft.'

'Waarom doe je het zelf niet?'

'Het is jouw kat.'

Maura zuchtte, pakte het pincet van haar aan en liep naar de woonkamer, waar de kat op de lage tafel zat en haar met zijn groene ogen achterdochtig in de gaten hield. Ze had hem nu een week, maar voelde nog steeds geen band met hem. Kreeg je ooit een echte band met een kat? Bij Leon Gott thuis had het dier zo aanhankelijk gedaan en zich spinnend en zachtjes miauwend rond haar benen gedraaid tot ze zich had laten overhalen hem te adopteren, maar hier gedroeg hij zich volkomen onverschillig, ook al verwende ze hem met tonijn en sardientjes. Het had iets van de universele klacht van teleurgestelde echtgenotes: hij maakte me het hof, overlaadde me met zijn charmes, en nu behandelt hij me alsof ik het dienstmeisje ben.

Ze knielde bij de kat, maar die sprong prompt van de tafel en liep met hautaine pasjes terug naar de keuken.

'Het moet een haar zijn die uit zijn vacht is geplukt,' zei Jane.

'Ik weet het, ik weet het.' Maura liep achter de kat aan de gang door. 'Ik voel me nu echt volkomen belachelijk,' sputterde ze.

De kat zat op de plek waar ze zijn etensbakje altijd neerzette en keek haar afwachtend aan.

'Ik geloof dat hij honger heeft,' zei Jane.

'Hij heeft net eten gehad.'

'Dan krijgt hij gewoon nog wat.' Jane deed de koelkast open en haalde er een pak room uit.

'Die room heb ik nodig voor een recept,' zei Maura.

'En ik heb een kattenhaar nodig.' Jane deed een scheutje in een kom en zette die op de vloer. De kat begon de room meteen op te likken en merkte niet eens dat Maura drie haren uit zijn vacht trok. 'Ook katten laten zich omkopen,' zei Jane. Ze deed de haren in het bewijszakje en sloot het. 'Nu nog een paar van de witte kat.'

'Die laat zich zelfs met room niet lokken.'

'Ja, dat is een probleem. Frost, die hem trouw elke dag te eten geeft, heeft hem nog steeds niet gezien.'

'Weten jullie zeker dat hij nog in dat huis is? Misschien is hij allang verdwenen.'

'Wie eet dan elke dag het voer op? Er zijn in dat huis heel veel plekken waar een kat zich kan verstoppen. Ik moet proberen hem in de val lokken. Heb je toevallig een kartonnen doos?'

'Trek wel handschoenen aan. Je wilt niet weten hoeveel nare infecties je kunt krijgen als je door een kat wordt gekrabd.' Maura deed een kast in de gang open en gaf Jane een paar bruine leren handschoenen. 'Neem deze maar.'

'Zulke dure? Ik hoop dat ik ze niet ruïneer.' Ze liep naar de voordeur.

'Wacht even. Ik moet zelf ook handschoenen aan. Ik dacht dat ik hier nog een paar had liggen.'

'Ga je dan mee?'

'Die kat wil niet gevangen worden.' Maura stak haar hand in een jaszak en vond een paar handschoenen. 'Dan zijn er minstens twee personen nodig om hem te overmeesteren.'

Het huis rook nog naar de dood. Het lijk en de ingewanden waren allang verwijderd, maar bij het rottingsproces komt een stank vrij die tot in alle hoeken en gaten doordringt en neerslaat op de meubels, tapijten en gordijnen. Net zoals rooklucht na een brand verlaat de stank van ontbinding zijn nest niet graag, en ook hier was hij koppig blijven hangen, als de geest van de dode Gott. Er was nog geen schoonmaakdienst geweest om de vloeren te schrobben en de kamers te luchten, en de pootafdrukken van inmiddels opgedroogd bloed waren nog duidelijk zichtbaar. Een week geleden had Maura hier in het gezelschap verkeerd van rechercheurs en criminologen, en hadden er in alle kamers stemmen geklonken. Nu hoorde ze de stilte van een verlaten huis, een stilte die alleen werd verstoord door het gezoem van een eenzame vlieg die in de zitkamer doelloos rondjes vloog.

Jane zette de doos neer. 'Laten we beneden beginnen en het huis kamer voor kamer afwerken.'

'Waarom moet ik opeens denken aan die dode verzorgster uit de dierentuin?' vroeg Maura.

'We zoeken een tamme kat, geen panter.'

'Maar tamme katten hebben hetzelfde DNA als de grote katten.' Maura trok haar handschoenen aan. 'Ik heb ergens gelezen dat tamme katten elk jaar bijna vier miljard vogels doden.'

'Vier miljard?'

'Ze zijn erop gebouwd. Geruisloos, lenig en snel.'

'En dus moeilijk te vangen.' Jane zuchtte.

'Helaas wel, ja.' Maura stak haar hand in de doos om het badlaken te pakken dat ze van huis had meegenomen. Haar plan was het over de voortvluchtige kat te gooien en hem, gewikkeld in de handdoek, in de doos te zetten zonder dat hij de kans zou krijgen hen te krabben. 'Dit moet sowieso gebeuren. Frost kan niet zijn hele leven deze kat eten brengen en de kattenbak verschonen. Denk je dat Frost de kat wil hebben, als we hem gevangen hebben?'

'Als we hem naar een sloot brengen, praat hij nooit meer met ons. Geloof me maar, als ik de kat bij hem thuis aflever, blijft hij daar.'

Ze trokken hun handschoenen aan. De ogen van de opgezette dierenkoppen leken hen te volgen toen ze aan de jacht begonnen. Jane kroop op haar knieën over de vloer om onder de bank en fauteuils te kijken. Maura keek in de kasten en op alle andere plekken waar een kat zich zou kunnen verschuilen. Toen ze het stof van haar handen sloeg, viel haar blik op de opgezette kop van een leeuw, wiens glazen ogen zo'n levensechte intelligentie uitstraalden dat ze bijna verwachtte het dier van de muur te zien springen.

'Daar is hij!' riep Jane.

Maura draaide zich om en zag iets wits door de kamer schieten en de trap op stuiven. Ze greep de doos en holde achter Jane aan naar boven.

'De slaapkamer!' riep Jane.

Ze gingen de slaapkamer binnen en deden de deur achter zich dicht.

'Oké, hij kan nergens naartoe,' zei Jane. 'Ik weet zeker dat hij in deze kamer is. Ik weet alleen niet waar.'

Maura keek om zich heen. Het meubilair bestond uit een tweepersoonsbed, twee nachtkastjes en een brede ladekast. In een spiegel aan de muur zagen ze hun eigen verhitte, gefrustreerde gezichten.

Jane ging op haar knieën zitten om onder het bed te kijken. 'Hij zit niet onder het bed,' zei ze.

Maura zag dat de deur van de inloopkast half openstond. Het was de enige andere schuilplaats in de kamer. Ze keken elkaar aan en haalden diep adem.

'Poes, poes, poes,' zong Jane lokkend. Ze deed het licht in de kast aan. Jassen, truien en nogal veel geruite flannellen overhemden. Jane schoof een dikke parka opzij en deinsde geschrokken achteruit toen de kat met een ijselijke kreet naar buiten vloog.

'Au!' Jane keek naar haar rechterarm. Er zat een grote scheur in haar mouw. 'Ik háát katten! Waar is dat rotbeest gebleven?'

'Onder het bed.'

Jane liep met driftige stappen op hun vierpotige vijand af. 'Tot nu toe ben ik aardig geweest, maar dat is nu afgelopen. Ik zal je krijgen, rotkat.'

'Jane, je bloedt. Ik heb alcoholdoekjes in mijn tas.'

'Eerst moeten we dat beest vangen. Ga aan de andere kant van het bed zitten en jaag hem naar mij toe.'

Maura ging op haar knieën zitten en keek onder het bed. Gele ogen staarden haar aan. Maura kreeg kippenvel toen ze het dier hoorde grommen. Dit was geen tamme kat. Dit was een duivelse kater.

'Oké, ik zit klaar met de handdoek,' zei Jane. 'Jaag hem naar me toe.'

Maura maakte een halfslachtig gebaar naar de kat. 'Ksst.'

De kat ontblootte zijn tanden en blies.

'Ksst?' Jane snoof. 'Daar wordt hij echt niet bang van, hoor.'

'Oké, oké.' Maura begon met heftiger gebaren onder het bed te maaien. De kat kroop achteruit. Maura trok haar schoen uit en sloeg ermee naar het dier.

Opeens schoot de kat weg. Maura kon het gevecht niet zien, maar ze hoorde de kat blazen en Jane vloekend met haar buit worstelen. Ze sprong overeind, liep snel om het bed heen en zag dat Jane erin was geslaagd de duivelse kater in het badlaken te wikkelen. Jane zette het heftig tegenstribbelende beest met handdoek en al in de doos en sloot snel de flappen. De kat bleef zo tekeergaan dat de doos stond te schudden.

Jane bekeek haar gewonde arm. 'Denk je dat ik een rabiësvaccinatie moet gaan halen?'

'Je moet om te beginnen je wond goed spoelen en ontsmetten. Hou hem in de badkamer onder de kraan, dan haal ik de alcoholdoekjes.'

Het credo van de padvinders dat je altijd overal op voorbereid moest zijn, was ook Maura's lijfspreuk. Ze had altijd latex handschoenen, alcoholdoekjes, een pincet, schoenbeschermers en zakjes voor bewijsmateriaal bij zich. Ze ging naar beneden, waar ze haar tas op de keukentafel had gezet, pakte een handvol alcoholdoekjes en wilde weer de trap op lopen, toen haar een kale spijker in de muur opviel. Rond de lege plek hingen ingelijste foto's van Leon Gott op jachtexpedities, poserend met zijn geweer en de dieren die hij had geschoten. Een hert, een bizon, een everzwijn, een leeuw. Ook het ingelijste artikel over Gott in *Hub Magazine* hing er: 'De trofeeënkampioen. Een interview met Bostons meesterpreparateur.'

Jane kwam de trap af. 'Moet ik me zorgen maken over hondsdolheid, ja of nee?'

Maura wees naar de kale spijker. 'Is hier iets weggehaald?'

'Ik ben bang dat ik mijn arm kwijtraak en jij maakt je druk om een lege plek aan de muur.'

'Hier ontbreekt iets, Jane. Was dit vorige week ook al zo?'

'Ja. Die spijker viel mij toen ook al op. Ik kan het nakijken op de video's van de technische recherche.' Jane keek fronsend naar de spijker. 'Ik vraag me af...'

'Wat?'

Jane keek haar aan. 'Gott had Jodi Underwood gebeld om te vragen of ze nog foto's had van Elliots reis naar Afrika.' Ze wees naar de lege plek aan de muur. 'Zou dit daar iets mee te maken hebben?'

Maura schudde verbaasd haar hoofd. 'Een ontbrekende foto?'

'Gott heeft op diezelfde dag ook naar Interpol in Zuid-Afrika gebeld. Over Elliot.'

'Waarom hield hij zich opeens zo intensief bezig met zijn zoon? Elliot is toch jaren geleden gestorven?'

'Zes jaar geleden.' Jane keek naar de kale plek, waar iemand iets had weggehaald. 'In Botswana.'

18

Botswana

Hoelang kun je wakker blijven, vraag ik me af als ik Johnny in de gloed van het kampvuur zie knikkebollen. Zijn ogen zijn half gesloten en zijn bovenlichaam zakt naar voren als een boom die elk moment kan omvallen. Toch blijven zijn vingers geklemd om het geweer dat op zijn schoot ligt, alsof het wapen met zijn lichaam vergroeid is. De anderen hebben hem de hele avond in de gaten gehouden en ik weet dat Richard hem het geweer graag zou willen afpakken, maar Johnny is zelfs half slapend zo intimiderend dat je zoiets beter niet kunt proberen. Sinds de dood van Isao heeft hij alleen overdag wat geslapen en hij is van plan weer de hele nacht te waken. Als hij zo doorgaat, is hij binnen de kortste keren catatonisch of krankzinnig.

En dan nog zal hij de man zijn die het geweer heeft.

Ik kijk naar de gezichten rond het kampvuur. Sylvia en Vivian zitten dicht bij elkaar, hun blonde haar vol klitten, hun gezichten strak van angst. Gek, wat de wildernis zelfs mooie vrouwen aandoet. Ze laat de oppervlakkige glans verdwijnen, maakt het haar dof, schuurt alle make-up weg, put het lichaam uit. Dat is wat ik nu zie: twee jonge vrouwen die langzaam maar zeker veranderen in een schim van wie ze waren. Hetzelfde geldt voor mevrouw Matsunaga, die is geslonken tot haar kwetsbare, breekbare kern. Ze eet nog steeds niet. Het bord met vlees dat ik haar heb gegeven, staat onaangeroerd naast haar. In een poging toch iets van voeding bij haar naar binnen te krijgen doe ik twee schepjes suiker in haar thee, maar ze spuugt die uit en bekijkt mij vol wantrouwen, alsof ze denkt dat ik probeer haar te vergiftigen.

Iedereen bekijkt mij trouwens vol wantrouwen, omdat ik me niet bij hun team heb aangesloten. Wat hen betreft heb ik me aan de kant van de vijand geschaard, ben ik Johnny's spion, terwijl ik alleen maar probeer te verzinnen hoe we in leven kunnen blijven. Richard is geen buitenman, al vindt hij zelf van wel. Stuntelige, angstige Elliot heeft zich al dagen niet geschoren, zijn ogen zijn bloeddoorlopen en ik verwacht elk moment dat hij begint te brabbelen als een krankzinnige. De blondjes doen het in hun broek van angst. De enige die alles nog op een rijtje heeft en weet wat hij hier moet doen, is Johnny, dus heeft hij mijn stem gekregen.

En daarom kijken de anderen mij niet meer aan. Ze kijken langs me heen of door me heen, wisselen stiekeme blikken met elkaar in een morsecode die ze doorseinen door met hun ogen te knipperen. We bevinden ons in een levensechte versie van *Survivor* en ik ben weggestemd.

De blondjes gaan als eersten naar bed. Fluisterend verlaten ze de kring. Even later gaan Elliot en Keiko zwijgend naar hun respectieve tenten. Nu zitten alleen Richard en ik nog bij het vuur, allebei zo achterdochtig dat we geen woord tegen elkaar zeggen. Ik kan bijna niet geloven dat ik ooit van deze man heb gehouden. Hier in de wildernis is zijn knappe gezicht ruiger geworden, maar ik zie nu de kleingeestige ijdelheid die eronder verborgen zit. De ware reden waarom hij zo'n hekel aan Johnny heeft, is dat hij niet aan hem kan tippen. Waar het in feite om gaat, is wie hier de echte kerel is, en Richard wil altijd de held van zijn eigen verhalen zijn.

Hij staat op het punt iets te zeggen, als we merken dat Johnny wakker is. In het donker zien we het wit van zijn ogen. Richard staat zwijgend op. Als ik hem nakijk tot hij in onze tent is verdwenen, voel ik de hitte van Johnny's blik op mijn gezicht.

'Waar heb je hem ontmoet?' vraagt hij opeens. Hij zit zo stil tegen de boom dat het net lijkt alsof hij er deel van uitmaakt, alsof zijn lichaam een lange, soepele boomwortel is.

'In de winkel. Hij kwam exemplaren signeren van zijn boek *Kill Option*.'

'Waar gaat dat over?'

'O, het is een thriller, zoals al Richards boeken. In dit boek zit de held op een afgelegen eiland vol terroristen. Hij is zo goed thuis in de wildernis dat hij de terroristen een voor een weet uit te schakelen. Mannen zijn dol op dat soort boeken en er kwamen er een heleboel om een gesigneerd exemplaar te kopen. Na de signeersessie gingen we met het personeel iets drinken met Richard. Ik dacht dat hij een oogje had op mijn collega Sadie, maar dat was niet zo. Hij had een oogje op mij.'

'Je klinkt verbaasd.'

'Jij hebt Sadie nog nooit gezien.'

'En hoelang is dat geleden?'

'Bijna vier jaar.' En na bijna vier jaar was Richard zich bij mij gaan vervelen. In de loop van die vier jaar hadden zich zoveel klachten en grieven opgehoopt dat hij zich was gaan afvragen of hij niet beter af was met een ander.

'Dan moeten jullie elkaar goed kennen,' zei Johnny.

'Dat zou je wel verwachten.'

'Weet je het niet zeker?'

'Kun je zoiets ooit zeker weten?'

Hij keek naar Richards tent. 'Bij sommige mensen niet. Bij sommige dieren ook niet. Het is mogelijk een leeuw of een olifant te temmen en zelfs te leren hen te vertrouwen, maar een luipaard kun je nooit vertrouwen.'

'Met wat voor soort dier zou jij Richard vergelijken?' vraag ik half serieus.

Johnny vertrekt geen spier. 'Wat vind je zelf?'

Dat antwoord, zo zacht uitgesproken, dwingt me na te denken over mijn bijna vier jaar met Richard. Vier jaar hebben we tafel en bed gedeeld, maar er zat altijd een beetje ruimte tussen ons. Hij hield altijd een slag om de arm en sprak licht spottend over het huwelijk, alsof dat beneden onze stand was, maar nu denk ik dat hij al die tijd een reden had om mij geen aanzoek te doen; ik heb dat alleen nooit willen toegeven. Hij wachtte op 'de enige echte', en dat was ik niet.

'Vertrouw je hem?' vraagt Johnny zachtjes.

'Waarom vraag je dat?'

'Weet jij, zelfs na vier jaar, wie hij is? Waar hij toe in staat is?'

'Je denkt toch niet dat Richard...'

'Wat denk jij?'

'Dat is wat de anderen over jóú zeggen. Dat je niet te vertrouwen bent. Dat je ons hier met opzet hebt laten stranden.'

'Denk jij dat ook?'

'Ik denk dat als je ons had willen vermoorden, je dat allang had kunnen doen.'

Hij blijft onafgebroken naar me kijken en ik ben me scherp bewust van het geweer op zijn schoot. Zolang hij het geweer heeft, heeft hij ons in zijn macht. Opeens vraag ik me af of ik een ernstige fout heb gemaakt. Of ik mijn vertrouwen aan de verkeerde persoon heb geschonken.

'Wat zeggen ze nog meer?' vraagt hij. 'Wat zijn ze van plan?'

'Ze zijn niets van plan. Ze zijn alleen maar bang. We zijn allemáál bang.'

'Dat is nergens voor nodig. Zolang niemand onbezonnen te werk gaat. Zolang jullie mij vertrouwen. Maar alleen mij.'

En niet Richard, bedoelt hij, al zegt hij het niet. Denkt hij echt dat Richard schuldig is aan wat er is gebeurd? Of hoort het bij zijn spel van verdeel en heers om zaadjes van achterdocht te zaaien?

Zaadjes die al wortel hebben geschoten.

Later, als ik naast Keiko in haar tent lig, denk ik aan alle avonden dat Richard laat thuiskwam. Uit eten geweest met zijn literair agent, zei hij dan. Of met redacteuren. Mijn grootste angst was altijd dat hij iets met een andere vrouw had. Nu vraag ik me af of ik te weinig verbeeldingskracht had en zijn redenen geheimzinniger en angstaanjagender waren dan doodgewone overspeligheid.

Buiten zingt het nachtkoor van de insecten, terwijl roofdieren rond het kamp sluipen en alleen vanwege het vuur niet naderbij komen. Vanwege het vuur en vanwege een eenzame man met een geweer.

Johnny wil mijn vertrouwen. Johnny zegt dat hij over ons zal waken.

Daar houd ik me aan vast tot ik in slaap val. Johnny zegt dat we dit zullen overleven, en ik geloof hem.

Tot de nieuwe dag aanbreekt en alles verandert.

Ditmaal is het Elliot die schreeuwt. Zijn angstige kreten – 'o god, o god, o god!' – rukken me uit mijn slaap en smijten me weer midden in de nachtmerrie van het leven. Keiko is niet in de tent. Ik doe geen moeite mijn broek aan te trekken, maar kruip in mijn t-shirt en slipje de tent uit. Wel schiet ik snel mijn hoge wandelschoenen aan.

Het hele kamp is wakker. De anderen staan bij Elliots tent. De blondjes klampen zich aan elkaar vast. Hun blonde haar ziet er vies en vet uit en met hun blote benen staan ze te bibberen in de koude ochtendlucht. Net zoals ik zijn ze haastig in hun ondergoed hun tent uit gekomen. Keiko draagt een pyjama en kleine Japanse sandalen. Richard is als enige aangekleed. Hij heeft Elliot bij zijn schouders gepakt om hem tot bedaren te brengen, maar Elliot blijft snikkend zijn hoofd schudden.

'Hij is weg,' zegt Richard. 'Hij is er niet meer.'

'Misschien zit hij tussen mijn kleren! Of tussen de dekens.'

'Ik zal nog een keer kijken. Oké? Maar ik heb hem niet gezien.'

'Er kunnen er zelfs méér zitten.'

'Waar hebben jullie het over?' vraag ik.

Ze draaien zich allemaal naar mij om en weer zie ik de achterdocht in hun ogen. Ik ben degene die ze niet vertrouwen, omdat ik me aan de kant van de vijand heb geschaard.

'Een slang,' zegt Sylvia. Ze klemt rillend haar armen om haar bovenlichaam. 'Op de een of andere manier is hij in Elliots tent gekomen.'

Ik kijk naar de grond, alsof ik verwacht de slang rond mijn schoenen te zien kronkelen. Ik heb geleerd hier nooit op blote voeten te lopen vanwege alle spinnen en bijtende insecten.

'Hij siste,' zegt Elliot. 'Ik schrok er wakker van. Ik deed mijn ogen open en zag hem. Hij lag opgekruld op mijn benen en ik dacht echt...' Hij wrijft met trillende vingers over zijn gezicht. 'O god, we overleven dit nooit.'

'Hou op, Elliot,' zegt Richard bars.

'Hoe kan ik hierna nog slapen? Kunnen jullie slapen nu je weet dat er van alles in je tent kan kruipen?'

'Het zal een haakneusslang zijn geweest,' zei Johnny.

Weer maakt hij me aan het schrikken door geruisloos naderbij te zijn gekomen. Ik kijk om. Hij legt wat hout op het bijna gedoofde kampvuur.

'Heb je hem gezien?' vraag ik.

'Nee, maar Elliot zei dat hij siste.' Johnny komt naar ons toe met zijn onafscheidelijke geweer. 'Was hij geel met bruin? Had hij bruine stippen en een driehoekige kop?' vraagt hij aan Elliot.

'Weet ik veel. Het was een slang! Ik heb niet aan hem gevraagd hoe hij heet.'

'Er zitten hier veel haakneusslangen. We zullen er ongetwijfeld nog meer zien.'

'Zijn ze erg giftig?' vraagt Richard.

'Als je gebeten wordt en je doet er niets aan, kan het gif fataal zijn. Maar ik kan jullie geruststellen, want zijn beet is vaak droog. Dat wil zeggen dat hij geen gif in je spuit. Deze slang was waarschijnlijk alleen maar in Elliots tent gekropen voor de warmte. Dat doen reptielen.' Hij kijkt de kring rond. 'Daarom heb ik gezegd dat je je tent altijd goed moet sluiten.'

'Mijn tent wás gesloten,' zegt Elliot.

'Hoe is hij dan binnengekomen?'

'Je weet hoe bang ik ben voor malaria. Ik trek de rits altijd helemaal dicht om ervoor te zorgen dat er geen enkele mug in de tent komt. Ik wist niet dat er wel een slang binnen kon komen!'

'Hij kan er overdag in gekropen zijn,' opper ik. 'Toen je niet in de tent was.'

'Nee, want ik hou mijn tent altijd helemaal dicht. Ook overdag.'

Zonder iets te zeggen loopt Johnny om Elliots tent heen. Zoekt hij naar de slang? Denkt hij dat die ergens onder het tentdoek verscholen zit, wachtend op een nieuwe kans om binnen te komen? Opeens bukt Johnny zich en kunnen we hem niet meer zien. De spanning is ondraaglijk.

Sylvia roept met bevende stem: 'Heb je hem gevonden?'

Johnny geeft geen antwoord, maar komt weer overeind, en als ik zie hoe zijn gezicht staat, worden mijn handen ijskoud.

'Wat is er?' vraagt Sylvia. 'Wat heb je daar gezien?'

'Kom maar kijken,' zegt hij zachtjes.

In de onderste rand van de tent zit een lange scheur, half verborgen onder het stugge gras. Nee, geen scheur, een kaarsrechte snee. We weten allemaal wat dit betekent.

Elliot kijkt ongelovig de kring rond. 'Wie heeft dat gedaan? Wie heeft er een snee in mijn tent gemaakt?'

'Ieder van jullie heeft een mes,' merkt Johnny op. 'Ieder van jullie kan het gedaan hebben.'

'Maar wij sliepen,' zegt Richard. 'Jij bent degene die de hele nacht buiten heeft gezeten om de wacht te houden, zoals jij dat noemt.'

'Zodra het licht werd, ben ik brandhout gaan halen.' Johnny bekijkt Richard van top tot teen. 'Hoelang ben jij al op en aangekleed?'

Richard draait zich naar ons om. 'Jullie snappen toch wel wat hij aan het doen is, hè? Vergeet niet wie het geweer heeft. Vergeet niet wie hier de leiding heeft, terwijl álles fout loopt.'

'Waarom míjn tent?' Elliots stem klinkt schril en hij steekt ons allemaal aan met zijn angst. 'Waarom ik?'

'De mannen,' zegt Vivian zachtjes. 'Hij maakt eerst de mannen af. Hij vermoorde Clarence. Toen Isao. En nu Elliot...'

Richard loopt op Johnny af. Meteen komt het geweer omhoog, de loop gericht op Richards borst. 'Achteruit,' beveelt Johnny.

'Zo zit het dus,' zegt Richard. 'Je gaat eerst mij doodschieten en daarna Elliot. Maar hoe zit het met de vrouwen, Johnny? Je hebt Millie misschien aan jouw kant, maar je kunt ons niet allemaal vermoorden. Niet als we samen terugvechten.'

'Jij bent het,' zegt Johnny. 'Jij bent degene die hierachter zit.'

Richard doet nog een stap naar voren. 'Nee, ik ben degene die ervoor gaat zorgen dat jij ons niets meer kunt doen.'

'Richard,' smeek ik. 'Hou op.'

'Het is tijd om partij te kiezen, Millie.'

'Er zijn geen partijen! We moeten hierover praten. We moeten redelijk blijven.'

Richard doet nog een stap. Hij daagt Johnny uit. Het is nu een kwestie van wie de sterkste zenuwen heeft. De wildernis heeft Richard zijn gevoel voor redelijkheid ontnomen. Hij laat zich leiden door zijn woede. Hij is woedend op Johnny, zijn rivaal. En op mij, de verraadster. Het is alsof de tijd vertraagt. Ik hoor en zie alle details haarscherp. Het zweet op Johnny's voorhoofd. De twijg die onder Richards schoen knapt als hij zijn lichaamsgewicht naar voren brengt. Johnny's hand, de gespannen spieren, klaar om te schieten.

Ik zie ook Keiko, kleine, frêle Keiko, die Johnny geruisloos van achteren nadert. Ik zie dat ze haar armen opheft. Ik zie de steen neerkomen op Johnny's achterhoofd.

Hij leeft nog.

Een paar minuten na de klap gaan zijn ogen open. Er zit een flinke jaap in zijn achterhoofd en hij heeft een schrikbarende hoeveelheid bloed verloren, maar hij is snel weer bij bewustzijn en zijn ogen staan helder.

'Jullie hebben het mis,' zegt hij. 'Luister alsjeblieft naar me.'

'Niemand luistert nog naar jou,' zegt Richard. Zijn schaduw glijdt over Johnny heen. Hij kijkt op hem neer. Hij is nu de man met het geweer, de man die de leiding heeft.

Kreunend probeert Johnny op te staan, maar het kost hem al moeite om te gaan zitten. 'Zonder mij redden jullie het nooit.'

Richard kijkt naar de anderen. Ze staan in een kring om Johnny heen. 'Zullen we stemmen?'

Vivian zegt: 'Ik vertrouw hem voor geen cent.'

'Maar wat moeten we dan met hem doen?' vraagt Elliot.

'Vastbinden.' Richard zegt tegen de blondjes: 'Ga een stuk touw halen.'

'Nee. Nee!' Johnny weet overeind te komen. Ofschoon hij nog wankel staat, is hij zo'n indrukwekkende figuur dat niemand iets tegen hem durft te beginnen. 'Je mag me doodschieten als je wilt, Richard, hier en nu, maar ik laat me niet vastbinden. Jullie laten mij niet hulpeloos achter. Niet hier.'

'Schiet een beetje op!' snauwt Richard tegen de blondjes, maar die verroeren zich niet. 'Elliot, bind hem vast!'

'Waag het eens,' gromt Johnny.

Elliot trekt wit weg en doet een stap achteruit.

Johnny zegt tegen Richard. 'Oké, jij hebt nu het geweer. Je hebt bewezen dat jij het alfamannetje bent. Was dat het doel van het spel?'

'Het spel?' Elliot schudt zijn hoofd. 'Het is geen spel. We proberen in leven te blijven.'

'In dat geval is het beter als jullie hém niet vertrouwen.'

Richard knijpt zijn handen om het geweer. O god, hij gaat schieten. Hij gaat een ongewapende man in koelen bloede doodschieten. Ik doe een uitval om de loop naar beneden te duwen.

Richard slaat me zo hard dat ik val. 'Wil je dat we allemaal vermoord worden, Millie?' schreeuwt hij. 'Wil je dat?'

Ik leg mijn hand op mijn kloppende wang. Hij heeft me nog nooit geslagen. Als we ergens anders waren, zou ik onmiddellijk de politie bellen, maar hier kunnen we nergens naartoe en zal niemand me te hulp komen. Als ik naar de anderen kijk, zie ik geen medeleven. De blondjes, Keiko, Elliot... Ze hebben allemaal voor Richard gekozen.

'Oké,' zegt Johnny. 'Jij hebt het geweer, Richard. Je kunt ermee doen wat je wilt. Maar als je mij wilt vermoorden, zul je me in de rug moeten schieten.' Hij draait zich om en loopt weg.

'Als je terugkomt, schiet ik je dood!' roept Richard.

Johnny antwoordt over zijn schouder: 'Ik blijf liever in de wildernis dan dat ik terugkom.'

'We gaan de wacht houden! Als je ook maar bij ons in de buurt komt...'

'Ik kijk wel uit. Ik vertrouw de dieren meer dan jou.' Johnny blijft staan en kijkt om naar mij. 'Ga met me mee, Millie. Ga alsjeblieft met me mee.'

Mijn blik gaat heen en weer tussen Richard en Johnny. De gedwongen keuze verlamt me.

'Nee, blijf bij ons,' zegt Vivian. 'Er komt vast gauw een vliegtuig naar ons zoeken.'

'Tegen de tijd dat het vliegtuig komt, zijn jullie allemaal dood,' zegt Johnny. Hij steekt zijn hand naar me uit. 'Ik zal je beschermen, ik zweer het. Er zal je niets gebeuren. Ik sméék je me te vertrouwen, Millie.'

'Wees niet dom,' zegt Elliot. 'Hij is niet te vertrouwen.'

Ik denk aan wat er allemaal is misgegaan. Clarence en Isao, opengereten en opgevreten. De landrover die het plotseling op onverklaarbare wijze niet meer deed. De slang in de opengesneden tent van Elliot. Ik herinner me dat Johnny een paar dagen geleden vertelde dat hij als kind slangen verzamelde. Wie anders dan Johnny kon weten hoe je een slang moet vangen en ermee moet omgaan? Niets van wat er is gebeurd was slechts toeval. Nee, iemand wil dat wij hier sterven, en alleen Johnny kan dat plan hebben uitgevoerd.

Hij ziet aan mijn ogen dat ik een besluit heb genomen en reageert met een blik van pijn, alsof ik hem de genadeslag heb gegeven. Een ogenblik blijft hij verslagen staan, met afhangende schouders, zijn gezicht star van verdriet. 'Ik zou alles voor jou gedaan hebben,' zegt hij zachtjes. Dan schudt hij zijn hoofd, draait zich weer om en loopt weg.

We kijken hem na tot hij tussen de bomen is verdwenen.

'Denken jullie dat hij nog terugkomt?' vraagt Vivian.

Richard klopt zachtjes op het geweer dat naast hem ligt, het geweer dat hij nu voortdurend bij zich houdt. 'Laat hij het maar wagen.'

We zitten rond het kampvuur dat Elliot heeft opgestookt tot een vuurzee. De vlammen zijn te hoog en te heet, en het is een domme verkwisting van het brandhout, maar ik begrijp wel waarom hij behoefte voelt het vuur zo hoog te doen oplaaien. Dergelijke vlammen houden de roofdieren, die van alle kanten naar ons loeren, op een afstand. We hebben nergens een ander kampvuur gezien, dus weten we niet waar Johnny is in deze pikdonkere nacht. Weet hij voldoende om in de wildernis, waar overal tanden en klauwen zitten, te overleven?

'We houden twee aan twee de wacht,' zegt Richard. 'Niemand mag hier in zijn eentje zitten. Elliot en Vivian nemen de eerste wacht. Sylvia en ik de tweede. Zo komen we de nacht wel door. Als we het zo doen en ons hoofd erbij houden, redden we het wel tot ze naar ons komen zoeken.'

Dat hij mij niet in het schema heeft opgenomen, valt akelig op.

Het is logisch dat niemand van Keiko verwacht een bijdrage te leveren; na haar onverwachte aanval op Johnny heeft ze zich weer in zichzelf teruggetrokken. Gelukkig heeft ze wel iets gegeten, een paar lepeltjes bonen uit blik en een handjevol crackers. Maar ofschoon ik gezond en fit ben en bereid ben mijn handen uit de mouwen te steken, kijken de anderen zelfs niet naar me.

'En ik?' vraag ik. 'Wat moet ik doen?'

'Wij regelen alles wel, Millie. Jij hoeft niets te doen.' Hij zegt het op een manier die geen tegenspraak duldt, zeker niet van de vrouw die eerst Johnny's kant had gekozen. Zonder iets te zeggen verlaat ik de kring en kruip in onze tent. Vannacht slaap ik weer bij Richard, omdat Keiko me niet meer in haar tent wil. Ik ben de paria, de verraadster die 's nachts een dolk in je hart zou kunnen steken.

Als Richard een uur later naast me komt liggen, ben ik nog wakker.

'Het is uit tussen ons,' zeg ik.

Hij doet geen moeite er iets tegen in te brengen. 'Ja, dat had ik al begrepen.'

'Welke van de twee wordt het? Sylvia of Vivian?'

'Maakt dat iets uit?'

'Nee. Het maakt niet uit hoe ze heet, zolang het maar een nieuwe is.'

'En jij en Johnny? Geef het gerust toe. Je stond op het punt mij te verlaten en met hem mee te gaan.'

Ik draai me naar hem toe, maar zie alleen zijn silhouet, afgetekend tegen de gloed van het vuur op het tentdoek. 'En toch ben ik gebleven.'

'Alleen omdat wij het geweer hebben.'

'En daardoor ben jij de winnaar, toch? De koning van het oerwoud?'

'Ik probeer ons in leven te houden. De anderen begrijpen dat. Waarom begrijp jij dat niet?'

Ik slaak een lange, diepe zucht. 'Ik begrijp het heus wel, Richard. Ik weet dat je denkt dat je het bij het juiste eind hebt, ook al heb je geen flauw idee wat je moet doen.'

'Millie, ongeacht onze persoonlijke problemen moeten we nu allemaal de handen ineenslaan, anders overleven we dit niet. We hebben het geweer en de voorraden en we zijn met meer. Maar ik kan niet voorspellen wat Johnny zal doen. Of hij het oerwoud in trekt en ons met rust laat, of terugkomt om ons af te maken.' Hij pauzeert. 'Per slot van rekening zijn wij getuigen.'

'Getuigen? Waarvan? We hebben hem niemand zien vermoorden. We kunnen niet bewijzen dat hij iets heeft gedaan.'

'Laat de politie dat maar uitzoeken. Als we eenmaal gered zijn.'

We blijven zwijgend liggen. Door het tentdoek hoor ik Elliot en Vivian bij het vuur zachtjes praten terwijl ze de wacht houden. Ik hoor de schrille geluiden van insecten, de lach van hyena's ergens in de verte, en ik vraag me af of Johnny nog leeft of dat zijn lichaam op dat moment al in stukken wordt gescheurd en opgevreten.

Ik voel Richards hand. Langzaam verstrengelt hij zijn vingers met de mijne. 'Straks slaan we ieder een nieuwe weg in. Dat wil niet zeggen dat de afgelopen drie jaar zijn verspild.'

'Vier jaar.'

'We zijn niet meer zoals we waren toen we elkaar leerden kennen. Zo gaat dat in het leven en we moeten dit als volwassenen accepteren. Erover nadenken hoe we onze spullen verdelen, hoe we het aan onze vrienden vertellen. Zonder er een drama van te maken.'

Het is voor hem veel makkelijker om dit allemaal te zeggen. Ik heb dan wel als eerste gezegd dat het uit is tussen ons, maar eigenlijk is hij degene die is vertrokken. Ik besef nu dat hij al heel lang bezig was mij te verlaten. In Afrika is de situatie alleen maar op de spits gedreven. Afrika heeft ons duidelijk gemaakt dat we niet bij elkaar passen.

Ik heb misschien ooit van hem gehouden, maar ik denk dat ik hem eigenlijk nooit heb gemogen. Ik mag hem nu in elk geval niet, nu hij zo nonchalant praat over hoe we alles gaan regelen. Dat ik naar een andere flat moet gaan zoeken zodra we terug zijn in Londen. Misschien kan ik een poosje bij mijn zus intrekken, tot ik iets geschikts heb gevonden? Wat de spullen betreft die we samen hebben gekocht: ik mag al het keukengerei meenemen, dan houdt hij de cd's en de elektronische apparatuur. Afgesproken? En wat een geluk dat we geen huisdieren hebben. Er is niets meer terug te vinden van de avond dat we knus op de bank zaten om de details van onze reis naar Botswana uit te werken. Ik had gedroomd over nachten onder de sterrenhemel en cocktails rond het kampvuur, niet over deze zakelijke beslissingen rond ons uiteengaan.

Ik draai me om.

'Oké, dat bespreken we allemaal nog wel. Rustig en beschaafd.'

'Juist. Rustig en beschaafd,' mompel ik.

'Nu moet ik slapen. Over vier uur ben ik aan de beurt om de wacht te houden.'

Dat zijn de laatste woorden die ik ooit nog van hem zal horen.

Ik word in het donker wakker en heel even weet ik niet in welke tent ik me bevind. Dan komt het allemaal terug, als een mokerslag, bijna als lichamelijke pijn. Dat Richard en ik officieel uit elkaar zijn. De eenzame dagen die me wachten. Het is zo donker in de tent dat ik niet kan zien of hij naast me ligt. Ik tast naar hem, maar voel hem niet. Dit is de toekomst; ik zal eraan moeten wennen in mijn eentje te slapen.

Twijgen knappen als iemand, of iets, langs de tent loopt.

Ik probeer door het tentdoek heen iets te zien, maar het is te donker. Ik zie niet eens de gloed van het kampvuur. Waarom brandt het kampvuur zo laag? Ze moeten er wat hout aan toevoegen voordat het helemaal uitgaat. Ik pak mijn schoenen. Al die praatjes over alert blijven en de wacht houden... Nu blijkt dat die sukkels ons belangrijkste afweermiddel niet eens kunnen onderhouden.

Precies op het moment dat ik de rits van de tent naar beneden trek, hoor ik een schot.

Een vrouw begint te gillen. Sylvia? Vivian? Ik weet het niet, ik hoor alleen de angst.

'Hij heeft het geweer! O god, hij heeft het...'

Blindelings tast ik naar mijn rugzak, waar een zaklantaarn in zit. Als ik mijn hand om de lus sluit, hoor ik weer een schot.

Ik kruip naar buiten, waar ik alleen schaduwen en nog diepere schaduwen zie. Er loopt iemand langs het bijna gedoofde kampvuur. *Johnny. Hij is teruggekomen om wraak te nemen.*

Weer knalt er een schot. Ik vlucht in de richting van de bomen. Ik ben bijna bij de rand van het kamp, als ik ergens over struikel en val. Ik voel warme huid, lang verward haar. En bloed. *Een van de blondjes.*

Ik spring overeind en vlucht blindelings weg. Ik hoor de belletjes rinkelen als mijn schoen de draad raakt.

De volgende kogel vliegt rakelings langs me heen.

Maar nu ben ik omhuld door de duisternis, een doelwit dat Johnny niet kan zien. Achter me hoor ik angstkreten en nog één donderend geweerschot.

Ik heb geen andere keus; ik vlucht in mijn eentje de duisternis in.

19

Boston

'Tam vindt zichzelf heel wat, maar op tijd komen, ho maar.' Crowe keek fronsend op zijn horloge. 'Hij had hier twintig minuten geleden al moeten zijn.'

'Hij heeft er vast een goede reden voor,' zei Maura. De roestvrij-stalen ontleedtafel gaf een sinistere galm toen ze het rechterdijbeen van Jane Doe in de juiste anatomische positie legde. In het koude, klinische licht van het mortuarium leken de botten kunstmatig en van plastic. Dit was alles wat overbleef als je de huid en het vlees van een jonge vrouw weghaalde: het rasterwerk van botten waarop dat vlees had gezeten. Een menselijk skelet dat naar het mortuarium wordt gebracht, is niet altijd compleet. Soms ontbreken de kleine botjes van de handen en de voeten, omdat die door dieren makke-lijk kunnen worden weggeroofd. Gelukkig had deze vrouw, gewik-keld in zeildoek, diep genoeg begraven gelegen om beschermd te zijn geweest tegen klauwen, snavels en tanden. Daarentegen hadden insecten en bacteriën zich te goed gedaan aan haar vlees en organen en het geraamte schoon en intact achtergelaten. Maura legde de botten op de tafel met de precisie van een grootmeester die zich voorbereid op een partij anatomisch schaken.

'Iedereen gaat ervan uit dat hij een pientere jongen moet zijn, vanwege zijn Aziatische afkomst,' zei Crowe, 'maar dat valt knap tegen.'

Maura was niet van plan daarop in te gaan. Ze wilde het liefst helemaal niet met Crowe praten. Hij had altijd aanmerkingen op anderen, al waren het meestal advocaten en rechters die hij op de korrel nam. Dat hij nu afgaf op een collega, vond ze echt onder de maat.

'Hij heeft iets geniepigs. Is u dat opgevallen? Hij doet van alles achter mijn rug om,' ging Crowe door. 'Gisteren zag ik dat hij een of ander document op zijn laptop had staan. Toen ik hem vroeg wat het was, klikte hij het meteen weg. Hij zei dat het iets was wat hij zelf verder wilde uitzoeken. Lekker dan.'

Maura pakte het linkerkuitbeen en het bijbehorende scheenbeen en legde ze evenwijdig neer, als spoorrails.

'Het was van VICAP en ik heb niets aangevraagd bij VICAP. Ik vraag me af wat hij voor me achterhoudt.'

Zonder op te kijken vroeg Maura: 'Het is toch niet verboden om iets op te vragen bij VICAP?'

'Zonder het aan je partner te vertellen? Ik vind dat achterbaks. Bovendien kan hij zijn tijd beter aan ónze zaak besteden.'

'Misschien heeft het met uw zaak te maken.'

'Waarom doet hij het dan zo stiekem? Om er op een geschikt moment mee voor de dag te komen en op iedereen indruk te maken? Surprise! De geniale rechercheur Tam heeft de zaak opgelost! Ik weet best dat hij mij een hak wil zetten.'

'Daar lijkt hij me anders helemaal de man niet naar.'

'Dan kent u hem niet goed genoeg.'

Maar ik ken jou wel goed genoeg, dacht Maura. Crowes gezeur was een klassiek voorbeeld van projectie. Als er iemand was die voortdurend in de schijnwerpers wilde staan, dan was het Crowe, die door zijn collega's Cop Hollywood werd genoemd. Er hoefde maar ergens een reportagewagen te verschijnen of hij stond al klaar, met zijn zongebruinde kop en zijn op maat gesneden pak. Terwijl Maura de laatste botjes op de tafel legde, pakte Crowe zijn mobieltje om nog een nijdig bericht op Tams voicemail in te spreken. Nee, dan waren de zwijgende doden heel wat prettiger om mee te werken. Het geraamte lag geduldig te wachten, terwijl Crowe driftig door de zaal ijsbeerde, dampend van woede.

'Wilt u iets over het skelet horen, rechercheur Crowe, of leest u liever later mijn rapport?' Ze hoopte op het laatste, dan zou hij haar tenminste met rust laten.

Hij stak de telefoon in zijn zak. 'Ja, goed, zeg het maar. Wat valt er te zien?'

'We boffen dat we een compleet geraamte hebben en dus nergens gissingen over hoeven te doen. De leeftijd van deze vrouw lag tussen de achttien en vijfendertig jaar. Aan de lengte van het dijbeen kan ik afleiden dat ze één meter zestig tot één meter vijfenzestig lang was. Een computerreconstructie van het gezicht kan ons later een indicatie geven van haar uiterlijk, maar als we de schedel bekijken...' Maura pakte de schedel en bestudeerde de neusopening. Daarna draaide ze de schedel ondersteboven om de boventanden te bekijken. 'Smalle neusopening, hoge neuswortel. Gladde boventanden. Dit alles komt overeen met de kenmerken van het Kaukasische ras.'

'Oké, een blanke vrouw dus.'

'Ja, met een goed gebit. De vier verstandskiezen zijn getrokken, ze heeft geen enkele vulling en haar tanden staan perfect op een rij.'

'Een rijke blanke vrouw dus. En ze komt niet uit Engeland.'

'Geloof me, in Engeland hebben ze de orthodontie inmiddels ook ontdekt.' Ze probeerde zijn ergerlijke opmerkingen te negeren en concentreerde zich op de ribbenkast. Weer ging haar blik als vanzelf naar de kerf in het zwaardvormig uitsteeksel. Ze had nagedacht over alternatieve manieren waarop die kerf in het borstbeen kon zijn gemaakt, maar een meswond bleef voor haar de enig logische optie. Als je de buik en borst van beneden naar boven opensneed, stootte het mes op het borstbeen, het schild dat diende om het hart en de longen te beschermen.

'Misschien is het een steekwond,' zei Crowe. 'Misschien had de moordenaar het op het hart gemunt.'

'Dat zou kunnen.'

'U denkt nog steeds dat ze is ontweid. Net zoals Leon Gott.'

'Ik vind dat we nog geen enkele theorie mogen uitsluiten.'

'Kunt u me al een betere schatting geven hoelang ze al dood is?'

'Geen betere, hooguit een accuratere.'

'Oké, een accuratere.'

'Toen we bij het graf stonden, heb ik al uitgelegd dat het maanden tot jaren kan duren tot een lijk volledig is geskeletteerd, afhankelijk van hoe diep het is begraven. Een schatting is per definitie niet erg nauwkeurig, maar aangezien er hier sprake is van een aanzienlijke exarticulatie...' Ze stopte en tuurde naar een van de ribben. Bij het graf was dit haar niet opgevallen en zelfs in het heldere licht van de autopsiezaal moest je goed kijken om het te zien: drie krasjes, op gelijke afstand van elkaar, aan de achterzijde van de rib. Dezelfde krasjes als op de schedel. Veroorzaakt door hetzelfde gereedschap.

De deur van de zaal ging open en rechercheur Tam kwam binnen.

'Je bent drie kwartier te laat,' snauwde Crowe. 'Je had net zo goed helemaal weg kunnen blijven.'

Tam gunde zijn collega nauwelijks een blik waardig; zijn aandacht was gericht op Maura. 'Ik heb het antwoord voor u, dr. Isles,' zei hij. Hij gaf haar een map.

'Wat moet dit voorstellen? Werk jij opeens voor de Forensische Dienst?' zei Crowe bits.

'Dr. Isles had me verzocht iets voor haar op te zoeken.'

'En je vond het niet nodig dat aan mij te vertellen.'

Maura deed de map open. Ze las de eerste pagina, sloeg hem om en las de volgende, en de volgende.

'Ik hou niet van geheimen, Tam,' zei Crowe. 'En ik vind het niet prettig als mijn partner dingen voor me achterhoudt.'

Maura vroeg aan Tam: 'Heb je dit al aan rechercheur Rizzoli laten zien?'

'Nog niet.'

'Dan moeten we haar onmiddellijk bellen.'

'Waarom halen jullie Rizzoli erbij?' vroeg Crowe.

Maura keek weer naar het skelet op de ontleedtafel. 'Omdat u en rechercheur Rizzoli van nu af samen aan deze zaak gaan werken.'

Voor een agent die nog maar vier weken bij Moordzaken zat, was Johnny Tam erg bedreven in het online zoeken op VICAP, de website van de FBI-eenheid die zich bezighoudt met de analyse van gewelddadige seriële misdaden. Met een paar snelle aanslagen logde Tam in op LEEP, de portal die toegang geeft tot databanken met informatie over meer dan honderdvijftigduizend seriële geweldplegingen in het hele land.

'Er komt veel bij kijken als je een misdaadanalyserapport wilt indienen,' zei Tam. 'Niemand heeft zin om tweehonderd vragen te beantwoorden en een heel verslag te schrijven, enkel en alleen om een bepaalde zaak aan de databank toegevoegd te krijgen. Daarom vermoed ik dat deze lijst verre van volledig is, maar de hoeveelheid zaken die ze bij VICAP hebben, is niettemin verontrustend.' Hij draaide zijn laptop om zodat de andere aanwezigen het scherm konden zien. 'Dit is het resultaat van mijn eerste zoekactie, die ik heb uitgevoerd op basis van een eerste set criteria. Deze zaken dateren allemaal van de afgelopen tien jaar. In de mappen die ik jullie heb gegeven, zit een samenvatting.'

Maura zat aan het hoofd van de tafel en keek naar Jane, Frost en Crowe toen die in de mappen met documenten bladerden die Tam had rondgedeeld. Door de gesloten deur hoorde ze op de gang mensen lachen en de lift pingelen, maar hier was alleen het geritsel van papier en wat sceptisch gemompel te horen. Het kwam niet vaak voor dat Maura deelnam aan een bespreking van de rechercheurs, maar Tam had haar speciaal verzocht vandaag als adviseur op te treden. Haar plaats was in het mortuarium, waar de doden je niet tegenspreken. Ze voelde zich slecht op haar gemak in een kamer vol rechercheurs, bij wie kritiek altijd op het puntje van de tong lag.

Crowe gooide het vel papier dat hij in zijn hand had terug op de stapel. 'Dus jij denkt dat één en dezelfde dader al deze mensen heeft vermoord? En jij gaat die dader opsporen vanachter je bureau, door bingo te spelen op VICAP?'

'De eerste lijst was alleen een uitgangspunt,' zei Tam. 'Die gaf me een initiële databank om mee te werken.'

'Deze moorden zijn gepleegd in acht verschillende staten! Drie vrouwen, acht mannen. Negen blanken, één latino, één zwarte. Leeftijden die variëren van twintig tot vierenzestig. Wat voor patroon zie jij daarin?'

'Jullie weten dat ik het niet graag eens ben met Crowe,' zei Jane, 'maar in dit geval heeft hij gelijk. Deze slachtoffers hebben te veel variabelen. Als ze door een en dezelfde dader zijn vermoord, waarom had hij dan juist hén gekozen? Voor zover ik het kan beoordelen, hebben ze niets met elkaar gemeen.'

'De overeenkomst die ons uitgangspunt vormde, was iets wat dr. Isles was opgevallen toen ze het lijk van Jane Doe zag, namelijk het oranje nylonkoord dat om haar enkels zat. Precies hetzelfde koord als bij Gott was gebruikt.'

'Daar heb ik het met dr. Isles over gehad,' zei Jane. 'Ik vond dat geen overtuigende aanwijzing.'

Het viel Maura op dat Jane niet naar haar keek. Omdat ze boos op me is? vroeg ze zich af. Omdat ze vindt dat ik niet voor rechercheur moet spelen en me bij mijn scalpel en snijtafel moet houden?

'Is dat het enige wat deze twaalf gevallen gemeen hebben? Dat de slachtoffers waren vastgebonden met nylonkoord?' vroeg Crowe.

'Bij onze twee slachtoffers is oranje nylonkoord met een diameter van vier komma zeven millimeter gebruikt,' zei Tam.

Crowe snoof. 'Dat is in elke ijzerhandel te koop. Ik geloof dat ik er zelf ook een rol van in de garage heb liggen.'

'"Nylonkoord" was niet mijn enige zoekterm,' zei Tam. 'Alle twaalf slachtoffers waren ondersteboven opgehangen. Sommigen aan een boomtak, anderen aan een plafondhaak.'

'Dat is nog steeds niet voldoende als visitekaartje van een moordenaar,' zei Crowe.

'Laat hem uitspreken, rechercheur Crowe,' zei Maura. Tot nu toe had ze gezwegen, maar nu kon ze zich niet langer inhouden. 'Misschien zal u dan duidelijk worden waar we op aansturen. Het is wel degelijk mogelijk dat er een verband bestaat tussen onze twee zaken en al die andere.'

'En u en Tam gaan samen het konijn uit de hoge hoed toveren.' Crowe pakte een handvol pagina's van de stapel en spreidde ze voor zich uit. 'Goed, laten we dan maar eens bekijken wat u hebt gevonden. Slachtoffer nummer één: een vijftigjarige blanke jurist uit Sacramento. Hij is zes jaar geleden dood aangetroffen in zijn garage. Ondersteboven opgehangen, handen en voeten gebonden, keel doorgesneden.

'Slachtoffer nummer twee: een tweeëntwintigjarige latino, vrachtwagenchauffeur van beroep, uit Phoenix, Arizona. Ondersteboven opgehangen, handen en voeten gebonden, brand- en snijwonden op zijn bovenlichaam, genitaliën verwijderd. Hmm. Gezellig. Laat ik een gokje doen: drugskartel.

Slachtoffer nummer drie: een blanke man van tweeëndertig met een strafblad, hoofdzakelijk diefstal. Ondersteboven in een boom gehangen in Maine. Zijn buik was opengesneden, zijn ingewanden waren vermoedelijk opgevreten door dieren. O wacht, in dit geval is de dader al bekend. Er is een arrestatiebevel uitgevaardigd voor zijn voormalige vriend. Deze kunnen we dus van de lijst schrappen.'

Hij keek op. 'Moet ik doorgaan, dr. Isles?'

'Het gaat niet alleen om de gebonden enkels en het nylonkoord.'

'Ja, ik weet het. We hebben ook nog die drie krasjes, die al dan niet met een mes zijn gemaakt. Dit slaat echt helemaal nergens op. Misschien is Tam bereid mee te gaan in uw ideeën, maar ik hou me liever bezig met mijn eigen werk. U hebt me trouwens nog steeds niet verteld hoe lang Jane Doe al dood is.'

'Ik heb u een schatting gegeven.'

'Ja, tussen twee en tweeëntwintig jaar. Daar heb ik wat aan.'

'Rechercheur Crowe, uw collega heeft veel tijd gestoken in deze analyse. U kunt op zijn minst luisteren naar wat hij te zeggen heeft.'

'Goed. Best.' Crowe gooide zijn pen neer. 'Ga je gang, Tam. Vertel ons wat de dode mensen op deze lijst te maken hebben met onze Jane Doe.'

'Niet alle doden op deze lijst hebben iets met onze Jane Doe te maken,' zei Tam. Ondanks de toenemende spanning bleef hij zoals altijd volkomen kalm. 'De eerste lijst was slechts een initiële lijst van gelijksoortige moorden, gebaseerd op het type nylonkoord en het feit dat de slachtoffers ondersteboven waren opgehangen. Daarna heb ik een tweede zoekactie uitgevoerd, ditmaal met de zoekterm "ontweien", omdat we weten dat Gott is ontweid en omdat dr. Isles vermoedt dat dat ook met Jane Doe is gebeurd, gezien de kerf in haar borstbeen. VICAP heeft een paar nieuwe namen opgeleverd, maar dat waren mensen die alleen waren ontweid en niet waren opgehangen.'

Jane keek Frost aan. 'Dat hoor je ook niet elke dag, dat de slachtoffers "alleen waren ontweid".'

'Toen ik de dossiers over de ontweizaken las, was er één die in het oog sprong, een zaak van vier jaar geleden. Het slachtoffer was een vijfendertigjarige vrouw, die in Nevada met vrienden op trektocht was. De groep bestond uit twee vrouwen en twee mannen, maar zij is de enige van wie iets is teruggevonden. Van de anderen ontbreekt nog steeds elk spoor. Te oordelen naar de schade die de insecten hadden aangericht, was ze drie tot vier dagen dood toen ze is gevonden. Het lijk was nog in zoverre intact dat de patholoog kon vaststellen dat al haar ingewanden uit haar lichaam waren gesneden.'

'Was er na drie tot vier dagen in de openlucht, in de wildernis, genoeg van haar over om dat te kunnen bepalen?'

'Ja, omdat ze niet op de grond was achtergelaten. Het lichaam bevond zich in een boom. Het hing over een tak. Ze was ontweid én van de grond getild. Ik vroeg me af of die combinatie de sleutel kon zijn. Dat is namelijk wat jagers doen met het wild dat ze vangen. Ophangen en ontweien. En daarmee was ik terug bij Leon Gott en zijn relatie met jagen en jagers. Dus ben ik via VICAP opnieuw gaan zoeken. Ditmaal heb ik gezocht naar onopgeloste moorden die in de vrije natuur waren gepleegd. In het bijzonder naar slachtoffers met kerfwonden op het borstbeen of andere kenmerken die kunnen worden toegeschreven aan het proces van het ontweien. En toen stuitte ik op iets interessants. Weer ging het om een groep vermiste personen, net zoals de vier backpackers in Nevada. Drie jaar geleden verdwenen er in Montana drie elandjagers. Drie mannen. Een van hen is later gevonden. Zijn lichaam was half vergaan. Het hing in een boom, ingeklemd tussen de takken. Een paar maanden later is het kaakbeen – maar verder niets – van een van de andere twee mannen gevonden, niet ver van het hol van een poema. Aangevallen door een beer of een poema, was de theorie van de forensisch patholoog, maar omdat een beer zijn prooi niet een boom in sleept, kwam hij uiteindelijk tot de conclusie dat het een poema moet zijn geweest. Al weet ik niet zeker of poema's inderdaad hun buit een boom in slepen.'

'Je zei dat die drie mannen jagers waren. Dan waren ze dus gewapend,' zei Frost. 'Hoe kan één mens of dier drie gewapende mannen vermoorden?'

'Goede vraag. Een van de geweren is nooit teruggevonden. De andere twee geweren lagen in de tenten van de mannen. De slachtoffers moeten zijn verrast.'

Tot nu toe had Jane er sceptisch bij gezeten. Nu leunde ze naar voren, haar blik gericht op Tam. 'Vertel eens iets meer over die vrouw in Nevada. Wat zei de patholoog over de manier waarop ze was gestorven?'

'Ook hier kwam de mogelijkheid ter sprake dat het om een poema ging, maar het was een groep van víér backpackers, onder wie twee mannen. Er kon geen conclusie worden getrokken over de manier waarop ze was gestorven.'

'Kan een poema in zijn eentje vier volwassenen doden?'

'Dat weet ik niet,' zei Tam. 'Dat moeten we aan een deskundige vragen. Maar al zou een poema de vier kampeerders hebben gedood, dan nog is er één detail dat de patholoog dwarszat. En dat was de reden waarom deze vrouw aan de databank van VICAP is toegevoegd.'

'Een kerf in het borstbeen?'

'Ja. En drie patroonhulzen. Die lagen vlak bij de tent. De kampeerders waren niet gewapend, maar iemand anders blijkbaar wel.' Tam keek de drie rechercheurs een voor een aan. 'Ik was begonnen met het nylonkoord en kwam terecht bij een heel ander lijstje van overeenkomsten. Dat de slachtoffers zijn ontweid. Dat de slachtoffers van de grond zijn getild. En dat ze zich op een jachtterrein bevonden.'

'En die inbreker in Maine, die met opengesneden buik in een boom hing?' vroeg Frost. 'Je zei dat er iemand verdacht werd van die moord.'

Tam knikte. 'Ja, Nick Thibodeau, een vriend van het slachtoffer. Blank, één meter vijfentachtig, negentig kilo. Hij had al een paar keer gezeten voor inbraak, diefstal en mishandeling.'

'Een crimineel met een gewelddadige inslag, dus.'

'En dat niet alleen. Thibodeau is een fervent hertenjager.' Tam draaide zijn laptop weer om. Ze zagen een foto van een jonge man met stekeltjeshaar en een ondoorgrondelijke blik. Hij stond naast zijn buit, een gedeeltelijk gevild hert dat ondersteboven aan een boomtak hing. Ondanks de dikke jagerskleding kon je zien dat Nick Thibodeau een forse, gespierde vent was met een dikke nek en vlezige handen.

'Deze foto is van zes jaar geleden, dus moet je je hem iets ouder voorstellen,' zei Tam. 'Hij is opgegroeid in Maine, kent de bossen daar en kan goed met vuurwapens omgaan. Naar deze foto te oordelen weet hij ook hoe je een hert moet ontweien.'

'En misschien ander groot wild,' zei Maura. 'Dat is de gemene deler: de jacht. Misschien begon het jagen op herten Thibodeau te vervelen. Misschien bleek het doden van mensen zo opwindend te zijn dat hij besloot deze uitdaging aan te gaan. Denk aan de tijdlijn van de moorden. Thibodeaus vriend is vijf jaar geleden vermoord, opgehangen en ontweid. Thibodeau dook daarna onder. Een jaar later zijn de vier ongewapende backpackers in Nevada aangevallen. Weer een jaar later de drie gewapende jagers in Montana. Deze moordenaar legt de lat elke keer iets hoger om de uitdaging zo spannend mogelijk te houden. En misschien ook de risico's.'

'Leon Gott moet een erg uitdagend doelwit zijn geweest,' zei Frost instemmend. 'Hij had een huis vol wapens en was een bekende figuur onder jagers. De moordenaar moet hem op zijn minst van naam hebben gekend.'

'Maar waarom zou die jager Jane Doe hebben vermoord?' vroeg Crowe. 'Waarom een willekeurige vrouw? Dat kan hij niet erg opwindend hebben gevonden.'

'Misschien omdat wij zwakke, hulpeloze wezentjes zijn?' vroeg Jane smalend. 'Misschien jaagde zij ook, weet jij veel.'

'Vergeet Jodi Underwood niet. Zij was een vrouw,' zei Frost. 'En de moord op haar lijkt in verband te staan met die op Gott.'

'Ik denk dat we ons moeten richten op Jane Doe,' zei Tam. 'Als zij meer dan zes jaar geleden is vermoord, zou ze een van de allereerste slachtoffers kunnen zijn. Haar identificeren zou de sleutel kunnen zijn voor het oplossen van deze zaak.'

Jane deed de map dicht en keek Tam aan. 'Jij en Maura lijken een hecht team te zijn geworden. Hoe komt dat zo?'

'Dr. Isles had me verzocht in VICAP naar overeenkomstige zaken te zoeken,' zei Tam. 'Van het een kwam het ander.'

Jane keek nu naar Maura. 'Je had dat ook aan mij kunnen vragen.'

'Ja,' gaf Maura toe, 'maar ik werkte puur op instinct en wilde jouw kostbare tijd niet opeisen.' Ze stond op. 'Hartelijk dank, rechercheur Tam. U hebt zeer grondig werk geleverd, waar ik niets meer aan kan toevoegen. Nu ga ik maar weer eens terug naar het mortuarium.' Waar ik thuishoor, tussen de gehoorzame doden, dacht ze.

Toen ze in de lift stapte, glipte Jane mee naar binnen.

'Voor de dag ermee,' zei ze toen de deur dichtgleed en ontsnappen onmogelijk was. 'Waarom Tam?'

Maura keek naar de verspringende etagelichtjes. 'Hij was bereid me te helpen.'

'En ik niet?'

'Jij was het niet met me eens dat er overeenkomsten bestonden.'

'Heb jij mij ooit specifiek verzocht iets voor je op te zoeken in een databank?'

'Tam moest sowieso een rapport indienen bij vicap, Jane. Hij is nieuw op Moordzaken en wil zich graag bewijzen. Hij stond open voor mijn theorie.'

'En ik ben een afgestompte cynicus.'

'Jij bent sceptisch. Ik zou jou hebben moeten overreden, en dat was me te veel moeite.'

'Te veel moeite? Onder vriendinnen?'

'Zelfs onder vriendinnen.' Maura stapte uit de lift.

Jane gaf het niet zo snel op. Ze liep met Maura mee naar de parkeergarage. 'Je bent nog steeds kwaad omdat ik het niet met je eens was.'

'Welnee.'

'Jawel, anders zou je het aan mij hebben gevraagd en niet aan Tam.'

'Jij wilde de overeenkomsten tussen Gott en Jane Doe niet zien, maar die zijn er wel degelijk. Ik voel het.'

'Jij voelt het? Sinds wanneer ga jij af op gevoelens in plaats van bewijzen?'

'Jij hebt het zelf altijd over intuïtie.'

'Maar jij niet. Jij hebt het altijd over feiten en logica. Ben je zo veranderd?'

Maura bleef staan bij haar auto, maar deed het portier nog niet open. Ze staarde naar haar spiegelbeeld in het raam. 'Ik heb nog een brief van haar ontvangen,' zei ze. 'Van mijn moeder.'

Daarop volgde een lange stilte. 'En die heb je zeker ook niet meteen weggegooid?'

'Ik kon het niet, Jane. Er zijn dingen die ik wil weten voordat ze sterft. Waarom ze mij heeft weggedaan. Wie ik eigenlijk ben.'

'Je weet wie je bent en dat heeft niets met haar te maken.'

'Hoe weet je dat?' Ze deed een stap naar Jane toe. 'Misschien zie jij alleen wat ik je laat zien. Misschien hou ik de waarheid verborgen.'

'Welke waarheid? Dat je een of ander monster bent, net zoals zij?' Maura deed nog een stap naar voren, waardoor ze bijna neus aan neus kwamen te staan, maar Jane lachte erom. 'Jij bent de minst angstaanjagende persoon die ik ken. Afgezien van Frost. Amalthea is krankzinnig, maar jij hebt daar niets van geërfd.'

'Ik heb iets anders van haar geërfd. Wij zien het kwaad. Waar iedereen alleen de zonneschijn ziet, zien wij wat zich in de schaduw ophoudt. Het kind met de blauwe plekken, de vrouw die haar mond niet durft open te doen. Het huis waar de gordijnen altijd dicht zijn. Amalthea noemt het een gave als je het kwaad weet te herkennen.' Maura haalde een envelop uit haar tas en gaf hem aan Jane.

'Wat is dit?'

'Krantenknipsels. Ze bewaart elk artikel waarin mijn naam wordt genoemd en volgt alle zaken waar ik aan werk.'

'Ook die over Gott en Jane Doe.'

'Uiteraard.'

'Nu snap ik het. Amalthea Lank zegt tegen jou dat er een link is en jij gelooft haar.' Jane schudde haar hoofd. 'Heb ik je daar niet voor gewaarschuwd? Ze manipuleert je.'

'Zij ziet dingen die niemand anders ziet. Ze legt de vinger op aanwijzingen die verloren dreigen te gaan onder de grote hoeveelheid gegevens.'

'Hoe? Ze heeft geen toegang tot de gegevens.'

'Zelfs in de gevangenis hoort ze van alles. Mensen vertellen haar dingen, schrijven haar, sturen haar knipsels. Ze ziet hoe dingen met elkaar in verband staan, en in dit geval had ze gelijk.'

'Tjee, als ze niet levenslang had gekregen voor al die moorden, had ze een goede misdaadanalist kunnen zijn.'

'Wie weet. Ze is per slot van rekening mijn moeder.'

Jane hief beide handen op in een gebaar van overgave. 'Oké. Als jij haar die macht wilt geven, kan ik je niet tegenhouden, maar je hebt het mis.'

'En jij zult nooit nalaten me daarop te wijzen.'

'Wie zou dat anders moeten doen? Daar zijn vriendinnen voor, Maura. Een vriendin houdt je tegen voordat je weer een misstap begaat.'

Weer. Maura had daarop geen weerwoord en staarde haar zwijgend aan, gekwetst omdat het waar was. *Weer.* Ze dacht aan alle keren dat Jane had geprobeerd haar ervan te weerhouden de fout te maken waar ze na al die maanden nog steeds onder gebukt ging. Toen zij en pastoor Daniel Brophy in steeds kleiner wordende cirkels om elkaar heen hadden gedraaid en hopeloos verstrikt waren geraakt in een liefde die hen nooit gelukkig kon maken, was Janes stem die van de rede geweest, die haar had gewaarschuwd voor het verdriet dat haar wachtte. Een stem waar Maura niet naar had willen luisteren.

'Alsjeblieft,' zei Jane zacht. 'Ik wil gewoon niet dat je weer verdriet krijgt.' Ze legde haar hand dwingend op Maura's arm, zoals alleen een vriendin kon doen. 'Je bent in ieder ander opzicht zo verstandig.'

'Maar ik heb geen mensenkennis.'

Jane lachte. 'En mensen zijn het probleem.'

'Misschien moet ik me beperken tot katten,' zei Maura toen ze het portier opendeed en instapte. 'Met katten weet je tenminste waar je aan toe bent.'

20

Kreeft, elanden en wilde bosbessen. Daar denk je aan als je aan Maine denkt. Jane niet. Nu tenminste niet. Ze dacht nu aan donkere bossen, zompige moerassen en de honderden duistere plekken waar je spoorloos kon verdwijnen. Ze dacht aan de laatste keer dat zij en Frost deze rit naar het noorden hadden gemaakt, amper vijf maanden geleden, op een avond die was geëindigd in een nevel van bloed. Voor Jane was Maine geen aantrekkelijk wandelgebied; het was een deelstaat waar afgrijselijke dingen konden gebeuren.

Vijf jaar geleden was daar iets afgrijselijks gebeurd met een onbeduidende delinquent genaamd Brandon Tyrone.

Vandaag reed Frost. Op Coastal Route 1 ging de regen over in hagel. De verwarming stond aan, maar Jane had evengoed ijskoude voeten en kreeg steeds meer spijt dat ze die ochtend niet zo verstandig was geweest laarzen aan te trekken in plaats van flatjes, maar ze kon zich er doodgewoon nog steeds niet bij neerleggen dat de zomer echt voorbij was, al hoefde je hier maar naar de kale bomen en de loodgrijze lucht te kijken om te weten dat het seizoen van de donkere dagen definitief was aangebroken. Hier was het net alsof ze de winter tegemoet reden.

Frost minderde vaart toen ze twee jagers in feloranje jacks zagen, die een hert in een geparkeerde pick-up hesen. Bedroefd schudde hij zijn hoofd. 'Bambi's moeder.'

'November is het jachtseizoen.'

'Ja, en omdat iedereen hier overal op schiet, vraag ik me af of het wel verstandig is de staatsgrens over te steken. Pang! Weer een wegpiraat minder!'

'Heb jij ooit gejaagd?'

'Nee, nooit behoefte aan gehad.'

'Vanwege Bambi's moeder?'

'Ik ben niet tegen het jagen op zich. Ik zie er alleen de lol niet van in om met een geweer over je schouder in de kou en de nattigheid door een bos te sjouwen. En om...' Hij rilde.

'Je prooi zelf te moeten villen?' vulde ze lachend aan. 'Nee, dat zie ik jou niet doen.'

'Zou jij dat dan wel kunnen?'

'Als het moet. Als je vlees wilt eten, moeten er dieren gedood worden.'

'Als je vlees wilt eten, koop je het in de supermarkt, netjes verpakt in plastic. Zonder dat je je met ingewanden hoeft te bemoeien.'

IJskoude druppels vielen van de kale takken op de auto. Boven de horizon hingen donkere wolken. Het was geen dag voor een tochtje door de natuur en het verbaasde hun dan ook niet dat het parkeerterrein aan het begin van het wandelpad er volkomen verlaten bij lag toen ze daar twee uur later eindelijk aankwamen. Ze stopten en keken om zich heen naar het donkere bos en de met natte bladeren bezaaide picknicktafels.

'Oké, we zijn er. Waar is hij?' zei ze.

'We zijn tien minuten te vroeg.' Frost haalde zijn mobieltje uit zijn zak. 'Geen bereik. We kunnen hem dus niet bellen.'

Jane deed haar portier open. 'Ik ga heel even het bos in.'

'Zou je dat nou wel doen? In het jachtseizoen?'

Ze wees naar een bordje dat tegen een boom was gespijkerd. VERBODEN TE JAGEN. 'Het staat ook op de kaart aangegeven. Er kan me hier niks gebeuren.'

'Ik vind toch dat we beter in de auto kunnen wachten.'

'Ik kan niet wachten. Ik moet nodig.' Ze stapte uit en liep naar het bos. De wind blies dwars door haar dunne broek en haar blaas deed pijn van de kou. Ze liep een eindje het bos in, maar omdat november de bomen van hun gebladerte had beroofd, kon ze elke keer dat ze omkeek de auto tussen de bomen door nog steeds zien. Het was zo stil dat het knappen van elke twijg klonk als een schrikbarende explosie. Ze liep door tot ze een groepje jonge sparren zag, dook erachter weg, liet haar broek zakken en hurkte, vurig hopend dat er niemand was die haar hier in haar blote billen zag zitten.

Een schot echode door de stilte.

Voordat ze overeind kon komen, hoorde ze Frost al paniekerig haar naam roepen, gevolgd door geluiden van iemand die over het bed van dorre bladeren haar richting uit kwam. Opeens stond Frost voor haar neus, en hij was niet alleen; achter hem stond een grote man die geamuseerd toekeek terwijl ze haastig haar broek ophees.

'We hoorden een schot,' zei Frost, rood aangelopen. Hij wendde zich snel af. 'Sorry, het was niet mijn bedoeling...'

'Ja, ja, laat maar,' snauwde ze. Ze trok de rits van haar broek dicht. 'Wie heeft er geschoten? Er staan borden dat jagen hier verboden is.'

'Dat schot kan in het dal zijn gelost,' zei de onbekende man. 'Maar waarom lopen jullie zonder oranje kleding in het bos?' Hij droeg zelf een lichtgevende oranje hes over zijn parka. 'Rizzoli, neem ik aan?' Met een blik op de plek waar ze had geplast besloot hij haar niet zijn hand toe te steken.

'Dit is rechercheur Barber van de State Police van Maine,' zei Frost.

Barber knikte kort. 'Ik was erg verbaasd over uw telefoontje. Ik had nooit gedacht dat Nick Thibodeau uiteindelijk in Boston terecht zou komen.'

'We hebben niet gezegd dat hij daar is,' zei Jane. 'We hebben gezegd dat we meer informatie over hem willen. Wat voor iemand hij is en of hij de man kan zijn die wij zoeken.'

'En u wilt de plek zien waar we vijf jaar geleden het lijk van Tyrone hebben gevonden. Dat kan.'

Hij ging voorop. Met resolute stappen liep hij dwars door het bos. Al na een paar meter bleef Janes broek aan een stekelige tak van een bosbessenstruik hangen en moest ze stoppen om hem los te maken. Toen ze weer opkeek, zag ze Barbers lichtgevende oranje hes al een heel eind verder tussen de bomen bewegen.

Weer klonk er een schot. En ik ben in het zwart en bruin, dacht ze, de kleuren van de beer. Ze haastte zich achter Barber aan om weer dicht bij dat veilige oranje te zijn. Ze had hem en Frost net ingehaald, toen Barber een goed onderhouden wandelpad insloeg.

'Tyrone is indertijd gevonden door kampeerders uit Virginia,' zei hij, zonder te controleren of ze hem konden bijhouden. 'Ze hadden een hond bij zich. Die voerde hen regelrecht naar het lijk.'

'Ja, in de wildernis zijn het altijd de honden die dergelijke dingen ontdekken,' zei Frost, alsof hij opeens alles wist over lijken in de wildernis.

'Het was aan het eind van de zomer, dus het lijk werd aan het oog onttrokken door het dichte gebladerte. Misschien hadden die mensen het wel geroken als de wind hun kant op had gestaan. Nu is de geur van verrotting in een bos natuurlijk niet ongebruikelijk. Je weet dat je altijd op een dood dier kunt stuiten, maar je verwacht niet het opengesneden lichaam van een man ondersteboven in een boom te zien hangen.' Hij wees. 'We zijn er bijna.'

'Hoe weet u dat zo zeker?' vroeg Jane. 'Voor mij zien alle bomen er hetzelfde uit.'

Hij wees naar een bordje VERBODEN TE JAGEN dat aan de rand van het pad stond. 'Het is vlak na dit bord.'

'Denkt u dat het betekenis heeft dat juist deze plek is gekozen? Denkt u dat dit bordje een boodschap moet overbrengen?'

'Natuurlijk. Het maakt een lange neus naar de autoriteiten.'

'Of misschien ís dit de boodschap: dat jagen verboden moet worden. Een van de slachtoffers in Boston was jager en we vragen ons af of de dader de moord heeft gepleegd als protest.'

Barber schudde zijn hoofd. 'In dat geval verdenkt u de verkeerde persoon. Nick Thibodeau was geen voorvechter van dierenrechten. Hij was gek op jagen.' Hij verliet het pad en liep het bos in. 'Ik zal u laten zien welke boom het was.'

Het leek wel alsof het bij elke stap kouder werd. Janes schoenen waren nu helemaal doorweekt en de kou drong dwars door het leer heen. De laag dode bladeren kwam tot haar kuiten en verborg modderige kuilen en blootliggende boomwortels. Voor de moordenaar moest het op die warme dag in augustus vijf jaar geleden een veel prettiger wandeling zijn geweest, al had hij misschien een zwerm hinderlijke muggen doen opvliegen toen hij tussen deze bomen door liep. Leefde het slachtoffer toen nog? Liep hij gewillig met hem mee, niet wetend wat zijn metgezel van plan was? Of was Brandon Tyrone al dood en had zijn moordenaar hem als een geschoten hert op zijn schouders gedragen?

'Dit is de boom,' zei Barber. 'Het lijk hing aan díé tak.'

Jane bekeek de boom. Hier en daar hingen nog een paar bruine bladeren. Ze zag niets waarin deze eikenboom zich onderscheidde van de andere, geen enkel aandenken aan wat er vijf jaar geleden aan die tak had gehangen. Het was een boom die geen geheimen prijsgaf.

'De forensisch patholoog zei dat Tyrone ongeveer twee dagen dood was toen hij werd gevonden,' zei Barber. 'Omdat hij aan die tak hing, konden alleen vogels en insecten bij hem komen, dus was hij nog redelijk intact.' Hij pauzeerde even. 'Op de inwendige organen na, die altijd het eerst worden opgevreten.' Hij staarde naar de tak alsof hij Brandon Tyrone daar nog zag hangen, in de schaduw van het zomerse bladerdak. 'We hebben zijn portefeuille en kleren nooit gevonden. Die zal de moordenaar ergens hebben weggegooid om de identificatie te bemoeilijken.'

'Of hij heeft ze meegenomen als trofee,' zei Jane. 'Zoals jagers dierenpelsen bewaren als souvenir aan de opwinding van de jacht.'

'Nee, ik denk niet dat er iets ritueels achter zat. Nick was erg praktisch ingesteld.'

Jane keek naar Barber. 'Dat klinkt alsof u de verdachte kent.'

'Dat is ook zo. We zijn in dezelfde stad opgegroeid. Ik ken hem en zijn broer Eddie vrij goed.'

'Hoe goed?'

'Zo goed dat ik weet dat ze nooit gedeugd hebben. Toen Nick twaalf was, pikte hij kleingeld uit de jaszakken van zijn klasgenoten. Op zijn veertiende brak hij auto's open. Op zijn zestiende roofde hij huizen leeg. En Brandon Tyrone was geen haar beter. Nick en Tyrone trokken vaak de bossen in om de tenten en auto's van kampeerders leeg te roven. Toen Tyrone was vermoord, hebben we in zijn garage een tas vol gestolen spullen gevonden. Misschien hadden ze daar ruzie om gekregen. Het waren waardevolle dingen. Fototoestellen, een zilveren aansteker, een portefeuille vol creditcards. Ik denk dat ze ruzie hebben gekregen over de verdeling van de buit en dat Tyrone heeft verloren. Hij was een krenterige hufter. Misschien was het zijn eigen schuld.'

'Enig idee waar Nick Thibodeau nu kan zijn?'

'Ik ben er altijd van uitgegaan dat hij naar het westen was getrokken. Naar Californië of zo. Ik had nooit gedacht dat hij terug zou komen naar Boston, maar misschien miste hij zijn broer.'

'Waar woont zijn broer?'

'Een paar kilometer hiervandaan. We hebben hem indertijd het vuur na aan de schenen gelegd, maar tot op de dag van vandaag weigert hij ons te vertellen waar Nick is.'

'Weigert hij dat of weet hij het niet?'

'Hij zegt dat hij het niet weet. Maar voor de gebroeders Thibodeau is het altijd "wij tegen de rest van de wereld" geweest. Vergeet niet dat Maine het noordelijkste deel van Appalachen is en dat voor dit soort families trouw boven alles gaat. Je helpt je broer altijd, ongeacht wat hij heeft gedaan. Volgens mij is dat precies wat Eddie heeft gedaan. Hij heeft Nick geholpen weg te komen en onder te duiken.'

'Vijf jaar lang?'

'Met hulp van je broer is dat niet zo moeilijk. Daarom blijf ik Eddie in de gaten houden. Ik weet wat hij doet, met wie hij telefoneert. Hij is dat uiteraard spuugzat, maar weet dat ik hem niet met rust zal laten. Dat ik hem altijd in de gaten zal houden.'

'We willen hem spreken,' zei Jane.

'U zult de waarheid niet van hem loskrijgen.'

'We willen het evengoed proberen.'

Barber keek op zijn horloge. 'Oké. Ik heb een uur de tijd. We kunnen wel even naar zijn huis gaan.'

Jane en Frost keken elkaar aan. Frost zei: 'Misschien is het beter als alleen wij tweeën met hem gaan praten.'

'Wilt u mij er niet bij hebben?'

'Hij koestert een wrok tegen u,' zei Jane. 'Als u meegaat, zal hij zijn mond niet opendoen.'

'Ah, ik snap het. Ik ben de kwaaie politieman en jullie willen de goeie zijn. Ja, logisch.' Hij keek naar het wapen aan Janes riem. 'Ik zie dat u allebei gewapend bent. Dat is gunstig.'

'Waarom? Is Eddie een probleem?' vroeg Frost.

'Zijn gedrag is onvoorspelbaar. Onthou wat Nick met Tyrone heeft gedaan en blijf alert. Die broers zijn tot alles in staat.'

Een ontweide eland met een prachtig vertakt gewei hing ondersteboven in Eddie Thibodeaus garage. Met het rondslingerende gereedschap, de reservebanden, de vuilnisbakken en de vishengels zou het een doodgewone garage in een willekeurige stadswijk zijn geweest als dat ontweide dier niet aan die grote haak aan het plafond had gehangen, bloed druipend op de betonnen vloer.

'Ik zou niet weten wat ik u nog meer over mijn broer kan vertellen. Ik heb de politie al honderd keer verteld wat ik weet.' Eddie zette een mes op een van de achterpoten van het dier, maakte een snee rond de enkel en sneed toen de huid open van enkel tot kruis. Met de geroutineerdheid van een man die al talloze herten heeft gevild, greep hij de pels met beide handen vast en stroopte hem, grommend van de inspanning, van de poot. Paarse spieren en pezen werden zichtbaar, gehuld in zilverachtig slijm. Het was koud in de open garage en Eddie ademde witte wolkjes uit toen hij even stopte om op adem te komen. Net zoals zijn broer Nick had hij brede schouders en donkere ogen met een ondoorgrondelijke blik, en in zijn met bloed besmeurde overall en zijn wollen muts, met baardstoppels die op zijn achtendertigste al gedeeltelijk grijs waren, was hij een onverzorgde versie van zijn broer.

'Toen ze Tyrone hadden gevonden, kwam de State Police om de haverklap langs, steeds met dezelfde vragen. Waar zou Nick ondergedoken kunnen zitten? Bij wie kon hij onderdak gevonden hebben? Ik heb geprobeerd hun duidelijk te maken dat ze het bij het verkeerde eind hadden. Dat Nick ook iets moest zijn overkomen, want als hij was gevlucht, had hij nooit zijn overlevingstas achtergelaten.'

'Zijn wat?'

'Ga me niet vertellen dat jullie niet weten wat een overlevingstas is.' Eddie keek hen verwijtend aan vanachter de gespreide poten van de eland.

'Wat is het dan?'

'Een rugzak met alles wat je nodig hebt om in noodgevallen in leven te kunnen blijven. Als er een ramp gebeurt, zoals een vuile bom of een terroristische aanslag, dan zijn de mensen in de grote steden de klos. Geen elektriciteit, iedereen in paniek. Vandaar dat je een bug-outbag moet hebben.' Eddie begon de pels verder af te stropen. De stank van het bloederige elandenvlees, die rauwe, typerende wildgeur, dwong Frost met een benauwd gezicht een stap achteruit te doen.

Eddie keek geamuseerd. 'Geen liefhebber van wild?'

Frost keek naar het glanzende vlees met de strepen vet. 'Ik heb het weleens gegeten.'

'Maar u vond het niet lekker?'

'Niet zo.'

'Dan was het niet op de juiste manier bereid. Of niet op de juiste manier gedood. Om mals vlees te krijgen moet het dier snel sterven. Eén kogel, geen doodsstrijd. Als je het dier verwondt en je moet het najagen, smaakt het vlees naar angst.'

Frost keek naar de blootliggende spieren die de eland tot voor kort in staat hadden gesteld door velden en bossen te rennen. 'En hoe smaakt angst?'

'Als geblakerd vlees. Als het dier in paniek is, stromen er allerlei hormonen door hem heen en dan proef je later zijn doodsstrijd. Het bederft de smaak.' Hij sneed een homp vlees van de lende en gooide die in een roestvrijstalen emmer. 'Deze eland is op de juiste manier gedood. Hij heeft er niks van gevoeld. Hier kun je een goede stoofpot van maken.'

'Gingen u en uw broer weleens samen jagen?' vroeg Jane.

'Nick en ik hebben ons hele leven samen gejaagd.' Hij sneed nog een stuk af. 'Ik mis het.'

'Was hij er goed in?'

'Beter dan ik. Heel vaste hand, nam altijd de tijd.'

'Hij zou zich dus goed kunnen redden, hier in de bossen.'

Eddie keek haar kil aan. 'Het is vijf jaar geleden. U denkt toch niet dat hij al die tijd in de bossen heeft gewoond, als een wilde?'

'Waar denkt ú dat hij is?'

Eddie gooide zijn mes in een bak. Roze water klotste over de rand. 'U zoekt naar de verkeerde persoon.'

'Naar wie moeten we dan zoeken?'

'Niet naar Nick. Hij is geen moordenaar.'

Ze keek naar de dode eland, waarvan de linkerpoot nu tot op het bot van huid en vlees was ontdaan. 'Toen ze Nicks vriend Tyrone vonden, hing hij ondersteboven aan een boomtak, zonder ingewanden, precies zoals deze eland.'

'Nou en?'

'Nick was een jager.'

'Dat ben ik ook, en toch heb ik niemand vermoord. Ik jaag zodat mijn gezin te eten heeft, iets waar stadsmensen zo ver van afstaan dat ze waarschijnlijk niet eens weten hoe je een fileermes moet gebruiken.' Hij haalde het schoongespoelde mes uit de emmer en bood het Jane aan. 'Wilt u het proberen? Kom op, pak aan. Snij een stuk vlees af en voel hoe het is om je eigen avondeten te oogsten. Of krijgt u liever geen bloed aan uw handen?'

Jane zag de minachting in zijn ogen. Een vrouw uit de stad maakte haar handen niet vuil. Het waren mannen als de gebroeders Thibodeau die op jacht gingen en dieren slachtten zodat zíj een biefstuk op haar bord kon krijgen. Als zij minachting voor zijn soort koesterde, was dat omgekeerd ook het geval.

Ze pakte het mes van hem aan, liep naar de eland en maakte een diepe snee, tot op het bot. Toen ze in het vlees sneed, rook ze alles wat de eland was geweest: vers gras, eikels, mos. En bloed, heet bloed, met de geur van koper. Het vlees kwam los van het bot, een dikke, paarse plak, die ze in de emmer gooide. Zonder naar Eddie te kijken zette ze het mes weer in het dier.

'Als Tyrone niet door zijn vriend Nick is vermoord,' zei ze terwijl haar mes door het vlees gleed, 'door wie dan wel?'

'Dat weet ik niet.'

'Nick heeft een strafblad.'

'Hij was geen lieverdje. Hij ging weleens met mensen op de vuist.'

'Ook met Tyrone?'

'Eén keer.'

'Voor zover u weet.'

Eddie pakte een ander mes en stak het diep in het kadaver om de biefstuk van de haas uit te snijden. Zijn mes bevond zich op nog geen armslengte van haar, maar ze bleef rustig stukken van de lende snijden.

'Tyrone was ook geen lieverdje en ze hielden allebei van een glaasje.' Eddie ving het glibberige stuk vlees op en legde het in de emmer. Hij roerde met zijn mes in de bak met ijswater. 'Als je af en toe je zelfbeheersing verliest, ben je nog geen monster.'

'Misschien heeft Nick niet alleen zijn zelfbeheersing verloren. Misschien is een ruzie uitgelopen op meer dan een vuistgevecht.'

Eddie keek haar aan. 'Waarom zou hij het lijk in een boom hangen, in de openlucht, waar het makkelijk gevonden zou worden? Nick was niet achterlijk. Hij wist hoe je je sporen moet wissen. Als hij Tyrone had vermoord, had hij hem diep in het bos begraven. Of hem voor de aasdieren achtergelaten. Wat de moordenaar met Tyrone heeft gedaan, is iets heel anders, iets ziekelijks. En zo was mijn broer niet.' Hij liep naar een werkbank om zijn mes te scherpen. De voortzetting van het gesprek werd bemoeilijkt toen het hoge gejank van de slijpmachine door de ruimte snerpte. In de stalen emmer lag al minstens tien kilo vlees, en er zat nog zeker net zoveel aan het karkas. Voor de open garage hing een ijskoud gordijn van motregen. Aan de eenzame landweg stonden weinig huizen en Jane had het afgelopen halfuur geen enkele auto zien langskomen. Zij en Frost stonden midden in de rimboe te kijken naar een nijdige man die een mes sleep.

'Ging uw broer vaak naar Boston?' riep ze boven het gesnerp uit.

'Soms. Niet vaak.'

'Heeft hij het ooit over ene Leon Gott gehad?'

Eddie schakelde de slijpmachine uit en keek haar aan. 'Gaat het daarom? Om de moord op Randy Gott?'

'Kende u hem?'

'Niet persoonlijk, maar wel van naam, zoals de meeste jagers. Hij was voor mij te duur, maar als je je buit wilde laten opzetten, moest je bij Gott zijn.' Eddie zweeg even. 'Bent u daarom helemaal hierheen gekomen met vragen over Nick? Denkt u dat híj Gott heeft vermoord?'

'Ik vraag alleen of ze elkaar kenden.'

'We hadden Gotts artikelen in *Trophy Hunter* gelezen. En we zijn in Cabela geweest om het groot wild te bekijken dat hij had opgezet. Maar voor zover ik weet heeft Nick hem nooit ontmoet.'

'Is Nick ooit in Montana geweest?'

'Jaren geleden. We zijn samen een keer naar Yellowstone gegaan.'

'Wanneer precies?'

'Maakt dat iets uit?'

'Ja.'

Eddie legde het geslepen mes neer en vroeg op ingehouden toon: 'Waarom vraagt u naar Montana?'

'Er zijn nog meer mensen vermoord, meneer Thibodeau.'

'Net zoals Tyrone, bedoelt u?'

'Er waren overeenkomsten.'

'Wie waren die mensen?'

'Jagers. In Montana. Drie jaar geleden.'

Eddie schudde zijn hoofd. 'Mijn broer is vijf jaar geleden verdwenen.'

'Maar hij is in Montana geweest. Hij kende de omgeving.'

'Het was alleen maar een uitstapje naar Yellowstone!'

'En Nevada?' zei Frost. 'Is hij daar weleens geweest?'

'Nee. Zou hij daar ook iemand vermoord hebben?' Eddie keek hen beurtelings aan en snoof minachtend. 'Zijn er nog meer moorden die jullie Nick in de schoenen willen schuiven? Hij kan zich niet verdedigen, dus kunnen jullie hem net zo goed als dader aanwijzen van al jullie cold cases.'

'Waar is hij, Eddie?'

'Ik wou dat ik het wist!' Gefrustreerd mepte hij een metalen kom van de werkbank. Met een rinkelende klap kwam de kom neer op de betonnen vloer. 'Ik wou dat al die achterlijke rechercheurs hun werk deden. Ik wou dat ze deze zaak eindelijk eens oplosten in plaats van aan mijn kop te zeiken over Nick. Ik heb hem al vijf jaar niet gezien of gehoord. Ik heb hem voor het laatst gezien toen hij samen met Tyrone op de veranda bier zat te hijsen. Ze zaten te kibbelen over spullen die ze op een kampeerterrein hadden gevonden.'

'Gevonden?' snoof Jane. 'Gestolen, bedoelt u.'

'Wat maakt het uit. Maar ze hadden geen ruzie, oké? Ze zaten gewoon... op een levendige manier te onderhandelen. Daarna zijn ze naar Tyrones huis gegaan. Dat is de laatste keer dat ik Nick heb gezien. Een paar dagen later kwam de State Police aan de deur. Ze hadden Nicks pick-up op het parkeerterrein bij dat wandelpad gevonden. En ze hadden Tyrone gevonden. Maar Nick zelf was niet te vinden.' Alsof hij opeens te moe was om op zijn benen te staan, liet Eddie zich op een bank neerzakken. Hij blies met kracht zijn adem uit. 'Meer weet ik niet.'

'U zei dat Nicks pick-up bij het wandelpad stond.'

'Ja. Daarom denkt de politie dat hij het bos in is getrokken. Dat hij als een soort Rambo in de wildernis leeft en zich in leven houdt met wat hij kan vangen en schieten.'

'En wat denkt u?'

Eddie staarde naar zijn vereelte handen, naar het opgedroogde bloed rond zijn nagels. 'Ik denk dat mijn broer dood is,' zei hij zachtjes. 'Ik denk dat zijn beenderen ergens verspreid liggen en dat we die gewoon nog niet hebben gevonden. Of dat hij ergens aan een boom hangt, net zoals Tyrone.'

'U denkt dus dat hij is vermoord.'

Eddie hief zijn hoofd op en keek haar aan. 'Ik denk dat ze in het bos iemand anders zijn tegengekomen.'

21

Botswana

Als de zon opkomt, ben ik helemaal alleen in de wildernis. Ik heb de hele nacht doorgelopen en heb geen flauw idee hoe ver ik van het kamp ben; ik weet alleen dat ik stroomafwaarts ben gelopen, want ik heb de hele nacht het geluid van de rivier links van me gehouden. Als de hemel eerst roze en dan goud kleurt, heb ik zo'n dorst dat ik me aan de rand van het water op mijn knieën laat vallen en drink als een wild dier. Gisteren zou ik erop gestaan hebben dat het water eerst werd gekookt of gezuiverd met een zuiveringstablet. Ik zou me zorgen hebben gemaakt over alle bacteriologische gevaren, over fatale doses bacteriën en parasieten die ik bij elke slok tot me zou nemen. Nu maakt het me niets meer uit, omdat ik binnenkort toch doodga. Ik maak een kom van mijn handen en drink zo gulzig dat het water in mijn ogen spat en van mijn kin druipt.

Als ik genoeg heb gedronken, blijf ik op mijn hurken op de oever zitten. Ik kijk door de papyrusstengels naar de bomen en het wuivende gras aan de overkant. Voor de dieren die in deze groene, gevaarlijke wereld leven, ben ik niets anders dan een bron van vlees op twee benen, en als ik om me heen kijk, verbeeld ik me overal tanden te zien die wachten op het moment dat ze me kunnen verslinden. Met de zonsopgang komt het drukke gekwetter van de vogels op gang en als ik omhoogkijk, zie ik aasgieren loom cirkelen. Weten ze al dat ik hun volgende maaltijd ben? Ik kijk stroom-

opwaarts, in de richting van het kamp, en zie het spoor van voetstappen dat ik op de oever heb achtergelaten. Ik herinner me hoe
weinig moeite Johnny had om nauwelijks zichtbare pootafdrukken
te volgen. Voor hem had mijn spoor hier net zo goed in verlichte
neonletters kunnen staan. Nu de nieuwe dag is aangebroken, zal hij
me gaan zoeken, omdat hij het zich niet kan veroorloven mij in
leven te laten. Ik ben de enige overlevende. Ik ben de enige die weet
wat er is gebeurd.

Ik sta op en vervolg mijn tocht langs de rivier.

Ik mag niet aan Richard en de anderen denken. Ik moet me
volledig concentreren op de vraag hoe ik in leven kan blijven.
Angst houdt me in beweging, leidt me steeds verder de wildernis
in. Ik heb geen idee welke rivier dit is, maar ik heb in de reisgids
gelezen dat de rivieren en stroompjes van de Okavangodelta worden gevoed door de regens op het hoogland van Angola. En dat al
dit water, dat jaarlijks de meren en moerassen vult waaruit zoveel
leven op wonderbaarlijke wijze ontspringt, uiteindelijk uitvloeit in
de Kalahariwoestijn. Ik kijk naar de zon. Die komt nog maar net
boven de bomen uit. Dat wil zeggen dat de rivier naar het zuiden
stroomt.

Ik heb honger.

In mijn rugzak zitten zes energierepen. Tweehonderdveertig calorieën per stuk. Ik herinner me nog precies dat Richard spottend zei
dat ik veel te kieskeurig was, toen ik ze in Londen in mijn koffer
deed voor het geval ik niet tegen het voedsel zou kunnen dat we
hier zouden krijgen. Gulzig eet ik er eentje op en ik moet mezelf
echt dwingen om de andere vijf te bewaren voor later. Zolang ik
langs de rivier blijf lopen, heb ik in elk geval water, zoveel als ik wil,
ook al zit het misschien vol ziekten waarvan ik de namen niet eens
zou kunnen uitspreken. Maar rivieroevers zijn ook gevarenzones
waar jager en prooi, leven en dood, samenkomen. Ik zie een schedel
van een dier, gebleekt door de zon. Een antilope, misschien, die op
deze rivierbank aan zijn einde is gekomen. Op het water verschijnt
een rij rimpelingen en even later komen de enge ogen van een krokodil boven de oppervlakte uit. Het is niet verstandig om zo dicht
bij het water te lopen. Ik buig af naar het hoge gras en zie een pad

dat door dieren moet zijn gemaakt. Als ik de pootafdrukken bekijk, begrijp ik dat ik in het spoor van olifanten loop.

Als je bang bent, zie je alles heel scherp. Je ziet te veel en hoort te veel. Ik word overdonderd door het razendsnelle geklik-klik van beelden en geluiden en kan niet beoordelen welke daarvan me misschien waarschuwen dat een dier op het punt staat me te bespringen. Ik moet alles in één keer verwerken. Dat wuivende gras? Komt door de wind. Dat gefladder boven het riet? Een visarend. Geritsel in het kreupelhout? Een wrattenzwijn. Lichtbruine impala's en donkere Afrikaanse buffels trekken langs de horizon. Overal zie ik leven, vliegend, kwetterend, zwemmend, zich voedend. Mooi, hongerig, gevaarlijk. En nu hebben de muggen me gevonden en zuigen ze mijn bloed uit mijn lichaam. Mijn kostbare pillen liggen in mijn tent, dus kan ik malaria toevoegen aan de lijst van alle manieren waarop ik kan sterven: opgevreten door een leeuw, vertrapt door buffels, onder water gesleurd door een krokodil of verpletterd door een nijlpaard.

Naarmate de temperatuur stijgt, worden de muggen steeds brutaler. Ik probeer ze van me af te slaan, maar ze vormen een dichte wolk waaraan ontsnappen niet mogelijk is. In mijn wanhoop keer ik toch maar weer terug naar de oever van de rivier, waar ik handenvol modder opschep, die ik op mijn gezicht, nek en armen smeer. Door rottende planten is de modder slijmerig en stinkt hij zo dat ik ervan kokhals, maar ik blijf me insmeren tot mijn huid bedekt is met een ondoordringbare laag. Dan kom ik weer overeind, als een oermens dat oprijst uit de modder. Als Adam.

Ik blijf het olifantenpad volgen. De olifanten lopen blijkbaar ook graag evenwijdig aan de rivier. Ik zie aan allerlei andere sporen dat deze route door nog veel meer dieren wordt gebruikt. Het pad is de jungleversie van een snelweg en we lopen allemaal in het spoor van de olifanten. Maar als impala's en koedoes dit pad volgen, volgen leeuwen het vast ook.

Nóg een jachtterrein waar jager en prooi elkaar uiteindelijk zullen treffen.

Maar het hoge gras aan weerskanten van het pad verbergt net zoveel gevaren en ik heb geen fut om een nieuw pad te banen door het dichte oerwoud. Bovendien moet ik opschieten, want Johnny, de hardnekkigste jager van al, zit achter me aan. Waarom heb ik het niet willen inzien? Zelfs toen de anderen een voor een werden afgemaakt, toen hun vlees en botten aan dit hongerige land werden geofferd, weigerde ik in te zien wat hij aan het doen was. Al die blikken en mooie woorden waren slechts voorspel voor het moment waarop hij zou toeslaan.

Als de zon in het zenit staat, sjok ik nog steeds over het olifantenpad. De modder is opgedroogd tot een harde korst die mijn huid bedekt en korreltjes ervan rollen in mijn mond als ik de eerste hap van de tweede energiereep neem. Weer eet ik gulzig, en ik slik de modderkorreltjes ook door. Ik weet dat ik zuinig moet zijn met het weinige voedsel dat ik heb, maar ik heb zo'n honger en het zou wel erg ironisch zijn als ik van uitputting zou sterven terwijl ik nog voedsel in mijn rugzak heb. Opeens buigt het pad weer af naar het water en komt het uit bij een meer dat zo zwart en glad is dat de hemel glashelder op de oppervlakte wordt weerspiegeld.

Op het heetst van de dag is het stil in de wildernis. Dan laten zelfs de vogels zich niet horen. Aan de rand van het meer staat een boom waarin tientallen vreemde, zachtjes wiegende zakken hangen, als kerstballen. Ik ben zo duf van de vermoeidheid en van de hitte dat ik me afvraag of ik op de cocons van een kolonie buitenaardse wezens ben gestuit, die in deze boom als incubators zijn achtergelaten, omdat niemand ze hier zal vinden. Dan fladdert er een vogel langs me heen en verdwijnt in een van de zakken. Het zijn de nesten van wevervogels.

Opeens trilt het water van het zwarte meer, alsof er onder de oppervlakte iets ontwaakt. Ik loop geschrokken achteruit. Ik weet heel zeker dat daar iets op de loer ligt om deze onvoorzichtige prooi te grijpen. Een koude rilling loopt over mijn rug als ik me weer terugtrek in het gras.

Die avond stuit ik op de kudde olifanten.

In een dichte jungle kun je zelfs door een dier met de afmetingen van een olifant worden verrast. Als ik tussen een paar acaciabomen vandaan strompel, staat hij opeens vlak voor mijn neus. Hij lijkt net zo van mij te schrikken als ik van hem en trompettert zo luid dat ik het gevoel heb dat het geluid dwars door me heen gaat. Van pure schrik vergeet ik op de vlucht te slaan. Ik blijf stokstijf staan, met achter me de acacia's en voor me de olifant, die ook doodstil staat. Terwijl we elkaar aanstaren, merk ik dat rondom ons nog meer van die reusachtige grijze gedaanten bewegen. Een hele kudde, die takken laat schudden en twijgen afbreekt. Ze weten dat ik er ben en stoppen even met eten om de met opgedroogde modder bedekte indringer te bekijken. Het zou hun weinig moeite kosten mij te doden. Met een mep van een slurf en een massieve poot op mijn borst zouden ze binnen de kortste keren met me kunnen afrekenen. Ik voel hoe ze me bekijken en zich over mijn lot beraden. Dan heft een van hen zijn slurf op, breekt weer een twijg af en steekt die in zijn bek. Een voor een gaan de anderen ook weer door met eten. Ze hebben me beoordeeld en besloten me met rust te laten.

Stilletjes glip ik weer weg tussen de acacia's en zoek bescherming bij een grote boom die er hoog boven uitsteekt. Ik klim tegen de dikke stam op tot ik hoog genoeg zit om niet door de kudde gestoord te worden en ga op een gevorkte tak zitten. Net zoals de oermens zoek ik in de bomen naar veiligheid. Ik hoor in de verte hyena's lachen en leeuwen brullen, als een signaal dat de strijd bij het vallen van de duisternis gaat beginnen. Vanaf mijn hoge positie zie ik de zon ondergaan. Onder me blijven de olifanten zich voeden. Het geritsel en geschuifel klinkt geruststellend.

De hele nacht komt tot leven met gekrijs en gebrul. De sterren fonkelen glashelder in de zwarte hemel. Tussen de gebogen takken door zie ik het sterrenbeeld Schorpioen, dat Johnny me op de eerste avond heeft aangewezen. Het is slechts een van de vele dingen die hij me geleerd heeft over overleven in de wildernis, en ik vraag me af waarom hij al die moeite heeft gedaan. Om me een kans te geven terug te vechten en een waardige prooi van me te maken?

Ik heb alle anderen overleefd. Ik denk aan Clarence en aan Elliot, aan de Matsunaga's en aan de blondjes. Ik denk vooral aan Richard en aan wat we samen hadden. Ik herinner me de beloften die we elkaar deden en de nachten dat we in elkaars armen in slaap vielen. Opeens huil ik om Richard, om het leven dat we hadden, en mijn gierende uithalen verschillen nauwelijks van de kreten van alle dieren die samen een nachtelijk koor vormen. Ik huil tot mijn borst pijn doet en mijn keel rauw is. Tot ik van uitputting helemaal verslapt ben.

Ik val in slaap zoals mijn voorouders dat miljoenen jaren geleden deden: in een boom, onder de sterren.

Op de ochtend van de vierde dag scheur ik de wikkel van de laatste energiereep. Ik eet langzaam, met elke hap mijn respect betuigend voor de heilige macht van voedsel. Omdat dit mijn laatste maaltijd is, is elk stukje walnoot en elk havervlokje een uitbundige explosie van smaak, iets wat ik tot nu toe nooit echt heb gewaardeerd. Ik denk aan alle feestmaaltijden die ik heb genoten en weet nu dat geen daarvan zo heilig was als deze, die ik nuttig in een boom, terwijl de opkomende zon de oostelijke hemel een gouden gloed geeft. Ik lik de laatste kruimels van de wikkel, klauter naar beneden en loop naar de rivier, waar ik op mijn knieën ga zitten als in gebed en van het stromende water drink.

Als ik weer opsta, voel ik me eigenaardig verzadigd. Ik kan me niet herinneren wanneer het vliegtuig naar de vliegstrip zou komen, maar dat maakt nu ook niets meer uit. Johnny zal tegen de piloot zeggen dat er een tragedie heeft plaatsgevonden en dat er geen overlevenden zijn. Niemand zal naar me komen zoeken. Wat de rest van de wereld betreft, ben ik dood.

Ik schep modder uit de rivier om op mijn gezicht en mijn armen te smeren. De zon brandt nu al op mijn nek en hinderlijke steekvliegen rijzen op tussen de rietstengels. De dag is nog maar net begonnen en ik ben nu al doodmoe.

Ik dwing mezelf overeind te komen en ga weer op pad.

De volgende dag heb ik 's middags zo'n honger dat ik me vooroverbuig vanwege de kramp in mijn maag. Ik drink uit de rivier, hopend dat het water de pijn zal verlichten, maar ik drink te veel en te snel, waardoor ik het water niet kan binnenhouden. Op mijn knieën in de modder zit ik jankend te kotsen. Het is heel verleidelijk om het nu op te geven. Om hier te gaan liggen en me door de dieren te laten verslinden. Mijn vlees en botten zullen tot niets vergaan in de wildernis en voor altijd deel uitmaken van Afrika. Uit dit land zijn we voortgekomen en tot dit land keer ik terug. Het is een goede plaats om te sterven.

Opeens hoor ik een zacht gespetter. Ik til mijn hoofd op en zie vlak boven de oppervlakte van het water twee oortjes heen en weer gaan. Een nijlpaard. Ik ben zo dicht bij hem dat hij misschien door mij is verrast, maar ik ken geen angst meer, ik ben zo ver heen dat het me niets uitmaakt of hij me verslindt. Ik denk dat hij al weet dat ik hier ben, maar hij blijft rustig dobberen. De oppervlakte van het modderige water rimpelt door de bewegingen van vissen en insecten, een kraanvogel strijkt erop neer. Op de plek waar ik ga sterven, krioelt het van levende wezens. Ik zie een libelle naar het bosje papyrusstengels schieten en voel me van pure honger in staat het insect levend en wel op te eten. Maar ik ben niet snel genoeg en grijp uiteindelijk alleen wat stengels. Dikke, vlezige stengels. Ik weet niet of ze giftig zijn en dat kan me ook niets schelen. Ik wil iets om mijn maag mee te vullen en een einde te maken aan de pijn.

Met het zakmes uit mijn rugzak snijd ik een paar stengels af en bijt op de uiteinden. De schil is zacht, het vlees meelachtig. Ik kauw net zo lang tot ik alleen nog een harde klomp vezels in mijn mond overheb en spuug die uit. De kramp wordt iets minder. Ik snijd nog een handvol stengels af en kauw erop, als een dier, als het nijlpaard dat vlakbij graast. Ik snijd en kauw, snijd en kauw. Met iedere mondvol neem ik de wildernis tot me en voel hoe die één wordt met mijn lichaam.

De vrouw die ik was, Millie Jacobson, heeft het eindpunt van haar reis bereikt. Op mijn knieën, aan de rand van de rivier, laat ik haar los.

22

Boston

Maura zag hem niet, maar wist dat hij haar in het vizier had. 'Daar, op de richel,' zei Alan Rhodes, de grotekatten-specialist van de dierentuin. 'Achter die pol gras. Hij is moeilijk te zien omdat hij precies dezelfde kleur heeft als de rotsen.'

Nu zag Maura de geelbruine ogen. Ze waren op haar gericht, op haar en op niemand anders, met de kille, laserscherpe focus waarmee de jager zijn prooi fixeert. 'Ik zou hem nooit gezien hebben,' zei ze zachtjes. Ze stond al te bibberen vanwege de koude wind, maar de meedogenloze blik van de poema deed nog meer rillingen over haar rug lopen.

'Hij u wel,' zei Rhodes. 'Hij houdt u waarschijnlijk al in de gaten sinds we de hoek zijn omgeslagen en binnen zijn gezichtsveld kwamen.'

'U zegt dat hij mij in de gaten houdt. Waarom mij en niet u?'

'Een roofdier kiest de prooi waarmee hij de meeste kans van slagen heeft. Voordat een poema een volwassen man aanvalt, zal hij liever een kind of een vrouw kiezen. Ziet u dat gezin daar aankomen? Moet u opletten wat de poema gaat doen. Let op zijn ogen.'

Op de richel draaide de poema plotseling zijn kop. Maura zag hoe zijn spieren onder de pels bewogen toen hij ineengedoken een aanvallende houding aannam. Hij keek nu niet meer naar Maura. Zijn laserblik was gericht op de nieuwe prooi: het kind dat naar het omheinde terrein rende.

'Het zijn zowel de bewegingen als de omvang van de potentiële prooi die zijn aandacht trekken,' zei Rhodes. 'Als er een kind langs dit terrein rent, is het alsof er in de kop van het dier een schakelaar wordt omgedraaid waardoor zijn instinct wordt geactiveerd.' Rhodes draaide zich weer naar haar toe. 'Waarom bent u zo geïnteresseerd in poema's? Niet dat ik het vervelend vind om uw vragen te beantwoorden,' zei hij. 'Ik zou u zelfs graag tijdens een lunch alles over deze dieren willen vertellen.'

'Ik heb de grote katten altijd al fascinerend gevonden, maar ik ben hier nu vanwege een zaak waar we aan werken.'

'Ah, het gaat om werk.'

Klonk hij teleurgesteld of verbeeldde ze zich dat? Ze kon niets van zijn gezicht aflezen, omdat hij zich weer had omgedraaid naar het terrein. Met zijn ellebogen op de reling keek hij naar de poema. Ze probeerde zich voor te stellen hoe het zou zijn om met Alan Rhodes te lunchen. Een interessant gesprek te voeren met een man die van zijn werk hield. Hij had intelligente ogen en hij was niet erg lang, maar vanwege zijn werk in de buitenlucht fit en gebruind. Ze zou op zo'n soort man verliefd moeten worden, op zo'n aardige, betrouwbare man, maar het vonkje was er niet. Het vonkje dat haar tot nu toe niets dan verdriet had bezorgd; waarom sprong het nooit over tussen haar en een man die haar gelukkig kon maken?

'In welk opzicht is de levenswijze van de poema van belang voor een zaak van de Forensische Dienst?' vroeg hij.

'Ik wil graag meer weten over hoe ze jagen. Over hoe ze hun prooi doden.'

Hij fronste. 'Zijn er mensen door poema's aangevallen? Dat zou overeenkomen met de geruchten die ik heb gehoord.'

'Welke geruchten?'

'Over poema's in Massachusetts. Er zijn in heel New England waarnemingen geweest, maar die worden beschouwd als verzinsels zolang ze niet met feiten kunnen worden gestaafd. Op die ene poema na, die een paar jaar geleden in Connecticut is gedood.'

'In Connecticut? Was die uit een dierentuin ontsnapt?'

'Nee, het was een wilde poema. Hij is aangereden op de snelweg bij Milford. DNA-analyse heeft uitgewezen dat hij oorspronkelijk deel uitmaakte van een groep wilde poema's in South Dakota. Toen wisten we dat die naar de Oostkust was getrokken. Ik neem aan dat ze inmiddels ook hier in Massachusetts zitten.'

'U klinkt alsof u dat geweldig vindt, maar ik vind dat doodeng.'

Hij lachte schaapachtig. 'Haaienkenners houden van haaien. Dinosaurusliefhebbers kunnen lyrisch worden over een tyrannosaurus. Dat wil nog niet zeggen dat ze er eentje willen tegenkomen. Grote roofdieren zijn gewoon fascinerend. Wist u dat het op dit continent wemelde van de poema's, tot ze door ons min of meer werden uitgeroeid? Daarom vind ik het zo opwindend dat ze nu terugkomen.'

Het gezin met het kind was doorgelopen. De poema richtte zijn blik weer op Maura. 'Als hier poema's in het wild rondlopen,' zei ze, 'ga ik nooit meer in het bos wandelen.'

'Zo gevaarlijk is het nou ook weer niet. In Californië zitten er een heleboel. Ze zijn weleens te zien op de films van nachtbeveiligings-camera's van het Griffith Park in Los Angeles. Er zijn weinig incidenten gerapporteerd. Een doodenkele keer vallen ze een jogger of fietser aan. Ze zijn nu eenmaal geprogrammeerd om achter een vluchtende prooi aan te gaan.'

'Moet je dan stil blijven staan als je er een ziet? En terugvechten?'

'Eerlijk gezegd zou je hem niet eens zien aankomen. Voordat jij weet dat er een poema in de buurt is, zet hij zijn tanden al in je nek.'

'Net zoals bij Debbie Lopez.'

Rhodes bleef even stil. Toen zei hij zachtjes: 'Ja. Net zoals bij die arme Debbie.' Hij keek haar aan. 'Is er iemand door een poema aangevallen?'

'In de Sierra Nevada.'

'Ja, daar zitten ze ook. Wat is er gebeurd?'

'Het slachtoffer was een vrouw. Ze was aan het kamperen. Toen ze werd gevonden, hadden vogels haar al aardig toegetakeld, maar vanwege bepaalde details vroeg de forensisch patholoog zich af of ze door een poema was gedood. Om te beginnen was haar buik opengereten.'

'Dat doen grote katten inderdaad.'

'Ja, maar wat de patholoog vooral vreemd vond, was de positie van het lijk. Het hing namelijk in een boom.'

Hij staarde haar aan. 'In een boom?'

'Ze hing wel vijf meter boven de grond, over een tak. De vraag is hoe ze daar terecht is gekomen. Kan een poema haar daarheen gesleept hebben?'

Hij dacht erover na. 'Het is geen klassiek poemagedrag.'

'De luipaard die Debbie Lopez heeft gedood, had haar naar die richel gesleept, en u zei dat hij dat instinctief deed, om zijn buit veilig te stellen.'

'Ja, voor de Afrikaanse luipaard is dat gedrag typerend. In de wildernis moet hij het opnemen tegen andere grote vleeseters: leeuwen, hyena's, krokodillen. Hij sleept zijn buit een boom in zodat er geen andere roofdieren bij kunnen. Als de buit eenmaal in het gebladerte is verborgen, kan de luipaard hem op zijn gemak opeten. Als je in Afrika een dode impala in een boom ziet, weet je dat er maar één dier is dat hem naar die plek heeft kunnen slepen.'

'En poema's? Die doen dat niet?'

'De Noord-Amerikaanse poema heeft lang niet zoveel last van andere carnivoren als de luipaard in Afrika. Hier kan een poema zijn buit onder struikgewas verbergen, of in een grot, en hem op zijn gemak oppeuzelen. Maar de buit een boom in slepen?' Hij schudde zijn hoofd. 'Dat zijn we niet van poema's gewend. Dat is meer iets voor de Afrikaanse luipaard.'

Ze keek naar het omheinde terrein. De grote kat bleef onafgebroken naar haar kijken, alsof zij de enige was die zijn honger kon stillen. 'Wat kunt u me nog meer over luipaarden vertellen?' vroeg ze zachtjes.

'Ik betwijfel ten zeerste of er in Nevada een luipaard rondzwerft, tenzij hij is ontsnapt uit een dierentuin.'

'Ik wil er toch graag meer over weten. Over hun gewoonten. Over hun manier van jagen.'

'De Afrikaanse luipaard, *Panthera pardus*, ken ik het best. Er zijn diverse ondersoorten – *Panthera pardus orientalis*, *Panthera pardus fusca*, *Panthera pardus japonensis* – maar daarnaar zijn minder studies gedaan. Voordat hij door de mens bijna werd uitgeroeid, was de luipaard in heel Azië en Afrika te vinden, en zelfs zo ver westelijk als op de Britse Eilanden. Het is triest als je ziet hoe weinig er nu nog over zijn, zeker als je bedenkt dat we aan deze dieren een grote stap op de evolutionaire ladder te danken hebben.'

'O ja? Hoe komt dat?'

'Er bestaat een theorie dat de vroege hominide in Afrika niet aan zijn voedsel kwam door te jagen, maar door het vlees te stelen dat luipaarden in de bomen hingen. Het was voor hen het equivalent van een fastfoodrestaurant. Ze hoefden niet zelf op een impala te jagen, maar konden wachten tot de luipaard er eentje ving en zijn buit in een boom hing. Zodra een luipaard zich heeft volgevreten, gaat hij een paar uur op stap. Gedurende die tijd kon de hominide de rest van het kadaver inpikken. De hoeveelheden proteïne die ze dankzij deze kant-en-klaarmaaltijden naar binnen kregen, kunnen ertoe hebben bijgedragen dat de intellectuele vermogens van onze voorouders aanzienlijk toenamen.'

'En de luipaard vond het zomaar goed dat zijn eten werd gestolen?'

'Studies van luipaarden die een halsband hebben gekregen, wijzen uit dat ze niet de hele dag bij hun buit blijven. Ze eten tot ze verzadigd zijn, gaan dan weg en komen een paar uur later terug om weer wat te eten. Omdat ze het kadaver meteen van alle inwendige organen ontdoen, blijft het vlees dagenlang goed. Dit gedrag bood ons, de hominide, de gelegenheid een gratis maaltijd te stelen. Maar u hebt gelijk dat het een riskante onderneming was. Er zijn in luipaardengrotten veel menselijke botten gevonden. Wij pikten misschien zijn buit in, maar soms werden we zijn maaltijd.'

Ze dacht aan de kat bij haar thuis, die net zo intens naar haar kon kijken als deze poema. De band tussen katachtigen en mensen was niet zomaar de band tussen jager en prooi. Een poes kon op je schoot zitten en uit je hand eten, maar had evengoed nog steeds het instinct van een roofdier.

Net zoals wij.

'Zijn het eenlingen?' vroeg ze.

'Ja, zoals de meeste katachtigen. De leeuw is een uitzondering. Vooral luipaarden zijn erg eenzelvig. De wijfjes laten hun welpen soms wel een week alleen, omdat ze er de voorkeur aan geven in hun eentje te jagen. Al op de leeftijd van anderhalf jaar verlaten de welpen hun moeder om hun eigen jachtterrein uit te zetten. De luipaard zoekt geen gezelschap, behalve om te paren. Hij weet zich heel goed schuil te houden, zodat het erg moeilijk is ze in het wild te ontdekken. Hij jaagt 's nachts en heeft de reputatie zijn prooi onmerkbaar te kunnen naderen. Daarom heeft de luipaard in de mythologie zo'n belangrijke plaats gekregen. De duisternis moet voor de oermens extra angstaanjagend zijn geweest door de wetenschap dat een luipaard op ieder willekeurig moment zijn tanden in zijn strot kon zetten.'

Ze dacht aan Debra Lopez, voor wie die doodsangst het laatste was geweest wat ze bewust had meegemaakt. Ze keek naar de luipaardenkuil, waar ze slechts een paar meter bij vandaan stonden. Na de dood van de dierenverzorgster was het terrein afgeschermd, maar twee bezoekers maakten evengoed foto's via hun mobiele telefoons. De dood was een popster. Hij trok altijd publiek.

'U zei dat de grote katten altijd eerst de ingewanden van hun buit opeten,' zei ze.

'Dat is de consequentie van hun manier van jagen. De luipaard bijt de buik aan de onderzijde open. Daardoor komen de ingewanden naar buiten. Die eet hij binnen vierentwintig uur op. Hiermee wordt voorkomen dat het vlees te snel bederft, zodat hij er de tijd voor kan nemen om de rest op te eten.' Hij stopte toen zijn mobieltje ging. Met een verontschuldigende blik nam hij op. 'Hallo? O god, Marcy, dat was me helemaal ontschoten. Ik kom meteen.' Hij hing op en slaakte een zucht. 'Sorry, ik moet naar een bestuursvergadering. De eeuwige jacht op geldschieters.'

'Hartelijk dank voor dit gesprek. Ik ben er erg mee geholpen.'

'Graag gedaan.' Hij liep weg, draaide zich toen nog even om en zei: 'Als u een keer een privérondleiding wilt, buiten de bezoekuren om, laat het dan gerust weten.'

Ze keek hem na tot hij om de hoek was verdwenen. Opeens stond ze daar helemaal alleen, bibberend van de kou.

Nee, niet helemaal alleen. Achter de tralies van de verlaten leeuwenkuil ving ze een glimp op van donkerblond haar, dezelfde kleur als leeuwenmanen, en brede schouders in een bruin fleece jack. Het was de dierenarts, dr. Oberlin. Een ogenblik keken ze naar elkaar als twee achterdochtige wezens die elkaar onverwachts in de wildernis waren tegengekomen. Toen knikte hij, stak zijn hand op en verdween tussen de camouflerende struiken.

Zo onzichtbaar als een poema, dacht ze. Ik had helemaal niet gemerkt dat hij er was.

23

'Als er inderdaad een verband bestaat tussen de incidenten in de verschillende delen van ons land, dan hebben we te maken met een uitermate complex ritueel gedragspatroon,' zei dr. Lawrence Zucker. De forensisch psychiater die regelmatig als adviseur optrad voor het Boston PD was met zijn bleke gezicht en kolossale gestalte een bekende figuur op Moordzaken. Hij zat aan het hoofd van de tafel in de vergaderzaal en liet zijn blik langzaam over Maura en de vier rechercheurs gaan. Maura vond dat hij iets reptielachtigs had en toen zijn blik over haar heen gleed, voelde dat alsof een hagedis met zijn snelle tong haar gezicht likte.

'Laten we niet op de zaken vooruitlopen,' zei Crowe. 'We weten nog niet of deze incidenten inderdaad met elkaar in verband staan. Dat is alleen maar een theorie van dr. Isles.'

'Maar we zijn het aan het onderzoeken,' zei Jane. 'Frost en ik zijn gisteren naar Maine gereden om te proberen meer informatie te krijgen over een zaak van vijf jaar geleden. De vermoorde man, Brandon Tyrone, was aan een boomtak opgehangen en zijn lichaam was van alle inwendige organen ontdaan.'

'En wat is uw mening daarover?' vroeg Zucker.

'Ik kan niet zeggen dat de zaak erg veel duidelijker is geworden. De State Police van Maine heeft maar één verdachte, ene Nick Thibodeau. Hij en het slachtoffer kenden elkaar. Het is mogelijk dat een ruzie tussen die twee is uitgelopen op moord.'

Crowe zei: 'Ik heb Montana en Nevada gebeld en met de rechercheurs gesproken die over de betreffende zaken gaan. Zij achten het mogelijk dat de slachtoffers zijn gedood door een poema. Daarom zie ik niet hoe die gevallen iets te maken kunnen hebben met die van ons en met de moord in Maine.'

'Het gaat om de symboliek,' zei Maura, die niet langer kon zwijgen. Ze was rechercheur noch psychiater, waardoor ze ook vandaag een buitenstaander was, maar ze was hier op uitnodiging van dr. Zucker. Toen alle ogen op haar gericht werden, was het alsof er een muur van scepticisme op haar af kwam. Een muur die ze omver moest zien te werpen. Crowe had al zijn krachtvelden geactiveerd. Frost en Jane probeerden eruit te zien alsof ze openstonden voor ideeën, maar het gebrek aan enthousiasme in Janes stem ontging Maura niet. Johnny Tam was net zo ondoorgrondelijk als altijd en hield zijn mening voor zich.

'Na mijn gesprek met dr. Rhodes over het gedrag van de luipaard was me duidelijk dat dát de gemene deler moest zijn. De manier waarop de luipaard zijn prooi doodt en op een hoge plek veiligstelt. Dat zien we bij al deze slachtoffers.'

'Naar wie zijn we nu dan op zoek?' vroeg Crowe gniffelend. 'Een luipaardman?'

'U drijft er de spot mee, rechercheur Crowe,' zei Zucker, 'maar als ik u was, zou ik de theorie van dr. Isles niet zo snel van de hand wijzen. Toen ze me gisteren opbelde, had ik ook mijn twijfels. Maar toen heb ik de informatie over de moorden in de andere twee staten nogmaals bekeken.'

'In Nevada en Montana gaat het misschien niet om moord,' merkte Crowe op. 'Nogmaals, volgens de forensisch patholoog kunnen die mensen gedood zijn door een poema.'

'Volgens dr. Rhodes is de poema, in tegenstelling tot de luipaard, niet gewend zijn buit een boom in te slepen,' zei Maura. 'En waar zijn de andere leden van de groepen gebleven? Van de vier backpackers is er maar één gevonden. De jagers in Montana waren met zijn drieën, maar er is van slechts twee van hen iets teruggevonden. Een enkele poema kan hen niet allemaal hebben verslonden.'

'Misschien was het een groep poema's.'

'Het was helemaal geen poema,' zei Maura.

'Weet u, dr. Isles, ik heb moeite met het volgen van uw theorieën.' Crowe keek de tafel rond. 'In het begin zei u dat het gaat om een moordenaar die iets tegen jagers heeft en die zijn slachtoffers daarom ophangt en van hun ingewanden ontdoet. Nu beweert u dat het om een of andere krankzinnige figuur gaat die denkt dat hij een luipaard is.'

'Hij hoeft niet krankzinnig te zijn.'

'O nee? Als ík me zou gedragen alsof ik een luipaard was, zou u onmiddellijk de mannen in de witte jassen laten komen om me op te sluiten.'

Jane zei binnensmonds: 'Dat kunnen we evengoed wel doen.'

Dr. Zucker zei: 'Het is belangrijk te luisteren naar wat dr. Isles te zeggen heeft.' Hij keek naar Maura. 'Zou u alstublieft nogmaals het lijk van meneer Gott willen beschrijven?'

'We hebben het autopsierapport allemaal gelezen,' zei Crowe.

'Laat haar evengoed de verwondingen nogmaals beschrijven.'

Maura knikte. 'In het linkerwandbeen zat een haarscheurtje, hoogstwaarschijnlijk als gevolg van een klap met een stomp voorwerp. De ribben vertoonden evenwijdige kraswonden, mogelijk toegebracht nadat de dood was ingetreden. Het strottenhoofd was grotendeels verbrijzeld, wat heeft geleid tot verstikking. De buik was met een kaarsrechte snee geopend van borstbeen tot schaambeen en de inwendige organen van zowel de buik- als de borstholte waren verwijderd.' Ze pauzeerde. 'Moet ik doorgaan?'

'Nee, ik geloof dat u hiermee een duidelijk beeld hebt geschetst. Dan wil ik nu graag het verslag van een arts voorlezen. Dit gaat over een ander incident.' Zucker zette zijn bril op. '"Het slachtoffer is een vrouw van ongeveer achttien jaar. Ze is bij zonsopkomst dood aangetroffen in haar hut. Haar strottenhoofd is verbrijzeld en haar gezicht en nek zijn opengereten. De wonden lijken te zijn veroorzaakt door klauwen en het vlees is zo zwaar verminkt dat ik de indruk heb dat het gedeeltelijk is opgevreten. De darmen en de lever ontbreken, maar er valt me een eigenaardig detail op, namelijk dat het uiteinde van de darm is doorgesneden. Bij verder onderzoek valt mij op dat de buik kaarsrecht is opengesneden. Een dergelijke wond kan aan geen enkel mij bekend dier worden toegeschreven.

Alhoewel mijn eerste indruk was dat de vrouw was aangevallen door een luipaard of een leeuw, ben ik derhalve tot de conclusie gekomen dat de dader ontegenzeggelijk een mens was.''' Hij legde het document neer. 'U zult het met mij eens zijn dat deze beschrijving griezelig veel lijkt op die van dr. Isles.'

'Over welk incident gaat dat verslag?' vroeg Frost.

'Het is geschreven door een Duitse arts en missionaris die in Sierra Leone werkte.' Zucker pauzeerde even. 'In 1948.'

Er viel een doodse stilte. Maura keek de tafel rond. Ze zag verbijstering op het gezicht van Frost en Tam, wantrouwen op dat van Crowe. *En wat denkt Jane? Dat ik nu echt gek ben geworden en op spoken jaag?*

'Even recapituleren,' zei Crowe. 'Denkt u dat we te maken hebben met een moordenaar die dit in 1948 al deed? Dan moet hij nu dik in de tachtig zijn.'

'Nee, dat is niet wat we denken,' zei Maura.

'Wat is uw nieuwe theorie dan, dr. Isles?'

'Waar het om gaat, is dat er een historisch precedent bestaat voor dergelijke rituele moorden. Wat we bij de recente gevallen hebben gezien – de evenwijdige krassen en het ontweien van het lijk – is een echo van wat al eeuwen wordt gedaan.'

'Hebben we het over een sekte? Over geesten? Of zijn we terug bij de luipaardman?'

'Laat haar toch even uitpraten, Crowe.' Jane keek Maura aan. 'Ik hoop alleen dat je meer dan mystiek gezemel hebt.'

Maura zei: 'Dit zijn feiten. Maar het vereist een geschiedenislesje over de situatie van ongeveer honderd jaar geleden.' Ze keek naar Zucker. 'Wilt u de achtergrond voor hen schetsen?'

'Met plezier. Het is een fascinerende geschiedenis,' zei Zucker. 'Rond de Eerste Wereldoorlog kwam er uit West-Afrika een groot aantal meldingen over mysterieuze sterfgevallen. De slachtoffers waren zowel mannen als vrouwen en kinderen. De wonden op hun lichaam zagen eruit alsof ze waren veroorzaakt door klauwen, hun keel was opengereten, hun buikholte geleegd. Sommigen van de slachtoffers waren gedeeltelijk opgegeten. Alles wees op een aanval van grote katachtigen en er was een getuige die een op een luipaard gelijkende gedaante in het oerwoud had zien verdwijnen. Ze waren ervan overtuigd dat de streek werd geterroriseerd door een monsterlijke luipaard die dorpen binnensloop en mensen overviel als ze sliepen.

De plaatselijke autoriteiten beseften echter al snel dat de boosdoener niet een luipaard was. De daders waren mensen van vlees en bloed, leden van een oeroude sekte. Het ging om een geheim genootschap dat zich zo met luipaarden vereenzelvigt dat de leden geloven dat ze in dat dier veranderen als ze het bloed van hun slachtoffers drinken en hun vlees eten. Ze doden om sterker te worden, om net zo sterk te worden als hun totemdier. Om de rituele moorden te kunnen uitvoeren hullen ze zich in een luipaardvel, en maken ze gebruik van stalen klauwen om hun slachtoffer open te rijten.'

'Een luipaardvel?' herhaalde Jane.

Zucker knikte. 'Dat stelt de diefstal van de sneeuwpanterpels in een heel ander licht, vindt u niet?'

'Bestaat die luipaardensekte in Afrika nog steeds?' vroeg Tam.

'Er zijn geruchten,' zei Zucker. 'In de jaren veertig zijn in Nigeria tientallen moorden toegeschreven aan luipaardmannen. Sommige werden zelfs op klaarlichte dag gepleegd. De autoriteiten hebben indertijd honderden politieagenten naar de getroffen streek gestuurd en uiteindelijk is er een aantal verdachten gearresteerd en ter dood gebracht. Daarmee kwam er een einde aan de aanvallen, maar was het ook het einde van de sekte? Of bestaat die nog steeds en heeft die zich misschien zelfs verspreid?'

'Naar Boston?' vroeg Crowe.

'We hebben hier zaken gehad waar voodoo en satanische praktijken aan te pas kwamen,' zei Tam. 'Waarom dan geen luipaardmannen?'

'De moorden die door de leden van de luipaardsekte in Afrika zijn gepleegd,' zei Frost. 'Wat was daarvoor het motief?'

'In sommige gevallen kan er een politieke beweegreden achter hebben gezeten. Het uitschakelen van rivalen,' zei Zucker. 'Maar daarmee zijn de ogenschijnlijk willekeurige moorden op vrouwen en kinderen niet verklaard. Nee, er zat een ander motief achter, hetzelfde motief dat over de hele wereld achter rituele moorden zit.

Talloze mensen zijn geofferd om allerlei vormen van geloof. Of je nu moorden pleegt om je vijanden doodsangst aan te jagen of om goden als Zeus of Kali gunstig te stemmen, het komt uiteindelijk allemaal op hetzelfde neer: macht.' Zucker keek de tafel rond. Weer voelde Maura de lik van de reptielentong. 'Als je de kenmerken van deze moorden daaraan toevoegt, is de gemene deler duidelijk: de jacht als machtsmiddel. De moordenaar kan er heel normaal uitzien en een heel normale baan hebben. Zijn dagelijkse leven bezorgt hem niet de opwinding en het machtsgevoel dat hij krijgt van het doden van mensen. Dus reist hij rond, op zoek naar prooi. Hij heeft er de middelen en de tijd voor. Hoeveel sterfgevallen worden er niet afgedaan als ongelukken? Hoeveel vermiste wandelaars en kampeerders waren in feite het slachtoffer van deze man?'

'Leon Gott is niet in de natuur vermoord, maar in zijn eigen garage,' zei Crowe.

'Misschien omdat de moordenaar die pels wilde stelen,' zei Zucker. 'Misschien is de sneeuwpanter zijn totemdier en wil hij de pels gebruiken voor zijn rituelen.'

Frost zei: 'Gott heeft online op jagersforums lopen opscheppen over de sneeuwpanterpels. Hij heeft trots verkondigd dat hij opdracht had gekregen een van de zeldzaamste dieren ter wereld op te zetten.'

'Al weer een aanwijzing dat de man die we zoeken een jager is. Het klopt zowel in symbolisch als in praktisch opzicht. Deze moordenaar identificeert zich met de sneeuwpanter of de luipaard, de beste jagers die de natuur heeft voortgebracht. Hij voelt zich thuis in de wildernis. In tegenstelling tot andere jagers kiest hij echter niet herten of elanden als prooi, maar mensen. Wandelaars, natuurliefhebbers. Het is de ultieme uitdaging. En hij besluipt zijn prooi het liefst in ruige natuurgebieden. De bergen van Nevada. De bossen van Maine. Montana.'

'Botswana,' zegt Jane zachtjes.

Zucker keek haar fronsend aan. 'Pardon?'

'Leons zoon Elliot is in Botswana verdwenen. Hij was daar op safari met een groepje toeristen.'

Bij het horen van Elliot Gotts naam begon Maura's hart sneller te kloppen. 'Net als de kampeerders. Net als de jagers,' zei ze. 'Een groep mensen trekt de wildernis in en er wordt nooit meer iets van hen vernomen.' *Een patroon. Je moet altijd naar een patroon zoeken.* Ze keek Jane aan. 'Als Elliot Gott een van zijn slachtoffers was, wil dat zeggen dat deze moordenaar zes jaar geleden al menselijke prooi besloop.'

Jane knikte. 'In Afrika.'

Het dossier stond al een paar dagen op Janes laptop. Het was haar toegestuurd door het Interpol National Central Bureau for Botswana. Het was bijna honderd pagina's lang en bevatte rapporten van de politie in Maun, de Zuid-Afrikaanse politie en het filiaal van Interpol in Johannesburg. Toen ze het had ontvangen, was ze er niet van overtuigd geweest dat hun zaken iets te maken hadden met de moord op Leon Gott en had ze het slechts vluchtig doorgenomen. Maar de verdwijningen van de backpackers in Nevada en de jagers in Montana lieten zulke verontrustende parallellen zien met Elliot Gotts noodlottige safari, dat ze er nu toch maar eens voor ging zitten. Terwijl rondom haar telefoons rinkelden en Frost aan zijn eigen bureau zijn brood uitpakte met een luidruchtig geknisper van het vetvrije papier, begon Jane het dossier te lezen, ditmaal woord voor woord.

Het rapport van Interpol bevatte een nauwkeurige samenvatting van de gebeurtenissen en het onderzoek. Zes jaar geleden waren op 20 augustus zeven toeristen uit vier verschillende landen in een vliegtuig gestapt dat hen vanuit Maun, Botswana, naar de Okavangodelta zou brengen. Het toestel was geland op een afgelegen vliegstrip, waar de reizigers waren ontvangen door hun gids en zijn spoorzoeker, beiden afkomstig uit Zuid-Afrika. Ze zouden een safari maken tot diep in de delta, elke avond op een andere plek overnachten, per landrover reizen, in tenten slapen en het wild eten dat ze onderweg zouden vangen. De website van de gids beloofde een 'authentiek wildernisavontuur in een van de laatste paradijzen op aarde'.

Voor zes van de zeven onfortuinlijke toeristen was het avontuur een reis naar het paradijs in het hiernamaals geworden.

Jane klikte naar de volgende pagina: een lijst van de slachtoffers, hun nationaliteit en de vermelding of er iets van hen was teruggevonden.

Sylvia Van Ofwegen [Zuid-Afrika]. Vermist, vermoedelijk dood. Geen overblijfselen gevonden.

Vivian Kruiswyk [Zuid-Afrika]. Overleden. Delen van het lichaam gevonden, identiteit bevestigd via DNA.

Elliot Gott [USA]. Vermist, vermoedelijk dood. Geen overblijfselen gevonden.

Isao Matsunaga [Japan]. Overleden, overblijfselen gevonden: begraven bij het kampement. Bevestigd via DNA.

Keiko Matsunaga [Japan]. Vermist, vermoedelijk dood. Geen overblijfselen gevonden.

Richard Kenwick [UK]. Vermist, vermoedelijk dood. Geen overblijfselen gevonden.

Clarence Nghobo [Zuid-Afrika]. Overleden. Delen van het lichaam gevonden, identiteit bevestigd via DNA.

Ze wilde al naar de volgende pagina klikken, toen ze opeens stopte. Haar blik bleef rusten op een van de namen. Een naam die een vage herinnering opriep. Waar kende ze die van? Ze zocht naar een bijbehorend plaatje. Zag in gedachten een andere lijst, waarop dezelfde naam voorkwam.

Ze draaide zich om naar Frost, die met veel smaak zijn broodje kalkoen zat te eten. 'Heb jij het dossier over Brandon Tyrone uit Maine?'

'Ja.'

'Heb je het gelezen?'

'Ja. Er staat niet veel meer in dan wat rechercheur Barber ons heeft verteld.'

'Er zat een lijst bij van de gestolen goederen die ze in Tyrones garage hebben gevonden. Kun je me die geven?'

Frost legde zijn brood neer en begon in de stapel dossiers op zijn bureau te zoeken. 'Ik geloof niet dat daar iets bijzonders bij zat. Een paar fototoestellen. Creditcards en een iPod...'

'Zat er niet ook een zilveren sigarettenaansteker bij?'

'Ja.' Hij trok een map uit de stapel en gaf hem haar. 'Wat is daarmee?'

Ze bladerde in het dossier naar de lijst van de voorwerpen die

Brandon Tyrone en Nick Thibodeau uit tenten en auto's op een camping in Maine hadden gestolen. Ze liep de lijst langs tot ze het item had gevonden dat ze zich herinnerde. *Aansteker, zilver. Gegraveerd: R. Renwick.* Ze keek naar haar laptop. Naar de namen van de slachtoffers in Botswana.

Richard Renwick (UK). Vermist, vermoedelijk dood.

'Jemig,' zei ze, en ze pakte de telefoon.

'Wat is er?' vroeg Frost.

'Weet ik nog niet.' Ze drukte een nummer in.

De telefoon ging drie keer over. Toen: 'Barber.'

'Met Jane Rizzoli, Boston PD. Dat dossier over de moord op Brandon Tyrone dat u ons hebt gegeven? Daar zit een lijst bij van de voorwerpen die u in Tyrones garage hebt gevonden.'

'Ja, alles wat hij en Nick op de camping hadden gestolen.'

'Hebt u de eigenaars van al die spullen kunnen opsporen?'

'De meesten wel. De creditcards waren geen probleem, want daar stonden namen op. Toen bekend werd dat we gestolen goederen van de camping hadden gevonden, kwamen er vanzelf mensen om hun bezittingen op te eisen.'

'Ik heb een vraag over een van die voorwerpen. Een zilveren aansteker met een naam erin gegraveerd.'

Barber zei prompt: 'Daarvan hebben we de eigenaar nooit gevonden.'

'Weet u zeker dat niemand hem heeft opgeëist?'

'Ja. Ik heb trouwens iedereen die iets kwam halen persoonlijk ondervraagd, voor het geval hun op de camping iets was opgevallen of dat ze Nick en Tyrone daar hadden gezien. Voor die aansteker is nooit iemand gekomen, wat me verbaasde, want hij is van zilver en moet een flinke duit gekost hebben.'

'Hebt u geprobeerd de eigenaar te vinden via de naam die erin gegraveerd staat? R. Renwick?'

Barber lachte. 'Als je die naam googelt, krijg je twintigduizend treffers. We hebben er gewag van gemaakt in de media, in de hoop dat de eigenaar zich zou melden. Misschien heeft hij dat niet gezien. Misschien heeft hij niet gemerkt dat hij de aansteker kwijt was.' Barber zweeg even en vroeg toen: 'Waarom vraagt u ernaar?'

'Omdat ik zojuist de naam "R. Renwick" ben tegengekomen in verband met een andere zaak. Daarin was een van de slachtoffers ene Richard Renwick.'

'Om welke zaak gaat het?'

'Een meervoudige moordzaak van zes jaar geleden in Botswana.'

'In Afrika?' Barber snoof. 'Dat lijkt me sterk. Dat moet welhaast een andere Renwick zijn.'

Misschien, dacht Jane toen ze ophing. Maar dit kon net zo goed de link zijn tussen al deze zaken. Zes jaar geleden werd Richard Renwick vermoord in Afrika. Een jaar later duikt er een sigaretten-aansteker met de naam 'R. Renwick' op in Maine. Is het in de Verenigde Staten gekomen in de zak van een moordenaar?

'Wat is er aan de hand?' vroeg Frost toen ze een ander nummer intoetste.

'Ik moet iemand opsporen.'

Hij keek over haar schouder naar de pagina op haar laptop. 'Wat heeft het Botswana-dossier te maken met...'

Ze hief haar hand op om hem tot zwijgen te brengen toen ze de gebruikelijke bruuske manier hoorde waarmee haar man de telefoon opnam. 'Gabriel Dean.'

'Hallo, special agent. Zou je me een plezier kunnen doen?'

'Brood en melk halen?' vroeg hij lachend.

'Nee, je moet even je FBI-pet opzetten. Ik moet een vrouw opsporen, maar ik heb geen idee waar ze is. Jij kent iemand bij Interpol in Zuid-Afrika. Henk...'

'Andriessen.'

'Ja, misschien kan hij me helpen.'

'Betreft het een internationale zaak?'

'De meervoudige moord in Botswana waar ik je over heb verteld. De toeristen die tijdens de safari zijn verdwenen. Het probleem is dat het zes jaar geleden is en ik geen idee heb waar deze vrouw nu is. Al zou het heel goed kunnen dat ze is teruggekeerd naar Londen.'

'Om wie gaat het?'

'Millie Jacobson. De enige van die groep die het heeft overleefd.'

24

Zuid-Afrika

Al vijf dagen zit er elke ochtend een karmijnrode bijeneter in de flessenborstelboom. Als ik met een kop koffie de achtertuin in loop, zit de vogel als een felrood ornament tussen de kleurige wirwar van struiken en bloemen. Ik heb hard gewerkt aan deze tuin. Ik heb gegraven, gemest, gewied en gesproeid, en een kaal lapje grond omgetoverd in een klein paradijsje waar ik me in alle rust kan afzonderen. Maar op deze warme novemberdag heb ik geen oog voor de zomerbloemen en de bezoekende bijeneter. Het telefoontje van gisteravond heeft me zo van streek gemaakt dat ik nergens anders aan kan denken.

Christopher komt ook naar buiten. Gietijzer schraapt over de terrastegels als hij met zijn koffie aan de tuintafel gaat zitten. 'Wat ga je doen?' vraagt hij.

Ik snuif de geur van de bloemen op en kijk naar de slingerplanten die zich door de pergola weven. 'Ik wil er niet heen.'

'Dus je hebt een besluit genomen.'

'Ja.' Ik zucht. 'Nee.'

'Wil je dat ik dit voor je afhandel? Dan maak ik hun duidelijk dat ze je met rust moeten laten. Je hebt al hun vragen beantwoord. Wat verlangen ze nog meer van je?'

'Iets meer moed, misschien,' zeg ik zachtjes.

'Doe niet zo mal, Millie. Jij bent de dapperste vrouw die ik ken.'

Daar moet ik om lachen, want ik voel me helemaal niet dapper.

Ik voel me als een bibberend muisje dat het huis niet durft te verlaten waar het zich veilig voelt. Ik wil mijn veilige huis niet verlaten, omdat ik weet wat zich in de buitenwereld bevindt. Wíé zich daar bevindt. Mijn handen beginnen te trillen bij het idee dat ik hem zou tegenkomen. En dat is nu juist wat ze van me verlangt, die rechercheur uit Boston. *U weet hoe hij eruitziet. U weet hoe hij denkt en hoe hij jaagt. We hebben uw hulp nodig om hem op te pakken.*

Voordat hij nog een moord pleegt.

Christopher reikt over de tafel om mijn handen vast te pakken. Nu pas merk ik hoe koud ik het heb. Hoe warm hij is. 'Je hebt er vannacht van gedroomd, nietwaar?'

'Heb je dat gemerkt?'

'Dat was niet te vermijden. Ik lig pal naast je.'

'Ik had er al maanden niet van gedroomd. Ik dacht dat ik ervanaf was.'

'Dat ellendige telefoontje ook,' foetert hij. 'Ze hebben niets, weet je. Alleen een theorie. Misschien is de persoon die ze zoeken heel iemand anders.'

'Ze hebben Richards aansteker gevonden.'

'Jij weet niet of het dezelfde aansteker is.'

'Een andere R. Renwick?'

'Het is een veelvoorkomende naam. En als het wél dezelfde aansteker is, wil dat zeggen dat hij ver weg is. Dat hij een nieuwe weg is ingeslagen, op een heel ander continent.'

En daarom wil ik hier blijven, waar Johnny me niet kan vinden. Ik zou stapelgek zijn als ik op zoek ging naar een monster. Ik drink mijn koffie op en sta op. Weer dat schrapen van de stoelpoten over de tegels. Waarom heb ik in hemelsnaam een gietijzeren tuinameublement gekocht? Misschien omdat het er zo solide uitzag dat ik dacht dat het eeuwig zou meegaan. Maar de stoelen zijn zwaar en moeilijk te verzetten. Als ik naar binnen ga, voel ik me alsof ik een nieuwe last tors, zo zwaar als dat gietijzer, gegoten in angst, me verankerend aan deze plek. Ik loop naar de gootsteen om de kopjes en schoteltjes af te wassen en het aanrecht af te vegen, ook al is het brandschoon.

U weet hoe hij denkt. En hoe hij jaagt.

Opeens zie ik het gezicht van Johnny Posthumus voor me, haarscherp, alsof hij buiten staat en door het keukenraam naar me kijkt. Van schrik laat ik een lepeltje op de vloer vallen. Johnny bevindt zich altijd slechts één onverhoedse gedachte bij me vandaan. Toen ik Botswana verliet, was ik ervan overtuigd dat hij me op een dag zou vinden. Ik ben de enige die het heeft overleefd, de enige getuige die hij niet heeft kunnen vermoorden. Dat moest een niet te versmaden uitdaging zijn. Maar de maanden werden jaren en ik hoorde niets meer van de politie, niet van die in Botswana, en ook niet van die in Zuid-Afrika. Ik begon te hopen dat Johnny dood is. Dat zijn beenderen in de wildernis verspreid liggen, net zoals die van Richard. Net zoals die van de anderen. Het is de enige manier waarop ik me veilig kan voelen: door mezelf te vertellen dat hij dood is. Niemand heeft de afgelopen zes jaar iets van hem gezien of gehoord, dus was het redelijk om te denken dat hij aan zijn eind was gekomen en mij niets meer kon doen.

Het telefoontje uit Boston heeft radicaal een einde aan die hoop gemaakt.

Lichte voetstappen roffelen de trap af. Violet huppelt de keuken in. Ze is vier en vreest nog niets, omdat wij tegen haar liegen. We vertellen haar dat de wereld een vreedzame plek is, gevuld met licht. Ze weet nog niet dat monsters bestaan. Christopher tilt haar op, zwiert haar in het rond en draagt haar lachend naar de woonkamer, waar ze op zaterdagochtend altijd samen tekenfilms kijken. De vaat is gedaan, de koffiepot is omgewassen, de keuken is aan kant, maar ik blijf rondlopen, op zoek naar nieuwe taken, naar afleiding.

Ik ga achter de computer zitten en zie dat er sinds gisteravond een aantal e-mails is binnengekomen. Van mijn zus in Londen, van een paar moeders van Violets speelgroep, van een of andere Nigeriaan die een grote som geld aan me wil overmaken als ik zo goed wil zijn hem het nummer van mijn bankrekening te geven.

En een e-mail van rechercheur Jane Rizzoli uit Boston. Ze heeft die gisteravond verstuurd, een klein uur na ons telefoongesprek.

Ik aarzel. Als ik hem open, kan ik niet meer terug. Als ik deze grens overschrijd, kan ik me niet meer verschansen achter mijn muur van ontkenning. Ik hoor Christopher en Violet lachen om de capriolen van de tekenfilmfiguurtjes terwijl ik met bonkend hart en ijskoude handen naar de e-mail zit te staren.

Ik klik met de muis. Ik had net zo goed een lucifer bij de lont van een staaf dynamiet kunnen houden, want wat er op mijn scherm verschijnt, slaat in als een bom. Het is een foto van de zilveren aansteker die de politie van Maine in een tas met gestolen goederen heeft gevonden. Ik zie *R. Renwick* staan, in het stoere lettertype waar Richard zo van hield. Maar het is de kras waar mijn blik aan blijft haken. Hij is heel ondiep, maar toch duidelijk zichtbaar. Hij ziet eruit alsof de nagel van een roofdier over het glanzende voorwerp is gegleden, dwars door de krul van de R. Ik herinner me de dag waarop het is gebeurd, in Londen, toen Richard de aansteker liet vallen. Ik denk aan hoe vaak ik hem die aansteker heb zien gebruiken en hoe blij hij ermee was toen hij hem op zijn verjaardag van mij cadeau kreeg. Hij had zelf om het ijdele, opzichtige cadeau gevraagd, maar zo was Richard. Hij had altijd behoefte om zijn territorium af te bakenen, zelfs als dat territorium alleen maar een klein zilveren voorwerp was. Ik herinner me hoe hij bij het kampvuur zijn Gauloises ermee aanstak en hem dan met een hard klikje weer sloot.

Dit is zonder enige twijfel zijn aansteker. Op de een of andere manier is dit voorwerp vanuit de Okavangodelta in het bezit van een moordenaar de oceaan overgestoken naar Amerika. En nu willen ze dat ik hem op dat traject achternaga.

Ik lees het summiere bericht dat rechercheur Rizzoli samen met de foto heeft gestuurd. *Is dit de aansteker? Zo ja, dan moeten we hier dringend over praten. Kunt u naar Boston komen?*

Ik kijk uit het keukenraam. Buiten schijnt de zon. Mijn tuin staat in zijn volle zomerse pracht te pronken. In Boston nadert de winter en is het vast koud en grijs, nog grijzer dan in Londen. Ze heeft geen idee wat ze van me verlangt. Ze zegt dat ze op de hoogte is van de feiten, van wat er is gebeurd, maar feiten zijn koude, bloedeloze dingen, als stukjes metaal die iemand aan elkaar last om een beeld te maken, een beeld dat geen ziel heeft. Ze heeft geen idee wat ik in de Okavangodelta heb moeten doorstaan.

Ik haal diep adem en typ mijn antwoord. *Het spijt me. Ik kan niet naar Boston reizen.*

25

Tijdens zijn jaren bij de mariniers had Gabriel zich veel survival-technieken eigen gemaakt en om één daarvan had Jane hem altijd benijd, namelijk de kunst om waar de gelegenheid zich ook voordeed, een paar uur te slapen. Zodra het licht in de cabine van het vliegtuig was gedimd, zette hij zijn stoelleuning naar achteren, sloot zijn ogen en viel meteen in slaap. Jane daarentegen bleef klaarwakker en telde de uren tot ze zouden landen terwijl ze nadacht over Millie Jacobson.

De enige overlevende van de noodlottige safari was niet naar Londen teruggekeerd, zoals Jane had gedacht, maar woonde in een kleine stad in de Hexriviervallei in Zuid-Afrika. Na twee gruwzame weken in de wildernis, waar ze zich, bedekt met modder, in leven had weten te houden met rietstengels en gras, was de boekverkoopster niet naar huis teruggekeerd, maar had ze ervoor gekozen een nieuw leven op te bouwen op het continent dat bijna haar dood was geworden.

De foto's die van Millie Jacobson waren genomen vlak nadat ze uit de wildernis was gekomen, lieten zien hoe uitgemergeld ze aan het eind van die zware beproeving was geweest. Op de foto in haar paspoort stond een donkerharige jonge vrouw met blauwe ogen en een hartvormig gezicht, een aardig type, niet overdreven mooi of lelijk. De foto's die tijdens haar herstel in het ziekenhuis waren genomen, lieten een vrouw zien die in geen enkel opzicht op de andere leek. Jane kon nauwelijks geloven dat het om dezelfde persoon ging. De oude Millie Jacobson was in de wildernis achtergebleven, afgeworpen als een slangenhuid, en vervangen door een knokig, door de zon geblakerd wezen met gekwelde ogen.

Terwijl het hele vliegtuig sliep, verdiepte Jane zich nogmaals in het politiedossier over de safarimoorden. Indertijd was er in Groot-Brittannië, waar Richard Renwick veel bekendheid genoot als thrillerauteur, ruimschoots aandacht aan de zaak besteed, maar in de Verenigde Staten kende bijna niemand hem en Jane had nooit een boek van hem gelezen. Volgens de *London Times* schreef hij thrillers over 'door testosteron gedreven mannen' waarin 'de kogels je om de oren vliegen'. Het artikel in de *Times* ging vrijwel geheel over Renwick en had slechts twee paragrafen besteed aan de vrouw met wie hij samenwoonde, Millie Jacobson. Maar Millie was degene voor wie Jane belangstelling had. Ze staarde naar de foto van de jonge vrouw uit het dossier van Interpol. De foto die vlak na haar ontberingen was genomen. Op haar gezicht zag Jane een afspiegeling van hoe zij er zelf een paar jaar geleden had uitgezien. Zij hadden allebei de ijskoude aanraking van een moordenaar gevoeld en het overleefd. Zo'n aanraking was iets wat je nooit vergat.

Zij en Gabriel waren uit Boston vertrokken op een gure dag met een harde wind en natte sneeuw. In Londen, waar ze een korte tussenlanding hadden gemaakt, was het al net zo grijs en winters geweest. Daarom was de schok des te groter toen ze in Kaapstad uit het vliegtuig stapten en in de zomerse hitte terechtkwamen. De seizoenen waren hier precies tegengesteld en op het vliegveld liep iedereen in korte broeken en mouwloze jurkjes, terwijl Jane nog steeds de coltrui en het dikke vest aanhad die in Boston nodig waren geweest. Tegen de tijd dat ze de paspoortcontrole waren gepasseerd en hun koffers van de band hadden gehaald, transpireerde ze zo hevig dat ze nog maar één ding wilde: zich van die warme kleren ontdoen.

Ze trok net haar coltrui over haar hoofd, toen een bulderende stem riep: 'Dean the Machine! Eindelijk in Afrika!'

'Hallo, Henk. Bedankt dat je ons komt afhalen,' zei Gabriel.

Jane rukte de trui van haar hoofd en zag dat Gabriel en een

grote blonde man elkaar op de rug sloegen op die typisch mannelijke manier die zowel een omhelzing als een uitdaging leek te zijn.

'Lange zit, hè?' zei Henk. 'Maar hier kunnen jullie tenminste genieten van lekker warm weer.' Hij keek naar Jane met een blik waardoor ze zich in haar dunne tanktopje erg bloot voelde. Zijn ogen waren onnatuurlijk licht in zijn bruinverbrande gezicht. Ze hadden de zilverachtige kleur blauw die ze een keer bij een wolf had gezien. 'Hallo Jane,' zei hij. Hij stak haar een klamme, vlezige hand toe. 'Henk Andriessen. Het doet me genoegen eindelijk kennis te maken met de vrouw die The Machine heeft gestrikt. Ik had niet gedacht dat het ooit iemand zou lukken.'

Gabriel lachte. 'Jane is niet zomaar iemand.'

Ze gaf Henk een hand met het gevoel dat hij haar taxeerde en vroeg zich af of hij had verwacht dat Dean the Machine wel een knappere vrouw had kunnen krijgen. Niet eentje die er na een lange vlucht uitzag als een vaatdoek. 'En ik heb het een en ander over jou gehoord,' zei ze. 'Iets over een drinkgelag in Den Haag, twaalf jaar geleden.'

Henk wierp een blik op Gabriel. 'Ik hoop dat je haar de gekuiste versie hebt verteld.'

'Hoezo? Wat is het vervolg op "Twee mannen gingen een bar binnen"?'

Henk lachte. 'Het is beter als we het daarbij laten.' Hij nam haar koffer van haar over. 'Kom maar mee. Ik ben met de auto.'

Toen ze door de hal liepen, bleef Jane een paar passen achter de mannen zodat die alvast wat konden bijpraten. Gabriel had bijna de hele vlucht van Londen naar Kaapstad geslapen en liep met de energieke pas van een man die popelde om aan het werk te gaan. Ze wist dat Henk een jaar of tien ouder was dan Gabriel, oorspronkelijk uit Brussel kwam, driemaal getrouwd was geweest en nu tien jaar voor de Zuid-Afrikaanse afdeling van Interpol werkte. Ze wist ook dat hij veel dronk en een rokkenjager was en ze vroeg zich af wat er precies was gebeurd tijdens die roemruchte nacht in Den Haag. Henk moest de aanstichter zijn geweest, want ze kon zich haar preutse echtgenoot met geen mogelijkheid voorstellen als stimulator van dergelijke uitspattingen. Zelfs van achteren gezien was duidelijk wie van de twee een betere zelfbeheersing bezat. Gabriel had de ranke lichaamsbouw van een hardloper en liep met doelbewuste pas. Henks uitdijende taille liet zien wat een onbezorgde bourgondiër hij was. Toch konden de mannen het goed met elkaar vinden. Ze hadden elkaar in Kosovo leren kennen en hun vriendschap had zich ontwikkeld onder de druk van de onderzoeken naar oorlogsmisdaden.

Henk leidde hen naar een zilverkleurige BMW, de favoriete mascotte van alle rokkenjagers, opende het portier en maakte een uitnodigend gebaar. 'Jane, wil jij voorin?'

'Nee, laat Gabriel maar voorin zitten. Jullie hebben veel om over te praten.'

'Achterin is het uitzicht minder,' zei Henk toen ze hun veiligheidsgordels dichtklikten, 'maar dat wordt ruimschoots goedgemaakt op de plek waar we naartoe gaan.'

'Waar gaan we dan naartoe?'

'Naar de Tafelberg. Jullie blijven hier maar zo kort, en de Tafelberg is iets wat je echt moet zien. Bovendien is jullie hotelkamer waarschijnlijk toch nog niet beschikbaar, dus kunnen we net zo goed eerst de berg op gaan.'

Gabriel draaide zich naar haar om. 'Red je dat, Jane?'

Eigenlijk ging ze veel liever onder de douche en naar bed. Ze had pijn in haar hoofd van de verblindende zon en haar mond was zo plakkerig als een teerput, maar als Gabriel de fut had om meteen iets van de omgeving te gaan bekijken, zou zij zich niet laten kennen. 'Natuurlijk,' zei ze.

Anderhalf uur later stopten ze op het parkeerterrein bij de kabelbaan van de Tafelberg. Jane stapte uit en keek naar de kabels die tot een duizelingwekkende hoogte opstegen langs de flank van de berg. Ze had niet echt hoogtevrees, maar haar maag keerde om bij de gedachte om daarlangs te moeten opstijgen naar die duizelingwekkende bergtop. Opeens was ze niet moe meer; het enige waar ze nu nog aan kon denken was dat er een kabel zou breken en de cabine honderden meters naar beneden zou storten.

'Het beloofde uitzicht is daar boven,' zei Henk.

'Moet je nou kijken, er hangen mensen aan de bergwand!'

'De Tafelberg is een favoriete plek voor bergbeklimmers.'

'Ze zijn niet goed wijs.'

'Er zijn er ook elk jaar wel een paar die hier het leven laten. Na een val van zo'n hoogte blijft er niet veel van je over. Dan is het alleen nog een kwestie van het lijk bergen.'

'En wij moeten ook tegen die bergwand op? Aan die kabels?'

'Heb je hoogtevrees?' De zilveren wolvenogen keken haar geamuseerd aan.

'Al had ze het,' zei Gabriel lachend, 'dan zou ze dat nooit toegeven.'

En mijn trots zal nog eens mijn dood worden, dacht ze toen ze met tientallen andere toeristen in de cabine stapte. Ze vroeg zich af wanneer de installatie voor het laatst was geïnspecteerd. Ze bestudeerde het personeel om te zien of er soms iemand bij was die iets had gedronken of iets had gerookt of de indruk wekte een psychopaat te zijn. Ze telde de passsagiers om er zeker van te zijn dat de limiet niet werd overschreden en hoopte dat bij het maximale gewicht rekening was gehouden met zware figuren als Henk.

Toen zoefde de cabine de lucht in en had ze alleen nog maar oog voor het uitzicht.

'Je eerste blik op Afrika,' zei Henk. Hij had zich naar haar toe gebogen en sprak in haar oor. 'Hoe vind je het?'

Ze slikte. 'Het is niet wat ik had verwacht.'

'Wat had je verwacht? Dat er overal leeuwen en zebra's zouden lopen?'

'Zoiets.'

'Zo denken de meeste Amerikanen over Afrika. Dat komt omdat ze te veel naar natuurfilms kijken. Als ze dan in hun kakibroek en safarijasje uit het vliegtuig stappen, zijn ze stomverbaasd dat Kaapstad een moderne stad is. Geen zebra te bekennen, behalve in de dierentuin.'

'Ik hoopte eigenlijk wel een zebra te zien.'

'Dan moeten jullie iets langer blijven en naar het binnenland vliegen.'

'Dat zou ik best willen,' zuchtte ze. 'Maar onze bazen houden ons erg kort. Tijd voor pret is er niet.'

De cabine stopte en de deuren gingen open.

'Laten we dan maar meteen aan het werk gaan,' zei Henk. 'Er is geen reden waarom we niet kunnen praten én van het uitzicht genieten.'

Aan de rand van het plateau van de Tafelberg keek Jane vol bewondering naar het landschap terwijl Henk de bezienswaardigheden van Kaapstad aanwees: de harde aardlagen van Duivelspiek en Seinheuvel, de Tafelbaai, en in het noorden Robbeneiland, waar Nelson Mandela bijna twintig jaar gevangen had gezeten.

'Zo'n rijke geschiedenis. Ik zou jullie eindeloos veel verhalen over dit land kunnen vertellen.' Henk keek Jane aan. 'Maar eerst aan het werk. De safarimoorden.'

'Ik hoorde van Gabriel dat jij bij het onderzoek betrokken bent geweest.'

'Niet bij het oorspronkelijke onderzoek dat in Botswana plaatsvond. Interpol werd er pas bij betrokken toen de politie van Botswana hoorde dat de moordenaar de grens was overgestoken naar Zuid-Afrika. Hij had in grensplaatsen de creditcards van twee van zijn slachtoffers gebruikt bij zaken waar geen pincode werd gevraagd. De landrover is aan de rand van Johannesburg teruggevonden. De moorden zijn gepleegd in Botswana, maar Johnny Posthumus is Zuid-Afrikaans staatsburger. De zaak bestrijkt meerdere landen, vandaar de betrokkenheid van Interpol. We hebben een internationaal opsporingsbevel uitgevaardigd voor de arrestatie van Posthumus, maar we hebben geen idee waar hij is.'

'Is er wel vooruitgang geboekt?'

'Niet veel. Maar gezien de moeilijkheden waar ze hier mee kampen, is dat ook niet verwonderlijk. In dit land worden gemiddeld vijftig moorden per dag gepleegd. Dat is zes keer zoveel als in de Verenigde Staten. Veel van die zaken worden nooit opgelost. De politie kan het werk niet aan en het budget voor de forensische laboratoria is verre van toereikend. Daar komt bij dat de safarimoorden zijn gepleegd in een ander land. De coördinatie tussen de verschillende rechtsgebieden geeft ook problemen.'

'Maar jullie zijn er zeker van dat Johnny Posthumus de dader is,' zei Gabriel.

Andriessen gaf niet meteen antwoord en de stilte zei meer dan de woorden die erop volgden. 'Ik heb... bedenkingen.'

'Waarom?'

'Ik heb zijn verleden tot op de bodem uitgespit. Johnny Posthumus is in Zuid-Afrika geboren. Zijn ouders hadden een boerderij. Op zijn achttiende is hij gaan werken in een safaripark in Sabi Sands. Later is hij doorgereisd naar Mozambique en Botswana en uiteindelijk is hij als zelfstandig gids begonnen. Er zijn nooit klachten over hem geweest. Door de jaren heen heeft hij de reputatie gekregen een betrouwbare gids te zijn. Op één dronken bargevecht na is hij nooit met de politie in aanraking geweest. Voor zover we weten heeft hij nooit gewelddaden gepleegd.'

'Voor zover jullie weten.'

'Ja. Er kunnen natuurlijk incidenten zijn geweest die nooit zijn gerapporteerd. Als je in de wildernis iemand vermoordt, is de kans groot dat het lijk nooit wordt gevonden. Maar wat mij het meest dwarszit, is dat er geen enkel teken aan de wand was. Niets aan zijn gedrag wees erop dat hij op een dag met acht mensen de delta in zou trekken en daar zeven van hen zou afmaken.'

'En toch is het volgens de enige overlevende zo gegaan,' zei Jane.

'Ja,' gaf Henk toe. 'Dat zei ze.'

'Twijfel je aan haar?'

'Ze heeft Posthumus geïdentificeerd aan de hand van een twee jaar oude pasfoto die de politie van Botswana haar liet zien. Er zijn niet veel andere foto's van hem. De meeste zijn verloren gegaan toen de boerderij van zijn ouders zeven jaar geleden is afgebrand. Vergeet niet dat Millie Jacobson half dood uit de wildernis is gekomen. Kun je op iemands beoordelingsvermogen vertrouwen als ze zoiets hebben doorstaan, vooral als je van de vermeende dader alleen een pasfoto hebt?'

'Als die man niet Johnny Posthumus was, wie was hij dan?'

'We weten dat hij de creditcards van zijn slachtoffers heeft gebruikt. Hij heeft hun paspoorten gestolen en in de paar weken voordat ze als vermist werden opgegeven, heeft hij hun identiteit kunnen aannemen. Zo kon hij zijn wie hij wilde en bijna overal naartoe reizen. Ook naar Amerika.'

'En de echte Johnny Posthumus? Denk je dat hij dood is?'

'Het is maar een theorie.'

'Maar is er ondersteunend bewijs? Een lijk? Stoffelijke resten?'

'We hebben duizenden ongeïdentificeerde stoffelijke resten van mensen. Wat we níét hebben, zijn de middelen om na te gaan wie die mensen waren. De forensische laboratoria hebben zo'n achterstand in DNA-identificatie dat het maanden of zelfs jaren kan duren voordat ze aan een bepaald slachtoffer toekomen. Het kan best zijn dat Posthumus daarbij zit.'

'Maar hij kan ook springlevend zijn en in Boston wonen,' zei Jane. 'Misschien heeft hij geen strafblad omdat hij tot Botswana nooit fouten heeft gemaakt.'

'Je bedoelt tot Millie Jacobson.'

'Hij heeft haar laten ontsnappen.'

Henk staarde een ogenblik zwijgend naar de Tafelbaai. 'Ik denk niet dat hij dat toen als een probleem zag. Dat ze was ontsnapt.'

'De enige vrouw die hem kon identificeren?'

'Ze was zo goed als dood. Iedere andere toerist, man of vrouw, die in de delta was achtergelaten, zou het nog geen twee dagen hebben volgehouden, laat staan twee weken. Normaal gesproken had ze daar moeten sterven.'

'Waarom is ze dan niet gestorven?'

'Moed? Geluk?' Hij haalde zijn schouders op. 'Een wonder.'

'Jij hebt haar ontmoet,' zei Gabriel. 'Wat vond je van haar?'

'Het is alweer een paar jaar geleden dat ik haar heb ondervraagd. Ze heet nu niet meer Jacobson, maar DeBruin. Ze is met een Zuid-Afrikaan getrouwd. Ik herinner me haar als een... onopvallende vrouw. Dat was de indruk die ik van haar kreeg, en dat verbaasde me. Ik had haar verklaring gelezen en wist wat ze naar eigen zeggen allemaal had doorstaan. Ik verwachtte een supervrouw.'

Jane fronste. 'Vertrouw je haar verklaring niet?'

'Dat ze met een kudde wilde olifanten is meegelopen? Dat ze zonder voedsel en zonder wapen twee weken door de wildernis is getrokken? Dat ze zich in leven heeft weten te houden met gras en papyrusstengels?' Hij schudde zijn hoofd. 'Geen wonder dat de politie van Botswana aanvankelijk aan haar verhaal twijfelde. Tot werd bevestigd dat zeven buitenlanders niet waren komen opdagen voor hun geboekte vliegreizen naar huis. Ze hebben met de piloot gesproken die de toeristen naar de vliegstrip had gebracht en hem gevraagd waarom hij niet had gemeld dat ze vermist werden. Hij zei dat iemand hem had opgebeld om te zeggen dat ze per auto zouden terugkeren naar Maun. Een paar dagen later drong eindelijk tot de politie van Botswana door dat Millie Jacobson de waarheid sprak.'

'En toch twijfel jij?'

'Ja, want toen ik haar ontmoette, vond ik haar een beetje... vreemd.'

'In welk opzicht?'

'Terughoudend. Niet echt behulpzaam. Ze woont in een kleine plaats op het platteland, waar haar man een boerderij heeft. Ze verlaat het district vrijwel nooit. Ze weigerde zelfs naar Kaapstad te komen voor het vraaggesprek. Ik moest er speciaal voor naar Touws Rivier rijden.'

'Daar gaan wij morgen ook naartoe,' zei Gabriel. 'Het is de enige manier om haar te spreken te krijgen.'

'Het is een prachtige rit. Bergen, akkers, wijngaarden. Maar het is een eind weg. Haar man is een grote, strenge Afrikaner die ervoor zorgt dat iedereen bij haar uit de buurt blijft. Het is logisch dat hij haar wil beschermen, maar van hem mag zelfs de politie zijn vrouw niet van streek maken. Voordat je haar te spreken krijgt, moet je door hem worden goedgekeurd.'

'Daar heb ik alle begrip voor,' zei Gabriel. 'Dat zou iedere goede echtgenoot doen.'

'Je vrouw ver van de bewoonde wereld houden?'

'Haar beschermen, op iedere mogelijke manier. Aangenomen dat ze dat zelf ook wil.' Hij wierp een blik op Jane. 'Niet iedere vrouw is daarvan gediend.'

Henk lachte. 'Een heikel punt bij jullie, begrijp ik.'

'Omdat Jane veel te veel risico's neemt.'

'Ik werk bij de politie,' zei Jane. 'Hoe zou ik boeven moeten vangen als jij me ver van de bewoonde wereld zou opsluiten? En het klinkt alsof deze man dat met zijn vrouw doet. Dat hij haar van iedereen afgezonderd houdt.'

'Je moet eerst langs hem,' zei Henk. 'Uitleggen dat het van levensbelang is dat zijn vrouw je helpt en hem ervan overtuigen dat het haar niet in gevaar brengt, want dat is voor hem het enige wat telt.'

'Doet het hem niets dat Johnny Posthumus misschien nog steeds bezig is mensen te vermoorden?'

'Die mensen kent hij niet. Hij beschermt alleen wat van hem is en je moet zijn vertrouwen verdienen.'

'Denk je dat Millie zal meewerken?' vroeg Gabriel.

'Tot op zekere hoogte. Je kunt haar dat echt niet kwalijk nemen. Als je bedenkt wat het haar heeft gekost om levend uit de delta te komen. Wie zoiets overleeft, is niet meer zoals voorheen.'

'Sommige mensen zouden er sterker door worden,' zei Jane.

'En anderen worden erdoor vernietigd.' Henk schudde zijn hoofd. 'Millie is nu helaas weinig meer dan een geest.'

26

Ondanks alles wat Millie Jacobson in de wildernis had moeten doorstaan, was ze niet teruggekeerd naar haar vertrouwde leventje in Londen, maar had ze zich gevestigd in een kleine plaats in de Hexriviervallei in de provincie West-Kaap. Als het Jane was geweest die twee gruwelijke weken in de rimboe had moeten leven, bedekt met modder, levend op gras en rietstengels, voordurend op haar hoede voor leeuwen en krokodillen, zou ze rechtstreeks naar huis zijn gegaan, naar haar eigen bed, haar eigen buurt en het comfort dat grote steden te bieden hebben. Maar Millie Jacobson, de in Londen geboren en getogen boekverkoopster, had alles wat ze had gekend de rug toegekeerd om in een afgelegen dorp te gaan wonen.

Onderweg naar Touws Rivier begreep Jane waarom het niet verwonderlijk was dat Millie zich tot deze omgeving aangetrokken had gevoeld. Ze reden door een prachtig landschap met bergen, rivieren en landerijen, geschilderd in de rijke kleuren van de zomer. Jane had alleen nog steeds het gevoel dat alles aan dit land uit het lood hing, van de tegengestelde seizoenen tot en met de noordelijke route die de zon aflegde, en toen ze een scherpe bocht namen, werd ze opeens helemaal duizelig, alsof de wereld écht op zijn kop was komen te staan. Ze sloot haar ogen en wachtte tot het overging.

'Wat is het hier mooi. Je zou zó willen blijven,' zei Gabriel.

'Het is mij te ver van Boston,' mompelde ze.

'En ver van Londen, maar ik begrijp nu waarom ze niet is terug-gegaan.'

Jane keek door haar oogharen naar de eindeloze rijen wijnranken, waaraan grote trossen druiven hingen te rijpen in de zon. 'Haar man woonde hier al en mensen doen vreemde dingen uit liefde.'

'Zoals alles in de steek laten en naar Boston verhuizen?'

Ze keek naar hem. 'Heb je daar weleens spijt van? Dat je voor mij Washington hebt verlaten?'

'Eh... even denken...'

'Gabriel.'

Hij lachte. 'Heb ik er spijt van dat ik in het huwelijksbootje ben gestapt en een aanbiddelijke dochter heb? Wat denk je zelf?'

'Er zijn mannen genoeg die zo'n offer niet gebracht zouden heb-ben.'

'Als je dat maar goed onthoudt. Een dankbare echtgenote is nooit weg.'

Ze keek weer naar de wijngaarden. 'Over dankbaar gesproken, mam heeft wel iets extra's verdiend voor het oppassen. Zullen we haar een kist Zuid-Afrikaanse wijn sturen? Vince en zij houden van...' Ze stopte abrupt. Nu haar vader terug was, was er geen Vince Korsak meer in Angela's leven. Ze zuchtte. 'Ik had nooit gedacht dat ik dit ooit zou zeggen, maar ik mis Korsak.'

'En je moeder mist hem ook.'

'Ben ik een slechte dochter omdat ik het liefst zou zien dat mijn vader terugging naar zijn bimbo en ons met rust liet?'

'Je bent een goede dochter. Voor je moeder.'

'Die niet naar me luistert. Ze probeert het iedereen naar de zin te maken, behalve zichzelf.'

'Het is háár keuze en die moet jij respecteren, ook als je het niet begrijpt.'

Zoals ze ook niet begreep waarom Millie Jacobson ervoor had gekozen zich terug te trekken in een uithoek van een land dat in geen enkel opzicht leek op de omgeving waarin ze was opgegroeid. Millie had haar telefonisch heel duidelijk gemaakt dat ze niet van plan was naar Boston te reizen om de politie met het onderzoek te helpen. Ze had een vierjarige dochter en een echtgenoot die haar nodig hadden.

Het geijkte smoesje van een vrouw die niet wil bekennen wat de ware reden voor haar weigering is: dat de wereld haar doodsangsten aanjaagt. Henk Andriessen had Millie een geest genoemd en gezegd dat het hun niet zou lukken haar uit Touws Rivier weg te lokken. En dat Millies echtgenoot dat ook niet zou toestaan.

De echtgenoot was degene die op hen stond te wachten toen ze voor de boerderij stopten en Jane zag aan zijn strakke gezicht dat hij het hun niet makkelijk zou maken. Christopher DeBruin was zo groot en intimiderend als Henk hem had beschreven. Hij moest minstens tien jaar ouder zijn dan Millie, had blond haar dat al grotendeels grijs was, en stond met zijn armen over elkaar geslagen op de veranda als een uitsmijter die gewend was ongewenste gasten op afstand te houden. Toen Jane en Gabriel uitstapten, kwam hij niet het trapje af om hen te begroeten, maar wachtte tot de ongenode gasten naar hém zouden komen.

'Meneer DeBruin?' vroeg Gabriel.

Een knikje, meer niet.

'Ik ben special agent Gabriel Dean van de FBI. Dit is rechercheur Jane Rizzoli van het Boston PD.'

'Zo zo, twee stuks die ze helemaal hierheen hebben gestuurd.'

'Dit onderzoek bestrijkt meerdere landen in meerdere werelddelen. Er wordt op internationaal niveau aan gewerkt.'

'En jullie denken dat alle sporen naar mijn vrouw leiden.'

'We denken dat zij de sleutel tot de zaak is.'

'En wat heb ik daarmee te maken?'

Twee mannen met te veel testosteron, dacht Jane. Ze liep naar voren. DeBruin keek haar nors aan, alsof hij niet zeker wist hoe hij een vrouw van zich af moest houden.

'We hebben een lange reis achter de rug, meneer DeBruin,' zei ze rustig. 'Zouden we Millie alstublieft even mogen spreken?'

Hij bekeek haar een ogenblik. 'Ze is onze dochter aan het ophalen.'

'Wanneer komt ze terug?'

'Straks.' Met tegenzin deed hij de deur open. 'Kom binnen. Er zijn dingen die eerst gezegd moeten worden.'

Ze volgden hem naar binnen. Jane zag een vloer van brede planken en een plafond dat werd gedragen door indrukwekkende balken. Een huis tjokvol geschiedenis, van de handgemaakte trapleuning tot de antieke Hollandse tegeltjes van de open haard. DeBruin bood hun geen thee of koffie aan, maar wees bruusk naar de bank en ging zelf in de leunstoel ertegenover zitten.

'Millie voelt zich hier veilig,' zei hij. 'We hebben het goed samen, hier op de boerderij. We hebben een dochter. Ze is vier. Nu willen jullie dat allemaal in de war schoppen.'

'Millie kan een ommekeer teweegbrengen in ons onderzoek,' zei Jane.

'U weet niet wat u van haar verlangt. Ze doet sinds uw eerste telefoontje geen oog meer dicht. Ze wordt gillend wakker. Ze durft de vallei niet eens te verlaten. Hoe kunt u van haar verwachten dat ze helemaal naar Boston reist?'

'Het Boston PD zal goed op haar passen, dat beloof ik u. Er zal haar niets overkomen.'

'O nee? Weet u dat ze zich hier niet eens honderd procent veilig voelt?' Hij snoof. 'Nee, natuurlijk weet u dat niet. Want u weet niet wat ze in de wildernis heeft moeten doorstaan.'

'We hebben haar verklaring gelezen.'

'Haar verklaring? Alsof een paar velletjes getypte tekst een goed beeld geven. Ik was erbij, op de dag dat ze uit de wildernis tevoorschijn kwam. Ik logeerde in een gamelodge in de delta. Ik was er op vakantie, op olifantensafari. Elke middag kregen we thee geserveerd op het terras, waar we op ons gemak naar de dieren konden kijken die naar de rivier kwamen om te drinken. Op die bewuste dag kwam er iets uit het bos wat ik nog nooit eerder had gezien. Een mensachtig wezen, maar zo mager dat het eruitzag als een bundel met modder bedekte takken. We konden onze ogen niet geloven toen dit wezen het gazon overstak en moeizaam het trapje beklom. Daar zaten we, met onze porseleinen kopjes en schoteltjes en ons assortiment luxe gebakjes en sandwiches. Het wezen komt naar me toe, kijkt me aan en zegt: "Bent u echt? Of ben ik in de hemel?" "Als dit de hemel is," zei ik, "hebben ze me naar de verkeerde plek gestuurd." Ze liet zich op haar knieën vallen en begon te huilen. Omdat ze begreep dat er een einde was gekomen aan haar nachtmerrie. Dat ze gered was.' DeBruin keek Jane indringend aan. 'Ik heb gezworen dat ik haar zou beschermen. Door dik en dun.'

'Dat zal de politie van Boston ook doen, meneer,' zei Jane. 'Als we u kunnen overhalen haar...'

'U hoeft mij niet over te halen, maar mijn vrouw.' Hij keek uit het raam toen er een auto kwam aanrijden. 'Daar is ze.'

Ze wachtten zwijgend. De deur ging open, ze hoorden trippelende voetstapjes en toen stormde er een meisje de zitkamer binnen. Ze was blond en stevig gebouwd, net als haar vader, en had de gezonde blozende wangen van een kind dat in een zonnig klimaat leeft. Ze keurde het bezoek nauwelijks een blik waardig en stortte zich meteen in haar vaders armen.

'Daar is mijn Violetje,' zei DeBruin, en hij tilde zijn dochter op schoot. 'Heb je fijn gereden?'

'Hij heeft me gebeten.'

'Wie? De pony?'

'Toen ik hem een appel gaf, beet hij in mijn vinger.'

'Dat heeft hij vast niet met opzet gedaan. Daarom zeg ik ook altijd dat je je hand plat moet houden.'

'Ik geef hem geen appels meer.'

'Gelijk heb je. Eigen schuld, dikke bult.' Hij keek lachend op, maar verstarde toen hij zijn vrouw in de deuropening zag staan.

In tegenstelling tot haar man en dochter had Millie donker haar, dat ze in een paardenstaart droeg, waardoor haar gezicht opvallend mager en hoekig was, met holle wangen en donkere kringen onder haar blauwe ogen. Ze glimlachte naar de bezoekers, maar de vrees in haar ogen was onmiskenbaar.

'Millie, dit zijn de mensen uit Boston,' zei DeBruin.

Jane en Gabriel stonden op en stelden zich aan haar voor. Toen ze Millie een hand gaven, was het alsof ze ijspegels vastpakten, zo stijf en koud waren haar vingers.

'Dank u wel dat u zich bereid hebt getoond ons te ontvangen,' zei Jane toen ze allemaal weer waren gaan zitten.

'Is dit uw eerste bezoek aan Afrika?' vroeg Millie.

'Ja. Voor ons allebei. Het is hier erg mooi. En u hebt een erg mooi huis.'

'Deze boerderij is al generaties eigendom van Chris' familie. Misschien kan hij u straks een rondleiding geven.' Millie zweeg, alsof zelfs het voeren van een gewoon gesprek haar te vermoeiend was. Toen ze zag dat er niets op de salontafel stond, keek ze boos. 'Heb je het bezoek geen thee aangeboden, Chris?'

DeBruin stond meteen op. 'O, sorry. Helemaal niet aan gedacht.' Hij nam zijn dochter bij de hand. 'Ga je mee? Dan kun je die domme papa van je een handje helpen.'

Millie keek haar man en dochter zwijgend na. Pas toen ze water in de ketel hoorde stromen, zei ze: 'Ik ben niet van gedachten veranderd over Boston. Ik neem aan dat Chris u dat al heeft verteld.'

'Min of meer,' zei Jane.

'Ik vrees dat u voor niets bent gekomen. Ik kan alleen maar herhalen wat ik u telefonisch al heb verteld.'

'We wilden u graag persoonlijk ontmoeten.'

'Waarom? Om zelf te kunnen constateren dat ik niet krankzinnig ben? Dat alles wat ik zes jaar geleden aan de politie heb verteld, echt is gebeurd?' Millie keek naar Gabriel en toen weer naar Jane. Omdat de twee vrouwen vanwege de telefoongesprekken al een beetje een band hadden, zweeg Gabriel en liet hij Jane het woord doen.

'We twijfelen er niet aan dat u alles echt hebt meegemaakt,' zei Jane.

Millie keek naar haar handen, die ze op haar schoot had gevouwen, en zei zachtjes: 'Zes jaar geleden geloofde de politie me eerst niet. Toen ik hun in het ziekenhuis vertelde wat er was gebeurd, zag ik de twijfel in hun ogen. Een onnozel stadsmeisje dat in haar dooie eentje twee weken in de wildernis had overleefd? Ze dachten dat ik was afgedwaald van een andere gamelodge en ijlde vanwege de hitte. Of dat ik psychotisch of verward was door de malariapillen. Dat overkomt toeristen wel vaker, zeiden ze. Ze vonden mijn verhaal ongeloofwaardig, omdat ieder ander van de honger zou zijn omgekomen. Of aan stukken zou zijn gescheurd door leeuwen of hyena's. Of verpletterd zou zijn door olifanten. En hoe wist ik dat ik me in leven kon houden met papyrusstengels, zoals de inboorlingen deden? Ze konden niet geloven dat het puur geluk was dat ik het had overleefd. Maar dat was het. Het was puur geluk dat ik ervoor koos de rivier stroomafwaarts te volgen en uiteindelijk bij de lodge uitkwam. Puur geluk dat ik mezelf niet heb vergiftigd met wilde bessen of schors en dat ik de meest voedzame plant heb gegeten die ik had kunnen kiezen. Puur geluk dat ik na twee weken in de wildernis nog steeds leefde. De politie zei dat zoiets niet mogelijk was.' Ze haalde diep adem. 'Maar toch is het zo.'

'Ik ben het niet met je eens, Millie,' zei Jane. 'Het was geen kwestie van geluk. Het lag helemaal aan jezelf. We hebben je verklaring gelezen. Dat je 's nachts in een boom sliep. Dat je de rivier bleef volgen en stug bleef doorlopen, ook toen je aan het einde van je krachten was. Dat je steeds de wilskracht had om door te gaan, zelfs toen ieder ander het zou hebben opgegeven.'

'Nee,' zei Millie zachtjes. 'Het is de wildernis die ervoor heeft gekozen me te sparen.' Ze keek uit het raam naar een monumentale boom die zijn takken spreidde als beschermende armen waaronder iedereen zijn toevlucht kon nemen. 'De natuur is als een levend wezen. Zij beslist of je blijft leven of moet sterven. 's Nachts, in het donker, kon ik haar hart horen kloppen, zoals een baby het hart van zijn moeder hoort kloppen. Elke ochtend vroeg ik me af of ze me nog een dag zou gunnen. Zo heb ik het overleefd. Omdat de natuur het me toestond. Omdat zij me beschermde.' Ze keek naar Jane. 'Tegen hem.'

'Johnny Posthumus.'

Millie knikte. 'Toen de politie eindelijk naar Johnny op zoek ging, was het te laat. Hij had meer dan genoeg tijd gehad om te verdwijnen. Weken later hebben ze de landrover gevonden, aan de rand van Johannesburg.'

'De landrover die in de wildernis niet meer wilde starten.'

'Ja. Een monteur heeft later aan me uitgelegd hoe je zoiets kunt doen. Hoe je een auto tijdelijk onklaar maakt zonder dat het achterdocht opwekt. Iets over de zekeringkast en plastic relais.'

Jane keek naar Gabriel, die knikte.

'Je trekt het startrelais los, of dat van de brandstofpomp,' zei hij. 'Dat blijft voor een leek vrijwel onzichtbaar en je kunt het met net zoveel gemak herstellen.'

'Hij liet ons denken dat we gestrand waren,' zei Millie. 'Hij had ons in de val gelokt zodat hij ons een voor een kon liquideren. Eerst Clarence. Toen Isao. Elliot moet de volgende zijn geweest. Hij vermoordde eerst de mannen en bewaarde de vrouwen voor het laatst. Hij was de jager en wij waren de prooi.' Millie haalde diep adem en blies die sidderend uit. 'In de nacht dat hij de rest heeft vermoord, ben ik gevlucht. Ik had geen idee waar ik was. We zaten kilometers ver van de doorgaande weg en op drie dagen rijden van het vliegveld. Hij wist dat ik in de wildernis geen schijn van kans had. Hij heeft rustig het kamp opgebroken en is vertrokken. De lijken liet hij achter voor de dieren. De rest heeft hij meegenomen. Onze portefeuilles, fototoestellen en paspoorten. Volgens de politie heeft hij met Richards creditcard benzine getankt in Maun. En met Elliots creditcard in Gabaronne boodschappen gedaan. Toen is hij de grens met Zuid-Afrika overgestoken en daarna is hij verdwenen. Niemand weet waar hij is gebleven. Hij had onze paspoorten en creditcards. Als hij zijn haar zou verven, kon hij voor Richard doorgaan. Hij had naar Londen kunnen vliegen en zonder problemen de paspoortcontrole kunnen passeren.' Ze klemde haar armen om haar lichaam. 'Hij had zomaar opeens bij mij op de stoep kunnen staan.'

Gabriel zei: 'Volgens de Britse autoriteiten is er geen Richard Renwick naar het Verenigd Koninkrijk teruggekeerd.'

'Hij kan nog meer mensen vermoord hebben en ook hun identiteit hebben gestolen. Hij kan overal zijn. Hij kan iedereen zijn.'

'Weet u zeker dat uw gids echt Johnny Posthumus was?'

'De politie heeft me zijn pasfoto laten zien, die slechts twee jaar oud was. Het was dezelfde man.'

'Er bestaan maar weinig originele foto's van hem en u hebt alleen die pasfoto gezien.'

'Denkt u dat ik me heb vergist?'

'U weet dat mensen er op verschillende foto's soms heel anders uitzien.'

'Als het Johnny niet was, wie was het dan?'

'Iemand die zich voor hem uitgeeft.'

Ze staarde Gabriel met open mond aan, verbijsterd over die mogelijkheid.

Ze hoorden het rinkelen van de theekopjes toen DeBruin de keuken uit kwam met een dienblad. Toen hij merkte hoe stil het in de zitkamer was, zette hij het blad op de lage tafel en keek zijn vrouw vragend aan.

'Mag ik inschenken, mama?' vroeg Violet. 'Ik zal niet knoeien.'

'Nee, schattebout. Vandaag doet mama het zelf. Ga jij maar eventjes met papa televisiekijken.' Ze keek haar man smekend aan.

DeBruin nam zijn dochter bij de hand. 'Kom, dan gaan we kijken of er iets leuks is,' zei hij.

Even later hoorden ze in de aangrenzende kamer de schetterende muziek van een kinderprogramma. Het dienblad met de thee stond op de lage tafel, maar Millie maakte geen aanstalten om in te schenken. Ze hield haar armen strak om haar lichaam geslagen, verkild door de nieuwe onzekerheid.

Gabriel nam het woord. 'Henk Andriessen van Interpol zei dat u nog in het ziekenhuis lag toen de politie u die foto liet zien. U was nog zwak, nog herstellende. En het was wéken nadat u de moordenaar voor het laatst had gezien.'

'U denkt dat ik me vergist heb,' zei ze zachtjes.

'Getuigen vergissen zich vaak. Ze onthouden dingen verkeerd of vergissen zich in een gezicht.'

Jane dacht aan alle goedbedoelende ooggetuigen die heel zelfverzekerd de verkeerde verdachten aanwezen of signalementen gaven die later onjuist bleken te zijn. Het menselijke brein was expert in het aanvullen van ontbrekende details en veranderde deze met het grootste gemak in feiten, ook al waren het ingebeelde feiten.

'U wilt dat ik aan mezelf ga twijfelen,' zei Millie, 'maar de foto die ze me lieten zien, was van Johnny. Ik herinner me elk detail van zijn gezicht.' Ze keek beurtelings naar Jane en Gabriel. 'Hij kan best een andere naam hebben aangenomen, maar waar hij ook is en hoe hij zich ook noemt, ik weet dat hij mij net zomin is vergeten als ik hem.'

Ze hoorden Violet schateren om een programma met overdreven vrolijke achtergrondmuziek, maar in de zitkamer was een kilte neergedaald die zelfs door het zonlicht dat door het raam naar binnen stroomde, niet kon worden verdreven.

'Daarom ben je niet naar Londen teruggekeerd,' zei Jane.

'Johnny wist waar ik woonde en werkte. Hij zou me kunnen vinden. Ik kon niet teruggaan.' Millie keek in de richting van haar dochters lach. 'Ook niet vanwege Christopher.'

'Hij heeft ons verteld hoe jullie elkaar hebben leren kennen.'

'Toen ik uit de wildernis kwam, was hij degene die bij me bleef. Die in het ziekenhuis elke dag bij me zat. Hij gaf me een veilig gevoel en hij was de enige die daarin slaagde.' Ze keek Jane aan. 'Waarom zou ik dan teruggaan naar Londen?'

'Heb je daar niet een zus?'

'Maar ik hoor nu hier. Ik ben hier thuis.' Ze keek uit het raam naar de boom met de beschermende takken. 'Ik ben veranderd door Afrika. In de wildernis ben ik allerlei aspecten van mezelf kwijtgeraakt. Je wordt daar geslepen als door een slijpsteen. Alles wat je niet nodig hebt, laat je er achter. Het dwingt je in te zien wie je bent, wie je écht bent. Toen ik in Afrika aankwam, was ik een onnozel meisje. Ik maakte me druk over schoenen en tassen en gezichtscrème. Ik heb jaren verkwist door te wachten op een aanzoek van Richard. Ik dacht dat ik gelukkig zou worden als ik een trouwring om mijn vinger had. Maar in de wildernis, toen ik dacht dat ik ging sterven, heb ik mezelf gevonden. Mijn ware zelf. Ik heb de oude Millie daar achtergelaten en ik mis haar niet. Dit is wie ik ben, mijn leven is in Touws Rivier.'

'Waar je nog steeds last hebt van nachtmerries.'

Millie knipperde met haar ogen. 'Heeft Chris je dat verteld?'

'Hij zei dat je de laatste tijd gillend wakker wordt.'

'Omdat je me hebt opgebeld. Daardoor is het weer begonnen, omdat u het hebt opgerakeld.'

'Dat wil zeggen dat het er nog steeds zit, Millie. Dat je het niet echt hebt achtergelaten.'

'Het ging juist zo goed.'

'Echt waar?' Jane keek om zich heen naar de keurig gerangschikte boeken op de boekenplanken, de vaas met bloemen die precies in het midden van de schoorsteenmantel stond. 'Of is dit alleen een plek waar je je voor de rest van de wereld kunt verstoppen?'

'Als jou zoiets was overkomen, zou je je dan niet verstoppen?'

'Ik zou me weer veilig willen voelen. De enige manier om dat te bereiken, is door deze man op te sporen en op te sluiten.'

'Dat is jouw taak, niet de mijne. Ik zal je daarbij helpen, voor zover ik kan. Ik ben bereid naar de foto's te kijken die je hebt meegebracht en antwoord te geven op je vragen. Maar ik ga niet naar Boston. Ik weiger mijn huis te verlaten.'

'Kunnen we je op geen enkele manier van gedachten doen veranderen?'

Millie keek haar aan. 'Nee.'

27

Ze zijn bij ons blijven slapen. Ik zou me veilig moeten voelen met zowel een rechercheur als een FBI-agent onder ons dak, maar ik kan ook nu de slaap niet vatten. Naast me ademt Chris traag en gelijkmatig, als een warme, geruststellende reus. Wat moet het een genot zijn om elke nacht zo onbekommerd te kunnen slapen en elke ochtend uitgerust wakker te worden, zonder de verstikkende spinnenwebben van de nachtmerries.

Hij verroert zich niet als ik opsta, mijn peignoir pak en stilletjes de kamer verlaat.

Ik loop door de gang, langs de logeerkamer waar rechercheur Rizzoli en haar man slapen. Vreemd, dat ik niet meteen had gemerkt dat ze met elkaar getrouwd zijn, dat ik dat pas doorhad nadat ik een hele middag in hun gezelschap had doorgebracht. Ze hadden me op hun laptop de ene na de andere foto van mogelijke verdachten laten zien. Zoveel gezichten, zoveel mannen. Tegen etenstijd was het één wazige massa geworden. Ik wreef in mijn vermoeide ogen en toen ik ze weer opende, zag ik dat agent Dean zijn hand op rechercheur Rizzoli's schouder had gelegd. Het was geen platonische aanraking, maar die van een man die om deze vrouw geeft. Toen pas vielen de andere dingen me op: de bij elkaar passende trouwringen. De manier waarop ze elkaars zinnen afmaakten. Dat hij zonder het te hoeven vragen een schepje suiker in haar thee deed.

De hele middag hadden ze zich zakelijk gedragen, vooral de koele, gereserveerde Gabriel Dean, maar tijdens het eten, na een paar gla- zen wijn, begonnen ze te vertellen over hun huwelijk, hun dochtertje en hun leven in Boston. Een ingewikkeld leven, lijkt mij, omdat ze allebei zo'n veeleisende baan hebben. En nu zijn ze voor hun werk helemaal naar mijn hoekje van West-Kaap gekomen.

Ik loop op mijn tenen langs de gesloten deur van hun kamer naar de keuken, waar ik een bodempje whisky inschenk. Net genoeg om me slaperig te maken, maar niet zoveel dat ik er tipsy van zou wor- den. Ik weet uit ervaring dat ik na één glaasje zal kunnen slapen, maar dat ik opnieuw nachtmerries krijg als ik te veel drink. Ik ga aan de keukentafel zitten en neem kleine teugjes terwijl ik luister naar het tikken van de klok aan de muur. Als Chris ook wakker zou zijn, konden we met onze drankjes in de tuin gaan zitten om in het maanlicht te genieten van de jasmijn die 's nachts zo heerlijk geurt. In mijn eentje ga ik nooit 's nachts naar buiten. Chris zegt dat ik de dapperste vrouw ben die hij kent, maar dapperheid is niet wat me in Botswana in leven heeft gehouden. Niemand wil sterven en zelfs het nietigste wezentje zal altijd zijn uiterste best toen om in leven te blijven; in dat opzicht ben ik niet moediger dan een konijn of een zwaluw.

Ik kijk geschrokken om als ik achter me iets hoor. Het is Jane. Op haar blote voeten, gekleed in een t-shirt en een boxershort, komt ze binnen. Haar wilde haardos lijkt op een warrige doornen- kroon.

'Sorry. Het was niet mijn bedoeling je aan het schrikken te maken,' zegt ze. 'Ik kwam een glaasje water halen.'

'Ik kan je ook iets sterkers aanbieden.'

Ze kijkt naar mijn whisky. 'Tja, ik kan je moeilijk in je eentje laten drinken.' Ze schenkt een bodempje in een glas, lengt het aan met een even grote hoeveelheid water en gaat tegenover me aan de tafel zitten. 'Doe je dit vaak?'

'Wat?'

'In je eentje drinken.'

'Het is een goed slaapmiddel.'

'Je hebt dus nog steeds moeite om in slaap te komen?'

'Dat weet je al.' Ik neem een slokje, maar de whisky ontspant me niet omdat Jane naar me kijkt met haar onderzoekende donkere ogen. 'Waarom slaap jíj niet?'

'Jetlag. In Boston is het nu zes uur 's ochtends en mijn lichaam laat zich niet voor de gek houden.' Ze neemt een teug en geeft geen krimp als de brandende whisky door haar keel glijdt. 'Nogmaals bedankt dat we mogen blijven logeren.'

'Ik kon jullie moeilijk zo laat nog helemaal naar Kaapstad terug laten rijden. Na al die uren die jullie aan me hebben besteed. Ik hoop dat jullie niet meteen terug hoeven te vliegen naar Amerika. Het zou jammer zijn als jullie niet iets van het land konden zien.'

'We blijven maar één nacht in Kaapstad.'

'Eentje maar?'

'Het mag een wonder heten dat we überhaupt toestemming hebben gekregen voor deze reis. Het is een en al bezuinigingen wat de klok slaat. God verhoede dat we op kosten van de zaak ook een beetje plezier zouden maken.'

Ik kijk naar mijn whisky, die glanst als vloeibare amber. 'Hou je van je werk?'

'Ik heb nooit iets anders willen doen.'

'Nooit iets anders dan moordenaars opsporen?' Ik schud mijn hoofd. 'Ik geloof niet dat ik het aan zou kunnen. Om te moeten zien wat jullie zien. Om elke dag het hoofd te moeten bieden aan wat mensen elkaar aandoen.'

'Jij hebt het aan den lijve meegemaakt.'

'Ja, en één keer was genoeg.' Ik zet het glas aan mijn mond en sla de rest van mijn whisky in één keer achterover. Opeens is de vertrouwde hoeveelheid niet genoeg om mijn zenuwen tot bedaren te brengen. Op geen stukken na. Ik sta op om nog een scheutje in te schenken.

'Ik heb ook een tijdlang nachtmerries gehad,' zegt ze.

'Geen wonder, als je dergelijk werk doet.'

'Ik ben ze de baas geworden. En dat kun jij ook.'

'Hoe?'

'Net zoals ik dat heb gedaan. Door het monster te verslaan. Door hem op te sluiten op een plek waar hij geen kwaad meer kan.'

Ik lach terwijl ik de kurk weer op de fles doe. 'Zie ik eruit als een rechercheur?'

'Je ziet eruit als een vrouw die niet eens durft te gaan slapen.'

Ik zet de fles op het aanrecht en draai me naar haar om. 'Jij kunt je geen voorstelling maken van wat ik heb doorstaan. Jij jaagt dan wel op moordenaars, maar zij jagen niet op jou.'

'Toch wel, Millie,' zegt ze zachtjes. 'Ik weet precies hoe je je voelt, want er is ook op mij gejaagd.' Ze blijft naar me kijken als ik weer ga zitten.

'Wat is er gebeurd?' vraag ik.

'Het was een paar jaar geleden, rond de tijd dat ik Gabriel leerde kennen. Ik joeg op een man die een aantal vrouwen had vermoord. Al kon je hem geen man noemen, vanwege de dingen die hij met zijn slachtoffers deed. Hij viel in een heel andere categorie. Hij was een wezen dat zich voedde met pijn en angst. Een wezen dat genoot van de doodsangst van zijn slachtoffers. Hoe banger je was, hoe meer hij je begeerde.' Ze zet haar glas aan haar lippen, neemt een lange teug. 'En hij wist dat ik bang was.'

Het verbaast me dat ze dit toegeeft, want tot nu toe heeft ze de indruk gewekt geen angst te kennen. Aan tafel heeft ze verteld over de eerste keer dat ze een deur opentrapte en hoe ze moordenaars achtervolgde over daken en door donkere stegen. Nu, aan mijn keukentafel, in haar T-shirt en boxershort, met haar warrige bos donkere krullen, ziet ze er gewoontjes uit. Klein en kwetsbaar. Niet meer zo onoverwinnelijk.

'Was jij zijn doelwit?' vraag ik.

'Ja. Geluksvogel die ik ben.'

'Waarom jij?'

'Omdat hij mij al eens te pakken had gekregen. Hij had me precies waar hij me hebben wilde.' Ze draait haar handen om. Toont me de littekens op haar handpalmen. 'Dit heeft hij gedaan. Met scalpels.'

De eigenaardige plek van die littekens was me eerder op de dag al opgevallen. Ze leken op de geheelde wonden van een kruisiging. Nu ik weet hoe ze zijn toegebracht, staar ik er vol afgrijzen naar.

'Zelfs toen hij in de gevangenis zat en ik wist dat hij niet bij me kon komen, had ik nachtmerries over wat hij met me had gedaan. En hoe kon ik dat ook vergeten, met die permanente souvenirs in mijn handpalmen? Toch namen de nachtmerries langzaam af. Na een jaar droomde ik bijna nooit meer van hem en dacht ik dat ik ervanaf was.'

'Maar dat was niet zo?'

'Nee. Want toen ontsnapte hij uit de gevangenis.' Ze kijkt me aan en ik zie mijn eigen angst weerspiegeld in haar ogen. Ik zie een vrouw die weet hoe het is als een moordenaar je in zijn vizier houdt en je niet weet wanneer hij de trekker zal overhalen. 'Ik kreeg prompt weer nachtmerries.'

Ik sta op en pak de fles. Loop ermee terug naar de tafel en zet hem tussen ons in. 'Voor de nachtmerries,' zeg ik uitnodigend.

'Je kunt ze niet met drank verdrijven, Millie. Hoeveel flessen je ook soldaat maakt.'

'Wat raad je me dan aan?'

'Wat ik heb gedaan. Het monster dat je die nachtmerries bezorgt opsporen, in stukken hakken en begraven. Pas daarna kun je weer rustig slapen.'

'Slaap jij nu dan rustig?'

'Ja, en dat komt omdat ik ervoor heb gekozen niet op de loop te gaan en me niet te verstoppen. Ik wist dat ik geen rust zou kennen zolang hij op vrije voeten was, zolang hij me in het vizier hield. Dus ben ík de jager geworden. Gabriel wist welke risico's ik nam en probeerde me te overreden me niet met die zaak bezig te houden, maar ik moest wel. Omwille van mijn eigen gemoedsrust moest ik deelnemen aan de jacht. Ik kon me niet achter gesloten deuren verstoppen en wachten tot hij in de aanval zou gaan.'

'En je man heeft je niet tegengehouden?'

'We waren toen nog niet getrouwd, dus hij kón me niet tegenhouden.' Ze lacht. 'Niet dat hij dat nu wel kan, al doet hij zijn uiterste best me in het gareel te houden.'

Ik denk aan Chris, die in ons bed rustig ligt te slapen. Die me in zijn armen had genomen en naar zijn veilige boerderij had gebracht. 'Dat probeert mijn man ook te doen.'

'Je achter een gesloten deur houden?'

'Me beschermen.'

'En toch voel je je niet veilig. Zelfs niet na zes jaar.'

'Ik voel me wél veilig. Of liever gezegd, ik voelde me veilig. Tot jullie alles weer oprakelden.'

'Ik doe alleen mijn werk, Millie. Geef mij niet de schuld. Ik ben niet degene die jou nachtmerries bezorgt. Ik ben niet degene die van jou een gevangene heeft gemaakt.'

'Ik ben geen gevangene.'

'Nee?'

We staren elkaar aan. Ze heeft donkere, glanzende ogen. Dwingende ogen die dwars door mijn schedel tot in de diepste plooien van mijn hersenen kunnen kijken, waar ik mijn geheime angsten verborgen houd. Ik kan haar niet tegenspreken. Ik ben inderdaad een gevangene. Ik ontloop de buitenwereld niet alleen, ik begin al te beven als ik aan de buitenwereld dénk.

'Het kan ook anders,' zegt ze.

Ik geef daar niet meteen antwoord op. In plaats daarvan kijk ik naar het glas dat ik nu met beide handen omklemd houd. Ik heb behoefte aan de drank, maar weet dat die de angst maar voor een paar uur zal wegnemen. Dat de drank, net als een narcose, uiteindelijk uitgewerkt raakt.

'Vertel me hoe jij het hebt gedaan,' zeg ik. 'Hoe je hebt teruggevochten.'

Ze haalt haar schouders op. 'Ik had uiteindelijk geen keus.'

'Maar je zei dat je ervoor had gekozen terug te vechten.'

'Nee, ik bedoel dat ik écht geen keus had. Toen hij uit de gevangenis was ontsnapt, móést ik hem wel opsporen. Gabriel, mijn collega's, iedereen vond dat ik me ver van de zaak moest houden, maar ik wist dat ik niet aan de zijlijn kon blijven staan. Ik kende die moordenaar beter dan wie ook. Ik had hem in de ogen gekeken en het monster gezien. Ik kende hem door en door. Ik wist wat hem opwond, waar hij naar hunkerde, hoe hij zijn prooi benaderde. Als ik ooit nog rustig wilde slapen, moest ik hem opsporen. Het probleem was dat hij ook op míj uit was. We waren elkaars vijand, verwikkeld in een strijd op leven en dood, en er kon maar één winnaar zijn.' Ze zwijgt om een slokje whisky te nemen. 'Hij deed de eerste zet.'

'Wat is er gebeurd?'

'Hij wist me heel onverwachts klem te zetten en bracht me naar een plek waar niemand me zou kunnen vinden. En het ergste was dat hij ditmaal niet alleen werkte. Hij had een vriend.'

Ze praat zo zacht dat ik naar voren moet leunen om haar te kunnen verstaan. Buiten zingen allerlei insecten, maar in mijn keuken is het stil, heel stil. Ik denk aan mijn eigen angst, maar dan vermenigvuldigd met twee, twee Johnny's die op me jagen, en begrijp niet hoe deze vrouw zo kalm haar verhaal kan vertellen.

'Ze hadden me in hun macht,' zegt ze. 'Niemand kon me redden. Niemand zou me weten te vinden. Ik moest het in mijn eentje tegen hen opnemen.' Ze haalt diep adem en gaat rechtop zitten. 'En ik heb gewonnen. En dat kun jij ook doen, Millie. Je kunt dat monster doden.'

'Heb jij jouw monster gedood?'

'Zo goed als. Mijn kogel heeft zijn ruggenmerg doorboord, waardoor hij nu zodanig gevangenzit dat hij nooit meer kan ontsnappen: in zijn eigen lichaam. Verlamd vanaf zijn nek. En zijn vriend ligt te verrotten in zijn graf.' Haar glimlach is in strijd met wat ze beschrijft, maar als je een monster hebt verslagen, heb je recht op een overwinnaarsgrijns. 'Die avond heb ik voor het eerst in een jaar weer goed geslapen.'

Ik zit naar voren geleund en zeg niets. Ik weet waarom ze mij haar verhaal vertelt, maar voor mij werkt het niet. Je kunt iemand niet dwingen dapper te zijn als hij het niet in zich heeft. Dat ik nog leef, komt vooral omdat de dood nog angstaanjagender was dan het leven, en daardoor ben ik eigenlijk een lafaard. Ik ben alleen maar een vrouw die hardnekkig bleef doorlopen, langs olifanten en krokodillen, een vrouw die gezegend was met twee sterke benen en een meer dan normale hoeveelheid geluk.

Ze gaapt en staat op. 'Ik ga weer naar bed. Ik hoop dat we hier morgen verder over kunnen praten.'

'Ik zal niet van gedachten veranderen. Ik ga niet naar Boston.'

'Ondanks dat het een verschil kan maken? Jij kent deze moordenaar beter dan wie ook.'

'En hij kent mij. Ik ben degene die is ontsnapt, degene naar wie hij op zoek is. Ik ben zijn eenhoorn, het dier dat is gedoemd om uitgeroeid te worden.'

'We zullen je beschermen. Ik beloof het.'

'Zes jaar geleden heb ik in de wildernis ervaren hoe het is om te sterven.' Ik schud mijn hoofd. 'Vraag me niet twee keer te sterven.'

Ondanks of dankzij de hoeveelheid whisky die ik heb gedronken, droom ik weer van Johnny.

Hij staat tegenover me, steekt beide handen naar me uit en smeekt me met hem mee te gaan. Rondom sluipen leeuwen naderbij om ons te verslinden. Ik moet kiezen. Wat zou ik Johnny graag willen geloven, zoals in het begin. Ik heb nooit echt gedacht dat hij een moordenaar was en nu staat hij tegenover me met zijn brede schouders en zijn blonde haar. *Ga met me mee, Millie. Ik zal je beschermen.* Ik ren naar hem toe, verlangend naar zijn omhelzing. Maar vlak voordat ik me in zijn armen stort, verandert zijn mond in een muil die zich openspert en bloederige tanden ontbloot die me gaan verslinden.

Ik word gillend wakker.

Ik ga zitten en sla mijn handen voor mijn gezicht. Chris wrijft kalmerend mijn rug. Zelfs als het angstzweet ijskoud opdroogt op mijn huid, blijft mijn hart tekeergaan. Chris zegt zachtjes: 'Stil maar, alles is in orde, hier kan je niets gebeuren.' Maar dat is niet waar. Het is niet in orde. Ik ben een porseleinen pop vol barsten, die door het minste of geringste tikje in scherven uiteen zal vallen. Als ik na zes jaar nog niet ben geheeld, zal ik nooit helen. Ik zal pas rust krijgen als Johnny in de gevangenis zit of dood is.

Ik draai me om naar Chris. 'Ik hou dit niet vol. We kunnen zo niet doorgaan.'

Hij slaakt een diepe zucht. 'Nee.'

'Ik wil niet, maar het moet.'

'Dan gaan we allemaal samen naar Boston. Dan ben je daar tenminste niet alleen.'

'Nee. Daar komt niets van in. Ik wil Violet niet bij die kerel in de buurt hebben. Hier is ze veilig en jij bent de enige aan wie ik haar toevertrouw.'

'Maar aan wie moet ik jou toevertrouwen?'

'Aan hen. Ze hebben beloofd dat me niets zal gebeuren. Daar was je zelf bij.'

'En jij denkt dat je hen kunt vertrouwen?'

'Waarom zou ik hen niet kunnen vertrouwen?'

'Omdat jij voor hen alleen maar gereedschap bent, een middel om een doel te bereiken. Ze geven niets om jou. Ze willen alleen hém te pakken zien te krijgen.'

'Dat wil ik ook. Ik kan hen daarbij helpen.'

'Door hem jouw geur te laten ruiken? Stel dat ze hem niet te pakken krijgen. Stel dat hij de rollen omkeert en je hierheen volgt.'

Aan die mogelijkheid had ik helemaal niet gedacht. Ik denk aan de nachtmerrie van daarnet. Aan Johnny die zijn armen naar me uitsteekt, belooft me te beschermen en dan zijn muil openspert. Het is mijn onderbewustzijn dat me waarschuwt niet te gaan. Maar als ik niet ga, zal er niets veranderen en zal ik nooit helen. Dan blijf ik altijd die gebarsten porseleinen pop.

'Ik heb geen keus,' zeg ik. 'Ik moet hen vertrouwen.'

'Je hebt wel een keus. Je kunt ervoor kiezen niet te gaan.'

Ik pak zijn hand. De hand van een boer, groot en eeltig, sterk genoeg om een schaap tegen de grond te werken en teder genoeg om het haar van onze dochter te borstelen. 'Ik moet dit afmaken, lieveling. Ik ga naar Boston.'

Christopher heeft een lange lijst met eisen, die hij met een smeulende blik in zijn ogen aan rechercheur Rizzoli en agent Dean overhandigt.

'Jullie houden dagelijks contact met mij,' commandeert hij. 'Ik wil horen hoe het met haar is. Of alles in orde is. Of ze heimwee heeft. Ik wil alles weten.'

'Chris,' zeg ik met een zucht. 'Ik ga niet naar de maan.'

'Op de maan zit je vermoedelijk veiliger.'

'Chris, ik beloof je dat we goed op haar zullen passen,' zegt Jane. 'We verlangen niet dat ze met een pistool gaat lopen. Ze gaat alleen onze rechercheurs en de forensisch psycholoog assisteren. Ze blijft maar een weekje weg, hooguit twee.'

'En jullie brengen haar niet onder in een hotel. Ik wil dat ze bij iemand thuis logeert, zodat ze niet eenzaam zal zijn.'

Rizzoli kijkt naar haar man. 'Dat valt wel te regelen.'

'Bij wie?'

'Daar moet ik even over bellen. Vragen of de persoon die ik in gedachten heb, beschikbaar is.'

'Wie is het?'

'Iemand die ik vertrouw.'

'Ik wil het bevestigd hebben voordat Millie op het vliegtuig stapt.'

'Alles zal geregeld zijn voordat we Kaapstad verlaten.'

Chris kijkt van de een naar de ander, op zoek naar redenen om hen niet te vertrouwen. Mijn man heeft een aangeboren wantrouwen tegenover mensen. Dat komt omdat hij is opgegroeid met een on-betrouwbare vader en een moeder die hem in de steek heeft gelaten toen hij zeven was. Hij is altijd bang dat hij de mensen van wie hij houdt zal verliezen, en nu vreest hij mij te verliezen.

'Maak je geen zorgen, lieverd,' zeg ik zelfverzekerder dan ik me voel. 'Ze weten wat ze doen.'

28

Boston

Maura zette een vaas met gele rozen op de ladekast en liet haar blik nog één keer door de logeerkamer gaan. Het witte donzen dekbed was net terug van de stomerij, het Turkse tapijt was zorgvuldig gezogen, in de badkamer lagen dikke, witte handdoeken. De laatste keer dat iemand van deze kamer gebruik had gemaakt, was in augustus, toen de zeventienjarige Julian Perkins bij haar had gelogeerd. Sinds hij was vertrokken, was ze hier nauwelijks geweest. Nu bekeek ze de kamer kritisch om zich ervan te overtuigen dat alles in orde was voor haar gast. Het raam keek uit op de achtertuin, maar op deze herfstige namiddag zag die er mistroostig uit met zijn kale struiken en verdorde gras. Gelukkig had de kamer zelf wel wat kleur dankzij de vaas met de gele rozen en een schilderij van weelderige roze pioenen boven het bed. Een vrolijk welkom voor een logee wie een moeilijke taak wachtte.

Jane had haar in een e-mail de situatie uitgelegd en Maura had Millies dossier gelezen, dus ze wist wat ze kon verwachten, maar toen er werd aangebeld en ze Millie voor het eerst zag, schrok ze er toch van hoe afgemat de vrouw eruitzag. Ze hadden weliswaar een lange reis achter de rug en Jane was ook nogal verfomfaaid, maar Millie leek erg breekbaar, had donkere kringen onder haar ogen en verdronk in haar veel te grote trui.

'Welkom in Boston,' zei Maura toen ze binnenkwamen. Jane had zich over Millies koffer ontfermd. 'Sorry voor het weer.'

Millie wist een fletse glimlach op te brengen. 'Ik wist niet dat het zó koud zou zijn.' Ze keek schaapachtig naar haar gigantische trui. 'Ik heb deze trui op het vliegveld gekocht, maar ik kan er wel twee keer in.'

'Je zult wel moe zijn. Wat dacht je van een kopje thee?'

'O, heerlijk, maar mag ik eerst van het toilet gebruikmaken?'

'De eerste deur rechts is van de logeerkamer, en die heeft een eigen badkamer. Neem de tijd. De thee loopt niet weg.'

'Dank je wel.' Millie nam haar koffer van Jane over. 'Ik ben zo terug.'

Maura en Jane wachtten tot de deur van Millies kamer dichtging. Toen vroeg Jane: 'Vind je het echt niet vervelend? Ik heb naar andere oplossingen gezocht, maar onze flat is te klein.'

'Natuurlijk vind ik het niet erg. Het is maar voor een week en je kunt dat arme mens moeilijk in haar eentje in een hotel laten zitten.'

'Ik stel het ook erg op prijs. Het enige alternatief was mijn moeder, maar bij haar is het een gekkenhuis sinds mijn vader terug is.'

'Hoe is het nu met haar?'

'Afgezien van het feit dat ze vreselijk gedeprimeerd is?' vroeg Jane hoofdschuddend. 'Het wachten is op de dag dat ze voldoende moed heeft verzameld om hem de deur te wijzen. Het probleem is dat ze zo haar best doet het iedereen naar de zin te maken, dat ze zichzelf vergeet.' Ze zuchtte. 'Mijn moeder, de heilige.'

Wat mijn moeder nooit zal zijn, dacht Maura. Ze dacht aan de laatste keer dat ze Amalthea in de gevangenis had bezocht. Ze herinnerde zich de berekenende blik in haar kille ogen. De tumor moest toen al in haar lichaam hebben gesluimerd, een kwaad binnen een kwaad, als giftige matroesjka's. Kreeg ze berouw nu ze door kanker werd verteerd? Was iemand als zij in staat berouw te voelen? Over een paar maanden zou ze die ogen voor altijd sluiten. *En ik zal de rest van mijn leven met mijn vragen blijven zitten.*

Jane keek op haar horloge. 'Ik moet gaan. Zeg maar tegen Millie dat ik haar morgenochtend om tien uur kom halen voor de briefing met het team. Ik heb Brookline PD gevraagd af en toe een patrouille-auto langs te sturen en een oogje in het zeil te houden.'

'Is dat nodig? Niemand weet dat ze hier is.'

'Dat maakt niet uit. Als ze zich maar veilig voelt. Het heeft heel wat voeten in de aarde gehad om haar mee te krijgen. Ze vindt dat we haar naar het hol van de leeuw hebben gebracht.'

'Misschien is dat inderdaad zo.'

'Maar we hebben haar nodig. Dus moeten we zorgen dat ze zich veilig voelt, zodat ze niet als een haas naar huis vlucht.'

'Ik vind het helemaal niet erg om een logee te hebben,' zei Maura. Ze keek naar de kat, die precies op dat moment op de salontafel sprong. 'Al zou ik die logé graag kwijt willen.' Ze greep de kat in zijn nekvel en zette hem weer op de grond.

'Het klikt niet tussen jullie, hè?'

'Het klikt alleen tussen hem en mijn blikopener.' Met een nors gezicht sloeg Maura de kattenharen van haar handen. 'Zeg eens, wat voor indruk heb je van haar?'

Jane keek naar de gang en zei zachtjes: 'Ze is bang. Wat heel logisch is. Zij is de enige die het heeft overleefd, de enige die hem kan identificeren. Na zes jaar bezorgt hij haar nog steeds nacht-merries.'

'Heel begrijpelijk. Jij en ik weten daar alles van.' Ze hoefde dat niet uit te leggen. Ze wisten allebei hoe het was als er iemand op je loerde. Ze wisten hoe het was om 's nachts klaarwakker met ge-spitste oren in bed te liggen wachten of iemand een ruit zou inslaan of de deurknop zou omdraaien. Ze waren lid van de trieste club van vrouwen die door moordenaars waren aangevallen.

'Ze moet morgen een heleboel vragen beantwoorden en nare her-inneringen ophalen,' zei Jane. 'Zorg dat ze een goede nachtrust krijgt.' Haar telefoon ging toen ze de deur uit liep. Ze bleef in het portiek staan om op te nemen. 'O, hallo, Tam, we zijn net gearri-veerd. Ik kom nu naar het bureau om...' Ze stopte. 'Wat? Weet je het zeker?'

Maura keek naar Jane toen ze de verbinding verbrak en naar het mobieltje bleef staren alsof dat haar plotseling had verraden. 'Wat is er?'

Jane keek haar aan. 'We hebben een probleem. Het geraamte dat in die achtertuin lag?'

'Ja?'

'Jij had mij ervan overtuigd dat die vrouw was gedood door de luipaardman.'

'Dat denk ik nog steeds. De krassen op haar schedel. De kerf in het borstbeen. Het nylonkoord. Alles klopt.'

'Het probleem is dat ze zojuist is geïdentificeerd. De identificatie is bevestigd aan de hand van het DNA. Haar naam was Natalie Toombs. Ze was twintig jaar oud, blank, één meter zestig lang, en studeerde aan het Curry College.'

'Dat komt overeen met mijn bevindingen. Wat is dan het probleem?'

'Dat het veertien jaar geleden is dat Natalie is verdwenen.'

Maura staarde haar aan. 'Veertien jaar geleden? Weten we waar Johnny Posthumus toen was?'

'Die werkte toen in een bushlodge in Zuid-Afrika.' Jane schudde haar hoofd. 'Hij kan Natalie niet vermoord hebben.'

'Die luipaardmantheorie van jou kun je dus wel afschrijven, Rizzoli,' zei Darren Crowe. 'Veertien jaar geleden, toen Natalie Toombs in Boston verdween, werkte jouw verdachte in Sabi Sands in Zuid-Afrika. Alles staat keurig opgetekend in het rapport van Interpol. Het personeelsregister van de bushlodge, het logboek van zijn werktijden, zijn salarisbetalingen. Natalie is niet door hem vermoord. Met andere woorden, jij hebt die getuige voor niets helemaal uit Zuid-Afrika gehaald.'

Jane was zo duf dat ze moeite had zich te concentreren. Ze had slecht geslapen en toen ze wakker werd, had ze eerst niet begrepen waar ze was. Er waren twee koppen koffie nodig geweest om haar hersenen op gang te brengen voor deze bespreking, maar vanwege deze lawine van nieuwe feiten had ze moeite de anderen bij te houden. Ze voelde dat haar collega's naar haar zaten te kijken toen ze op haar laptop door de pagina's scrolde die bevestigden wat Tam haar gisteren telefonisch had verteld. Natalie Toombs – hun Jane Doe – was een meisje van twintig geweest dat aan het Curry College had gestudeerd, amper drie kilometer van de plek waar haar geraamte was opgegraven. Ze had op kamers gewoond met twee medestudenten, die haar hadden beschreven als extravert, sportief en een natuurliefhebber. Ze was voor het laatst gezien op een zaterdagmiddag, toen ze met haar rugtas vol boeken was vertrokken om te gaan studeren met ene Ted, een man die haar huisgenoten nooit hadden ontmoet.

De volgende dag hadden ze haar als vermist opgegeven.

Veertien jaar had de zaak liggen verstoffen in de nationale databank van vermiste personen, samen met duizenden andere onopgeloste verdwijningen. Haar moeder, die inmiddels was overleden, had de FBI een DNA-monster verstrekt, voor het geval de stoffelijke resten van haar dochter ooit ontdekt werden. Dankzij dit DNA-monster wisten ze dat de beenderen die bij het uitgraven van het zwembad waren gevonden, die van Natalie waren.

Jane keek naar Frost, die verontschuldigend zijn hoofd schudde. 'Feiten zijn feiten,' zei hij. Hij klonk bedroefd. Het deed altijd pijn om te moeten toegeven dat Crowe gelijk had.

'Jij hebt een flinke portie van het budget verkwist om die getuige uit Zuid-Afrika te laten komen,' zei Crowe. 'Mooi werk, Rizzoli.'

'Maar we hebben tastbaar bewijs dat één van de moorden gelinkt is aan Botswana,' merkte ze op. 'De aansteker. Die was van Richard Renwick en kan alleen in Maine terecht zijn gekomen doordat de moordenaar hem heeft meegebracht.'

'Die aansteker kan gedurende de afgelopen zes jaar door talloze handen zijn gegaan. Hij kan naar Amerika zijn gebracht door een onschuldige toerist die hem ergens heeft gevonden of tweedehands gekocht. Hoe je het ook wendt of keert, één ding is zeker: Natalie Toombs is niet vermoord door Johnny Posthumus. Zij is bijna tien jaar eerder vermoord dan die andere mensen. Wat mij betreft is hiermee een eind gekomen aan onze samenwerking. Blijf gerust naar je luipaardman zoeken, Rizzoli, als je dat nou zo leuk vindt. Wij gaan op zoek naar de ware dader. Het is duidelijk dat er geen verband bestaat tussen deze twee zaken.' Hij keek naar zijn partner: 'Kom mee, Tam.'

'Millie DeBruin is helemaal uit Kaapstad overgevlogen,' zei Jane. 'Ze zit momenteel bij dr. Zucker. Je kunt op zijn minst luisteren naar wat ze te zeggen heeft.'

'Waarom?'

'Stel dat er toch maar één moordenaar is? Stel dat hij steeds een andere identiteit aanneemt om staats- en landsgrenzen te kunnen overschrijden?'

'Wacht eens even. Is dit weer een nieuwe theorie?' Crowe lachte. 'Iemand die zich uitgeeft voor een ander en dan mensen vermoordt?'

'Henk Andriessen, onze contactman van Interpol, heeft ons als eerste op die mogelijkheid gewezen. Wat bij hem twijfel had gezaaid, was dat Johnny Posthumus geen strafblad had en niet bekendstond als een gewelddadige persoon. Hij had een goede naam als safarigids en werd door al zijn collega's gerespecteerd. Stel dat de man die met zeven toeristen de wildernis in is getrokken níet Johnny Posthumus was? De toeristen hadden hem nooit eerder gezien. De Afrikaanse spoorzoeker werkte voor het eerst met hem. Een andere man kan zich voor Johnny hebben uitgegeven.'

'Een bedrieger? En waar is de echte Johnny dan?'

'Vermoedelijk dood.'

Het bleef stil toen haar drie collega's over deze mogelijkheid nadachten.

'Als dat zo is, ben je terug bij af,' zei Crowe. 'Dan zoek je naar een moordenaar zonder naam en zonder identiteit. Veel succes.'

'Misschien hebben we geen naam,' antwoordde Jane, 'maar we hebben wel een gezicht. En we hebben iemand die hem kent.'

'Jouw getuige heeft gezegd dat het Johnny Posthumus was.'

'Aan de hand van een pasfoto. We weten allemaal dat foto's kunnen liegen.'

'Getuigen ook.'

'Millie liegt niet,' zei Jane vinnig. 'Ze heeft enorme ontberingen geleden en wilde helemaal niet hierheen komen. Maar ze zit nu bij dr. Zucker en het minste wat jij kunt doen, is naar haar luisteren.'

'Oké,' zuchtte Crowe. Hij ging weer zitten. 'Ik doe nog wel even mee. Laat maar horen wat ze te zeggen heeft.'

Jane liep naar de intercom. 'Dr. Zucker, zou u Millie binnen willen leiden?'

Even later kwam Zucker binnen met Millie. Ze had een wollen mantelpakje aan met een bloes eronder, maar de kleren slobberden om haar heen, alsof ze onlangs was afgevallen. Ze zag eruit als een meisje dat toneelspeelde in de kleren van haar moeder. Ze nam gedwee plaats op de stoel die Zucker voor haar naar achteren trok, maar hield haar blik op de tafel gericht, alsof ze te zeer geïntimideerd was door de rechercheurs die haar nieuwsgierig bekeken.

'Dit zijn mijn collega's van de afdeling Moordzaken,' zei Jane. 'Rechercheurs Crowe, Tam en Frost. Ze hebben het dossier gelezen en weten wat er in de Okavangodelta met je is gebeurd. Maar ze hebben meer informatie nodig.'

Millie keek fronsend op. 'Meer informatie?'

'Over Johnny. Over de man die jij kent als Johnny.'

'Vertel hun wat u mij zojuist over Johnny hebt verteld,' zei dr. Zucker. 'Ik heb u uitgelegd dat iedere moordenaar zijn eigen techniek, zijn eigen methode heeft. De rechercheurs willen weten in welk opzicht Johnny uniek is. Hoe hij werkt, hoe hij redeneert. Wat u hun over hem kunt vertellen, zijn misschien precies de ontbrekende details die ze nodig hebben om hem op te sporen.'

Millie dacht even na. 'We vertrouwden hem,' zei ze zachtjes. 'Daar kwam het eigenlijk op neer. We geloofden, ík geloofde, dat hij ons zou beschermen. In de delta kun je op talloze manieren doodgaan. Elke keer dat je uit de auto stapt of uit je tent komt, ligt het gevaar op de loer. In zo'n omgeving moet je je gids kunnen vertrouwen. Hij was de man met de ervaring en de man met het geweer. Wij hadden alle redenen om hem te vertrouwen. Voordat Richard de reis had geboekt, had hij achtergrondinformatie opgezocht. Hij zei dat Johnny achttien jaar ervaring had. Hij had getuigenissen gelezen van andere reizigers. Mensen uit de hele wereld.'

'Op internet, neem ik aan?' vroeg Crowe met één opgetrokken wenkbrauw.

'Ja,' zei Millie blozend. 'En alles leek in orde toen we in de delta arriveerden. Johnny stond bij de vliegstrip op ons te wachten. De tenten waren eenvoudig, maar comfortabel. En de delta was prachtig. Een echte wildernis, waarvan je nauwelijks kunt geloven dat die nog bestaan.' Ze stopte even. Er lag een wazige blik in haar ogen toen ze deze herinneringen ophaalde. Ze slaakte een diepe zucht en ging door. 'De eerste twee dagen ging alles volgens plan.

Het kamperen, de maaltijden, de safaritochten. Daarna... veranderde alles.'

'Nadat de spoorzoeker was gedood,' zei Jane.

Millie knikte. 'We vonden Clarence' lijk bij zonsopgang. Althans... delen ervan. De hyena's hadden de rest opgevreten. Er was zo weinig van hem over dat we geen idee hadden wat er gebeurd kon zijn. We zaten diep in de wildernis en de mobilofoon had geen bereik. En toen wilde de auto niet starten.' Ze slikte. 'We waren gestrand.'

Het was doodstil in de kamer. Zelfs Crowe onthield zich van zijn gebruikelijke sarcastische opmerkingen. De toenemende horror van Millies verhaal had iedereen in zijn greep.

'Ik wilde blijven geloven dat het allemaal gewoon pech was. Dat Clarence was gedood en dat de auto het niet deed. Voor Richard was het nog steeds een avontuur, iets waar hij een boek over kon schrijven. Zijn held, Jackman Tripp, zou het ondanks de ontberingen overleven als hij gestrand zou zijn in de wildernis. We wisten dat we op een gegeven moment gered zouden worden. Het vliegtuig zou naar ons gaan zoeken. Dus besloten we er het beste van te maken en van het avontuur te genieten.' Ze slikte. 'Maar toen werd meneer Matsunaga gedood en was het geen avontuur meer. Toen werd het een nachtmerrie.'

'Verdachten jullie Johnny?' vroeg Frost.

'Nog niet. Ik tenminste niet. Isao's lijk hing in een boom, zoals de buit van een luipaard. Het leek een ongeluk. Maar de anderen begonnen over Johnny te fluisteren. Ze vroegen zich af of hij erachter zat. Hij had gezegd dat hij ons zou beschermen, maar nu waren twee leden van de groep dood.' Millie staarde weer naar de tafel. 'Ik had naar hen moeten luisteren. Ik had hen moeten helpen Johnny te overmeesteren, maar ik kon het niet geloven. Ik weigerde het te geloven...' Ze stopte.

'Waarom?' vroeg dr. Zucker zachtjes.

Millie knipperde met haar ogen om haar tranen tegen te houden. 'Omdat ik een beetje verliefd op hem was,' fluisterde ze.

Verliefd op de man die eropuit was haar te vermoorden. Jane keek de tafel rond en zag de onthutste gezichten van haar collega's, maar vond Millies bekentenis zelf helemaal niet schokkend. Hoeveel vrouwen werden er niet vermoord door hun partner of echtgenoot, door de man van wie ze hielden? Verliefde vrouwen zijn slechte mensenkenners. Geen wonder dat Millie het hier moeilijk mee had; ze was niet alleen door Johnny verraden, maar ook door haar eigen hart.

'Ik heb dit nog nooit eerder toegegeven. Zelfs niet tegenover mezelf,' zei Millie. 'Daar in de wildernis was alles anders. Mooi en onbekend. De nachtelijke geluiden, zelfs de geur van de lucht. Als je 's ochtends wakker werd, was je meteen al een beetje zenuwachtig. Op je hoede. Het leven was daar heel intens.' Ze keek Zucker aan. 'Het was Johnny's wereld en hij gaf me het gevoel dat ik bij hem veilig was.'

De grootste verlokking. In geval van gevaar is niemand zo aantrekkelijk als degene die je beschermt, dacht Jane. Daarom werden vrouwen verliefd op politieagenten en bodyguards, daarom kweelden zangeressen over *someone to watch over me*. In de Afrikaanse wildernis is de meest aantrekkelijke man degene die ervoor zorgt dat je in leven blijft.

'De anderen vonden dat we Johnny moesten overmeesteren en hem het geweer moesten afpakken. Ik deed niet mee aan dat complot. Ik vond dat ze paranoïde waren. Richard stookte hen op en probeerde de held uit te hangen omdat hij jaloers was op Johnny. We zaten midden tussen wilde dieren die ons met gemak konden opvreten, maar de ware strijd vond plaats in het kamp. Het was Johnny en ik tegen de rest. Ze vertrouwden me niet meer, vertelden me niet wat ze van plan waren. Ik vond dat we gewoon moesten wachten tot we gered werden. Ik wist dat ze dan zouden inzien hoe belachelijk ze zich hadden gedragen. Ik vond dat we moesten proberen kalm te blijven en moesten wachten tot we gered werden. En toen...' Ze slikte. 'Toen heeft hij geprobeerd Elliot te vermoorden.'

'De slang in de tent,' zei Jane.

Millie knikte. 'Daarna was me duidelijk dat ik een keuze moest maken. Ook al geloofde ik nog steeds niet echt dat Johnny erachter zat. Ik wilde het niet geloven.'

'Omdat hij uw vertrouwen had gewonnen,' zei Zucker.

Millie veegde de tranen uit haar ogen en ging met gebroken stem door. 'Zo doet hij het. Hij wint je vertrouwen. Hij kiest degene die hem wíl geloven. Hij kiest het muurbloempje, de saaiste, onopvallendste vrouw. Of de vrouw met de vriend die op het punt staat haar te verlaten. Hij weet precies wie hij moet hebben. Hij glimlacht naar haar en voor het eerst in heel lange tijd voelt ze zich springlevend.' Weer strijkt ze langs haar ogen. 'Ik was de zwakste gazelle in de kudde, en hij wist dat.'

'Ik zou niet willen beweren dat u de zwakste was,' zei Tam vriendelijk. 'U bent degene die het heeft overleefd.'

'En zij is degene die hem kan identificeren,' zei Jane. 'Wat zijn ware naam ook is. We hebben zijn signalement. We weten dat hij lang is, een meter vijfentachtig tot een meter negentig. Gespierde lichaamsbouw. Blond haar, blauwe ogen. Hij kan zijn haar verven, maar aan zijn lengte kan hij niets veranderen.'

'En aan zijn ogen ook niet,' zei Millie. 'De manier waarop hij naar je kijkt.'

'Beschrijf het.'

'Alsof hij in je ziel kijkt. Alsof hij je dromen leest, je angsten ziet. Alsof hij in één oogopslag ziet wie je bent.'

Jane dacht aan de ogen van een andere man, ogen waarnaar ze had gestaard toen ze zich op haar dood voorbereidde. Ze kreeg er kippenvel van. We hebben allebei de blik van een moordenaar gevoeld, dacht ze, maar ik wist het toen ik die zag. Millie niet, en aan de verslagen stand van haar schouders en haar gebogen hoofd kun je zien dat ze zich daarvoor schaamt.

Iedereen schrok op van het schrille geluid van Janes mobieltje. Ze stond op en verliet de kamer om op te nemen.

Het was Erin Volchko, de criminoloog. 'Weet je nog die dierenharen die op de badjas van Jodi Underwood zijn gevonden?'

'De kattenharen,' zei Jane.

'Ja, twee daarvan zijn inderdaad van een gewone huiskat. Maar de derde kon ik niet plaatsen. Ik heb die naar het wildlifelaboratorium in Oregon gestuurd en heb zojuist de uitslag van de keratineproef ontvangen.'

'Een sneeuwpanter?'

'Nee. De haar is afkomstig van de *Panthera tigris tigris*.'

'Dat klinkt als een tijger.'

'Een Bengaalse tijger, om precies te zijn. Wat mij erg verbaasde. Misschien weet jij hoe een haar van een tijger op de badjas van het slachtoffer terecht kan zijn gekomen.'

Jane wist het antwoord al. 'De woning van Leon Gott was een ark van Noach vol opgezette dieren. Ik meen een tijgerkop aan de muur te hebben gezien, maar ik heb geen idee of het een Bengaalse tijger was.'

'Kun je me een paar haren van die kop sturen? Als die overeenkomen met de tijgerhaar die we al hebben, weten we dat die vanuit Leon Gotts huis naar de badjas van Jodi Underwood is overgebracht.'

'Twee slachtoffers. Eén moordenaar.'

'Daar begint het inderdaad naar uit te zien.'

29

Hij is hier, ergens in deze stad. Terwijl we voortsukkelen in de avondspits, kijk ik uit het raampje naar de voetgangers die met gebogen hoofd tegen de wind op tornen die om de gebouwen giert. Ik woon nu al zo lang op de boerderij dat ik ben vergeten hoe het is om in een stad te zijn. Boston bevalt me niet. Het is hier koud en grijs, de hoge gebouwen ontnemen me het zicht op de hemel en houden me gevangen in hun permanente schaduw. Het bruuske karakter van de mensen, zo scherp en op de man af, bevalt me ook niet. Rechercheur Rizzoli lijkt in gedachten verzonken en doet geen poging een gesprek aan te knopen, dus zitten we zwijgend naast elkaar. Buiten is het een kakofonie van toeterende claxons, verre sirenes en mensen. Zoveel mensen. Dit is ook een wildernis, een stadse wildernis, waar één verkeerde beweging – te snel oversteken of een opmerking maken tegen een agressieve man – fataal kan zijn.

Waar in deze reusachtige doolhof houdt Johnny zich schuil?

Waar ik ook kijk, ik meen hem overal te zien. Ik hoef maar een lange man met blond haar en brede schouders te zien en mijn hart slaat een slag over. Dan draait hij zich om en zie ik dat hij het niet is. Tot er weer een lange blonde man in mijn vizier komt. Johnny is overal en nergens.

We stoppen voor het zoveelste stoplicht, ingeklemd tussen twee rijen auto's. Jane kijkt me aan. 'Ik moet een kleine omweg maken voordat ik je bij Maura afzet. Is dat goed?'

'Ja, natuurlijk. Waar gaan we naartoe?'

'Naar een plaats delict. Het huis van Gott.'

Ze zegt het zo nonchalant, maar dit is haar werk. Ze is gewend naar plaatsen te gaan waar lijken zijn gevonden. Ze is net als Clarence, onze spoorzoeker in de delta, die uitkeek naar sporen van wilde dieren. Alleen zijn de wilde dieren waar Jane Rizzoli op jaagt menselijke moordenaars.

We laten het drukke centrum achter ons en rijden door een veel rustiger wijk met vrijstaande huizen. Er staan ook bomen, maar de herfst heeft ze beroofd van hun gebladerte, dat als bruine confetti op straat ligt. We stoppen voor een huis waarvan alle luiken dicht zijn. Aan een boom fladdert een stukje afzetlint, een felgekleurd accent in het grijs.

'Je kunt wel in de auto wachten,' zegt ze. 'Ik ben zo terug.'

Ik kijk om me heen naar de stille straat en zie een silhouet achter een raam. Iemand staat naar ons te kijken. Wat ook wel logisch is. Er is een moordenaar in deze straat geweest en de mensen zijn bang dat hij terug zal komen.

'Ik ga liever mee naar binnen,' zeg ik. 'Ik wil niet in mijn eentje hier blijven.'

Ik loop met haar mee naar de voordeur, doodnerveus om wat ik binnen te zien zal krijgen. Ik ben nog nooit in een huis geweest waar een moord is gepleegd en verwacht muren vol bloedspatten en de krijtomlijning van een lijk op de vloer te zien. Maar eenmaal binnen zie ik geen bloed of sporen van geweldpleging, tenzij je de weerzinwekkende rijen dierenkoppen meetelt. Tientallen hangen er aan de muren en hun ogen zijn zo levensecht dat ik het gevoel krijg dat ze me volgen. Het is een aanstootgevende exhibitie. In het huis hangt een allesoverheersende geur van bleekwater, waar mijn ogen van gaan tranen.

Ze ziet dat ik mijn gezicht vertrek en zegt: 'De schoonmaakploeg is iets te scheutig geweest met bleekwater, maar dit is nog altijd beter dan hoe het hier voorheen rook.'

'Is het hier gebeurd? In deze kamer?'

'Nee, in de garage. Daar hoeven we niet te zijn.'

'Wat doen we hier eigenlijk?'

'Ik zoek een tijger.' Ze laat haar blik over de dierenkoppen gaan. 'En daar is hij. Ik wíst dat ik er eentje had gezien.'

Als ze een stoel aansleept om onder de hoog opgehangen tijgerkop te zetten, is het net alsof ik de zielen van de dode dieren met elkaar hoor prevelen, ons veroordelend. De Afrikaanse leeuw ziet er zo levensgetrouw uit dat ik hem bijna niet durf te naderen, al trekt hij me naar zich toe als een magneet. Ik denk aan de levende leeuwen die ik in de delta heb gezien en herinner me hoe ik hun spieren zag bewegen onder hun pels. Ik denk aan Johnny, met zijn blonde manen en zijn machtige spieren, en beeld me in dat zijn hoofd hier aan de muur hangt en naar me kijkt. Het gevaarlijkste roofdier van allemaal.

'Johnny zei dat hij nog eerder een man zou doden dan een grote kat.'

Rizzoli, die bezig is haren uit de tijgerkop te plukken, kijkt naar me om. 'Dan zou hij zich hier erg opwinden. Al deze grote katten zijn gedood om de sport. En Leon Gott schepte daar ook nog eens over op in een tijdschrift.' Ze wijst naar een rij foto's aan de muur ertegenover. 'Dat is Elliots vader.'

Op alle foto's staat dezelfde man van middelbare leeftijd, die met een geweer poseert naast de dieren die hij heeft geschoten. Tussen de foto's hangt een ingelijst artikel: 'De trofeeënkampioen. Een interview met Bostons meesterpreparateur.'

'Ik wist niet dat Elliots vader jager was.'

Weer kijkt ze naar me. 'Heeft Elliot dat niet verteld?'

'Nee. Hij heeft het helemaal niet over zijn vader gehad.'

'Omdat hij zich voor hem schaamde, neem ik aan. Elliot en zijn vader waren al jaren gebrouilleerd. Leon hield ervan om dieren te schieten. Elliot wilde dieren juist redden: dolfijnen, wolven, veldmuizen.'

'Hij hield van vogels. Tijdens de safari wees hij ze steeds aan en probeerde hij de soorten te identificeren.' Ik kijk naar de foto's van Leon Gott met zijn dode dieren en schud mijn hoofd. 'Arme Elliot. Hij was overal het pispaaltje.'

'Hoe bedoel je?'

'Richard kleineerde hem en maakte voortdurend grapjes ten koste van hem. Mannen en hun testosteron, ze willen elkaar altijd de baas zijn. Richard moest de koning zijn en Elliot moest voor hem buigen. En dat alles om indruk te maken op de blondjes.'

'De twee Zuid-Afrikaanse meisjes?'

'Sylvia en Vivian. Elliot was helemaal verkikkerd op die meisjes, en Richard liet geen kans voorbijgaan om hun te laten zien dat hij in alles beter was.'

'Je klinkt alsof je daarover nog steeds verbitterd bent, Millie,' merkt ze kalmpjes op.

Het verbaast me dat ik inderdaad nog steeds verbitterd ben. Dat het me zelfs na zes jaar nog pijn doet als ik terugdenk aan de avonden rond het kampvuur, waar Richard alleen maar oog had voor de blondjes.

'En welke rol speelde Johnny in deze strijd om de mannelijke dominantie?' vraagt ze.

'Gek genoeg leek het hem niets uit te maken. Hij keek van een afstand toe. Al onze kleingeestige ruzies en afgunst... het leek hem niets te doen.'

'Misschien omdat hij andere dingen had om over na te denken. Bijvoorbeeld wat hij met jullie van plan was.'

Dacht hij aan die plannen toen hij bij het kampvuur naast me zat? Stelde hij zich voor hoe het zou voelen om mijn bloed te vergieten en het leven in mijn ogen te zien doven? Ik krijg het opeens koud en sla mijn armen om mijn lichaam terwijl ik weer naar de foto's kijk van Leon Gott en de dieren die hij heeft geschoten.

Rizzoli komt naast me staan. 'Hij schijnt een enorme hufter te zijn geweest,' zegt ze. Ze kijkt naar een foto van Gott. 'Maar zelfs hufters verdienen gerechtigheid.'

'Geen wonder dat Elliot met geen woord over hem heeft gerept.'

'Sprak hij wel over zijn vriendin?'

Ik kijk haar aan. 'Zijn vriendin?'

'Jodi Underwood. Ze waren al twee jaar samen.'

Dat verbaast me. 'Hij heeft helemaal niets over haar gezegd. Hij was veel te druk bezig werk te maken van de blondjes. Heb je haar gesproken? Wat is ze voor iemand?'

Het duurt even voordat ze antwoord geeft. Ze worstelt ergens mee en aarzelt lang voordat ze mijn vraag beantwoordt.

'Jodi Underwood is dood. Ze is vermoord. Op dezelfde avond als Leon.'

Ik staar haar aan. 'Dat heb je me niet verteld. Waarom heb je me dat niet verteld?'

'Het onderzoek is nog niet afgesloten. Daarom zijn er dingen die ik je niet mag vertellen.'

'Je haalt me helemaal hierheen om je te helpen en dan hou je dingen voor me achter. Belangrijke dingen. Je had me dit moeten vertellen.'

'We weten niet of de moorden iets met elkaar te maken hebben. In het geval van Jodi kan het een inbreker zijn geweest. Ze is op een heel andere manier vermoord dan Leon. Daarom ben ik deze tijgerharen komen halen. We zijn op zoek naar een fysieke link tussen de twee gevallen.'

'Dat lijkt mij anders nogal duidelijk. Elliot is de link.' Het besef is zo overdonderend dat ik een ogenblik niet meer kan praten en zelfs niet meer kan ademen. Dan fluister ik: 'Ik ben de link.'

'Hoe bedoel je?'

'Waarom heb je contact met mij opgenomen? Waarom dacht je dat ik jullie kon helpen?'

'Omdat we de sporen hadden gevolgd. Die leidden naar de moorden in Botswana. Naar jou.'

'Dat bedoel ik. Die sporen leidden naar míj. Zes jaar heb ik me in Touws Rivier schuilgehouden, onder een andere naam. Ik ben niet teruggekeerd naar Londen omdat ik bang was dat Johnny me zou vinden. Jullie denken dat hij hier is, in Boston. En nu ben ik ook hier.' Ik slik. 'Precies waar hij me hebben wil.'

Ik zie mijn angst weerspiegeld in haar ogen. Ze zegt rustig: 'Laten we gaan. Ik breng je naar Maura.'

Als we weer buiten staan, voel ik me zo kwetsbaar als een gazelle op een open grasvlakte. Het is alsof er overal mensen naar me kijken, vanuit huizen, vanuit voorbijrijdende auto's. Ik vraag me af hoeveel mensen weten dat ik in Boston ben. Ik denk aan het drukke vliegveld waar we gisteren zijn geland en aan alle mensen die me kunnen hebben gezien in de hal van het politiebureau of in de kantine of toen we voor de lift stonden te wachten. Als Johnny daar was, zou ik hem dan gezien hebben?

Of ben ik net als de gazelle, zich onbewust van de leeuw tot het moment waarop die haar bespringt?

30

'In haar verbeelding is hij uitgegroeid tot een monster van mythische proporties,' zei Maura. 'Hij beheerst al zes jaar haar gedachten. Dan is het logisch dat ze denkt dat zij het doelwit is.'

Ze zaten in Maura's woonkamer. Jane hoorde door de deur van de logeerkamer heen het water in de badkamer kletteren. Nu Millie onder de douche stond, konden zij en Maura eventjes onder vier ogen over haar praten en Maura gaf snel haar mening.

'Je zult moeten toegeven dat het een belachelijke theorie is. Zij denkt dat deze superman zowel Elliots vader als Elliots vriendin heeft vermoord en op miraculeuze wijze vijf jaar geleden al wist dat hij een zilveren aansteker als aanwijzing moest achterlaten. En dat alles om haar uit haar schuilplaats te lokken?' Maura schudde haar hoofd. 'Zelfs een schaakkampioen zou moeite hebben zover vooruit te denken.'

'Toch is het mogelijk dat dit wél om haar gaat.'

'Welk bewijs heb je dat Jodi Underwood en Leon Gott door dezelfde persoon zijn vermoord? Hij is opgehangen en ontweid. Zij is gewurgd in een snelle, efficiënte blitzaanval. Tenzij die kattenharen hetzelfde DNA hebben...'

'De tijgerhaar vind ik redelijk overtuigend.'

'Welke tijgerhaar?'

'Vlak voordat we hierheen kwamen, kreeg ik een telefoontje van het forensisch laboratorium. De onbekende derde haar op Jodi's blauwe badjas blijkt afkomstig te zijn van een Bengaalse tijger.' Jane haalde het bewijszakje uit haar zak. 'Leon Gott had een kop van een Bengaalse tijger aan de muur hangen. Hoe groot acht jij de kans dat er twee moordenaars waren die allebei in aanraking waren gekomen met een tijger?'

Maura keek fronsend naar de haren in het zakje. 'Dit is een redelijk sterke ondersteuning van jouw theorie. Behalve in de dierentuin zie je niet vaak een Bengaalse tijger.' Ze stopte en keek Jane aan. 'In de dierentuin hebben ze er een. Stel dat de haar afkomstig was van een levend dier?'

De dierentuin.

Een herinnering flitste door Janes hoofd. Het luipaardenterrein. De verminkte, bloedende Debra Lopez. Dr. Oberlin, de dierenarts, gebogen over Debra's lichaam, beide handen op haar borst in een wanhopige poging haar te reanimeren. Lang, blond, blauwe ogen. *Net zoals Johnny Posthumus.*

Ze pakte haar mobieltje.

Een halfuur later belde Alan Rhodes haar terug. 'Ik begrijp niet helemaal waar u hem voor nodig hebt, maar ik heb een foto van Greg Oberlin voor u gevonden. Al is het niet zo'n goede. Deze foto is een paar weken geleden genomen tijdens het liefdadigheidsbal voor de dierentuin. Wat is er aan de hand?'

'U hebt toch niets tegen dr. Oberlin gezegd?' vroeg Jane.

'Nee, omdat u me dat had verzocht, maar ik vind het niet prettig dat ik dit achter zijn rug om moet doen. Heeft dit iets te maken met een zaak waar u aan werkt?'

'Ik kan u er niets over vertellen, dr. Rhodes. Het is zeer vertrouwelijk. Kunt u me die foto mailen?'

'Nu meteen?'

'Graag.' Jane riep: 'Maura, mag ik je computer even gebruiken? Hij stuurt de foto.'

'De laptop staat in mijn werkkamer.'

Toen Jane aan Maura's bureau ging zitten en inlogde op haar e-mailaccount, bleek de foto al in haar inbox te zitten. Rhodes had gezegd dat die was genomen tijdens een liefdadigheidsbal en dat was duidelijk te zien, want iedereen was in avondkleding. Een aantal mensen poseerde glimlachend, een wijnglas in hun hand. Gregory Oberlin stond aan de rand van de foto, een beetje gedraaid, met zijn hand uitgestoken naar een dienblad met hapjes.

'Oké, ik zie de foto,' zei ze door de telefoon tegen Rhodes. 'Maar hij staat er inderdaad niet zo duidelijk op. Hebt u er nog meer?'

'Daar zou ik naar moeten zoeken. Ik kan Greg ook gewoon om een foto vragen.'

'Nee. Dat in elk geval niet.'

'Kunt u me alstublieft vertellen wat er aan de hand is? U stelt toch geen onderzoek in naar Greg? Ik ken geen eerlijker man dan hij.'

'Weet u of hij ooit in Afrika is geweest?'

'Wat heeft dat ermee te maken?'

'Weet u of hij ooit in Afrika is geweest?'

'Vast wel. Zijn moeder komt uit Johannesburg. Maar dat moet u verder maar aan hemzelf vragen. Ik vind dit helemaal niet prettig.'

Jane hoorde voetstappen. Ze draaide zich om en zag Millie achter zich staan. 'Wat denk je?' vroeg ze haar. 'Is hij het?'

Millie gaf geen antwoord. Ze hield haar ogen op de foto gericht en klemde haar handen om de rugleuning van Janes stoel. Ze bleef zo lang zwijgen dat het computerscherm zwart werd en Jane de muis moest bewegen.

'Is het Johnny?' vroeg ze.

'Het... zou kunnen,' fluisterde Millie. 'Ik weet het niet zeker.'

'Rhodes,' zei Jane in de telefoon. 'Ik heb een betere foto nodig.'

Ze hoorde hem zuchten. 'Ik zal aan dr. Mikovitz vragen of hij iets heeft. Of anders heeft zijn secretaresse misschien iets in de pr-map.'

'Nee, er mogen niet zoveel mensen bij betrokken worden.'

'Dan weet ik echt niet hoe u een betere foto van hem denkt te kunnen bemachtigen. Tenzij u hierheen wilt komen met uw eigen fototoestel.'

Jane keek naar Millie, die naar het gezicht van dr. Gregory Oberlin bleef staren en zei: 'Goed idee. Dat doe ik.'

31

Ze belooft me te beschermen. Ze zegt dat ik niet bij hem in de buurt hoef te komen, dat het gedaan zal worden met video en dat er een heleboel agenten aanwezig zullen zijn. Ik zit met rechercheur Frost op het parkeerterrein van de dierentuin en kijk vanuit zijn auto naar de gezinnen die de poort binnengaan. Ze verheugen zich op het uitstapje naar de dierentuin. Het is zaterdag, de zon is eindelijk tevoorschijn gekomen en alles ziet er anders uit: schoon, helder, fris. Ik voel het verschil ook in mezelf. Ik ben weliswaar nerveus en erg bang, maar voor het eerst in zes jaar heb ik het gevoel dat de zon in mijn eigen leven zal gaan schijnen en dat weldra alle schaduwen voor altijd verjaagd zullen worden.

Rechercheur Frost neemt op als zijn mobiel gaat. 'Ja, we zitten nog op het parkeerterrein. Oké, dan gaan we nu naar binnen.' Hij kijkt me aan. 'Jane gaat dr. Oberlin in de dierenkliniek ondervragen. Die is helemaal aan de andere kant van de dierentuin en daar gaan wij niet naartoe. Je hoeft je nergens zorgen over te maken.' Hij maakte het portier open. 'Laten we gaan.'

We lopen samen naar de ingang. De kaartverkopers weten niet dat de politie hier een operatie uitvoert. We gedragen ons precies zoals alle andere bezoekers, geven ons kaartje aan de controleur, lopen door het draaihek. Het eerste wat ik zie is de flamingovijver, en ik denk meteen aan mijn dochtertje Violet, die duizenden flamingo's in het wild heeft kunnen zien. Ik heb medelijden met de stadskinderen, voor wie flamingo's altijd vertegenwoordigd zullen zijn door een paar lusteloze vogels in een betonnen vijver. Ik krijg geen gelegenheid andere dieren te zien, omdat rechercheur Frost me regelrecht naar het bezoekerscentrum leidt.

Daar gaan we naar een vergaderzaal. Er staat een lange teakhouten tafel met rondom gerieflijke stoelen en een kar met videoapparatuur. Aan de muren hangen ingelijste onderscheidingen en prijzen voor de Suffolk Zoo en zijn personeel. *Wegens grote diversiteit. Wegens uitmuntende marketing. Marlin Perkins Award. Mooiste exhibitie-terrein.* Dit is een pronkzaal, waar ze bezoekers laten zien dat ze een vooraanstaand instituut zijn.

Aan de muur ertegenover hangen de ingelijste curricula vitae van de stafleden. Ik zoek die van dr. Oberlin. Hij is vierenveertig. Heeft een Bachelor of Science van de University of Vermont. Een doctoraat in diergeneeskunde van Cornell University. Er staat geen foto bij.

'Hier gaat uiteraard wat tijd in zitten. Er zit niets anders op dan geduldig te wachten,' zegt rechercheur Frost.

'Ik wacht al zes jaar,' antwoord ik. 'Een uurtje meer of minder maakt niet uit.'

32

Met zijn blonde haar en blauwe ogen leek Gregory Oberlin sprekend op de pasfoto van Johnny Posthumus. Hij had dezelfde vierkante kin en hetzelfde brede voorhoofd, dat hij tot rimpels trok toen Jane op de opnameknop van de videocamera drukte.

'Is het echt nodig dit te filmen?' vroeg hij.

'Ik wil alles graag accuraat vastleggen. En als we het filmen, hoef ik geen aantekeningen te maken en kan ik me helemaal op ons gesprek concentreren.' Jane glimlachte. Er waren wat storende achtergrondgeluiden van de dieren in de kliniek waar Oberlin zijn kantoor had, maar je moest roeien met de riemen die je had. Ze wilde hem spreken in zijn eigen omgeving, waar hij zich ontspannen voelde. Een vraaggesprek op het politiebureau zou hem achterdochtig kunnen maken.

'Ik ben blij dat u het onderzoek naar de dood van Debra voortzet,' zei hij. 'Het zit me nog steeds erg dwars.'

'Wat zit u het meeste dwars?'

'Een dergelijk ongeluk had niet mogen gebeuren. Ik heb jaren met Debra gewerkt. Ze was geen onachtzaam type en ze wist hoe ze met de grote katten moest omgaan. Het wil er bij mij niet in dat ze heeft vergeten het nachthok van de luipaard af te sluiten.'

'Dr. Rhodes zegt dat het zelfs de meest ervaren dierenverzorgers kan overkomen.'

'Ja, dat is zo. Er zijn meer verzorgers op een dergelijke manier omgekomen, in heel goede dierentuinen. Maar Debra was een type dat altijd tweemaal controleerde of ze het gas had uitgedaan en of alle ramen en deuren op slot zaten voordat ze van huis ging.'

'Wat wilt u daarmee zeggen? Dat iemand anders het nachthok heeft geopend?'

'Dat denkt de politie toch ook? Is dat niet de reden voor dit gesprek?'

'Hebt u enig idee of en waarom Debra die dag vergeetachtig kan zijn geweest?' vroeg Jane. 'Kan ze ergens door zijn afgeleid?'

'Zij en ik hadden een paar maanden eerder een eind aan onze relatie gemaakt, maar ze gedroeg zich heel gewoon. Ik heb niets bijzonders aan haar gemerkt.'

'Klopt het dat zij degene was die het had uitgemaakt?'

'Ja. Ik wilde kinderen en zij niet. Daarover is geen compromis mogelijk. We zijn zonder ruzie uit elkaar gegaan en ik gaf uiteraard nog steeds veel om haar. Daarom wil ik zo graag weten of we iets over het hoofd hebben gezien.'

'Als zij het hek niet heeft opengelaten, wie zou het dan kunnen hebben opengezet?'

'Dat is nu juist de vraag. Ik heb geen idee. De toegang tot de kooien is aan de achterkant, uit het zicht van het publiek. In principe kan iedereen daar ongezien naartoe zijn gegaan.'

'Had ze vijanden?'

'Nee.'

'Een nieuwe vriend?'

Een korte stilte. 'Dat geloof ik niet.'

'U klinkt niet zeker van uw zaak.'

'We hadden de laatste tijd niet veel contact, behalve over het werk. Ik weet dat ze van streek was op de dag dat ik Kovo moest laten inslapen, maar ik had echt geen andere keus. We hadden hem zo lang mogelijk in leven gehouden, maar het zou wreed zijn geweest hem te laten lijden.'

'Debra was dus van streek.'

'Ja, en boos, omdat Kovo zou worden opgezet voor een of andere rijke stinkerd. Vooral toen ze erachter kwam dat die rijke stinkerd Jerry O'Brien was.'

'U bent geen fan van hem.'

'Die kerel beschouwt Afrika als zijn persoonlijke slachthuis. Hij schept er in zijn radioprogramma voortdurend over op. Daar maakte Debra zich erg kwaad om. Ik trouwens ook. Wij zetten ons in voor het welzijn van de wilde dieren. En nu moet ik over een paar weken naar Johannesburg voor een congres over de bescherming van zeldzame dieren, terwijl wij hier een pact hebben gesloten met de duivel. Om geld.'

'U gaat naar Afrika, zegt u? Bent u daar al vaker geweest?'

'Ja. Mijn moeder komt uit Johannesburg en we hebben daar familie.'

'Hoe is Botswana? Daar zou ik weleens naartoe willen. Bent u daar ooit geweest?'

'Ja. Prachtig. Daar moet u beslist naartoe gaan.'

'Wanneer bent u er geweest?'

'Een jaar of zeven geleden. Acht misschien. Een erg mooi land, een van de laatste echte wildernissen ter wereld.'

Ze drukte op de opnameknop. 'Dank u wel. Zo heb ik voorlopig genoeg.'

Hij keek verbaasd. 'Is dat alles?'

'Als ik nog meer vragen heb, neem ik contact met u op.'

'U gaat dus wel door met het onderzoek?' vroeg hij toen ze de camera in de tas deed. 'Ik kan het niet uitstaan dat dit is afgedaan als een ongeluk.'

'Voorlopig is het moeilijk om het niet als een ongeluk te beschouwen, dr. Oberlin. Ik hoor van iedereen hoe gevaarlijk de grote katten zijn.'

'Laat het me in elk geval weten als u nog iets nodig hebt. Ik wil u graag helpen.'

Je hebt me al geholpen, dacht ze toen ze zijn kantoor verliet. De zon en de zaterdag hadden veel mensen naar de dierentuin gelokt. Zigzaggend haastte Jane zich tussen de bezoekers door. Alles kon nu heel snel gaan. Vier agenten in burger wachtten op een teken van haar om Oberlin in hechtenis te nemen. Een team van de technische recherche zou beslag leggen op zijn computer en elektronische dossiers. Maura zou wat haren van de Bengaalse tijger verzamelen voor het haar- en vezelonderzoek. De valkuil was gegraven. Millie hoefde alleen nog maar de verdachte te identificeren.

Toen Jane de vergaderzaal in het bezoekerscentrum binnenging, waar Frost en Millie op haar wachtten, stonden al haar zenuwen op scherp. Zoals een jager die zijn prooi heeft bespeurd, kon ze als het ware het bloed van haar buit ruiken.

Ze verbond de camera met de videoapparatuur en draaide zich om naar Millie, die achter een stoel was gaan staan en haar handen zo strak om de rugleuning klemde dat de knokkels wit waren. Voor Jane was dit alleen maar de jacht op een verdachte; voor Millie kon dit het moment zijn waarop er een einde zou komen aan haar nachtmerries. Ze keek naar de videorecorder als een gevangene die om genade smeekt.

'Daar gaat-ie,' zei Jane, en ze drukte op AFSPELEN.

Het scherm flakkerde en dr. Oberlin kwam in beeld. Hij keek fronsend naar de camera.

Is het echt nodig dit te filmen?

Ik wil alles graag accuraat vastleggen. En als we het filmen, hoef ik geen aantekeningen te maken en kan ik me helemaal op ons gesprek concentreren.

Terwijl de film draaide, keek Jane naar Millie. Het enige geluid in de kamer was dat van Jane die vragen stelde en Oberlin die antwoord gaf. Millie stond er stokstijf bij, haar handen nog steeds om de rugleuning van de stoel geklemd, alsof dat het enige stevige anker in de kamer was. Ze bewoog zich niet, leek zelfs niet te ademen.

'Millie?' zei Jane. Ze drukte op de pauzeknop. Het gezicht van Gregory Oberlin bevroor op het scherm. 'Is hij het? Is het Johnny?'

Millie keek haar aan. 'Nee,' fluisterde ze.

'Maar toen je gisteren zijn foto zag, zei je dat hij het kon zijn.'

'Maar hij is het niet.' Millies benen begonnen zo te trillen dat ze moest gaan zitten. 'Het is Johnny niet.'

Haar antwoord leek een vacuüm te creëren in de kamer. Jane was er zo zeker van geweest dat ze de moordenaar te pakken hadden. Nu leek het erop dat ze niet de luipaardman hadden, maar Bambi. Dat kwam ervan als je alles inzette op een zwakke getuige met een misschien niet geheel betrouwbaar geheugen.

'Jezus,' mompelde ze. 'Nu kunnen we weer helemaal opnieuw beginnen.'

'Je wist dat ze niet zeker van haar zaak was,' zei Frost.

'Marquette zit me al op mijn huid om de reis naar Kaapstad. Dit zal hij leuk vinden.'

'Wat had je eigenlijk verwacht?' vroeg Millie. Ze keek opeens boos. 'Voor jou is dit maar een puzzel en je dacht dat ik het ontbrekende stukje had. En als ik dat niet heb?'

'Rustig maar. We zijn allemaal moe,' zei Frost, zoals altijd de bemiddelaar. 'Laten we even diep ademhalen. Wat dachten jullie ervan om een hapje te gaan eten.'

'Ik heb gedaan wat jullie wilden. Ik weet niet wat ik nog meer zou kunnen doen!' zei Millie. 'Ik wil naar huis.'

Jane zuchtte. 'Oké. Je hebt een zware dag achter de rug. Ik zal een van de agenten roepen om je naar Maura te brengen.'

'Nee, ik wil naar huis. Naar Touws Rivier.'

'Millie, het spijt me dat ik tegen je uitviel. We zullen morgen alles nog even rustig bekijken. Misschien is er iets wat we...'

'Ik heb er genoeg van. Ik mis mijn man en mijn kind. Ik ga naar huis.' Millie duwde haar stoel achteruit en stond op. Haar ogen fonkelden. Zo had Jane haar nog niet eerder meegemaakt. Dit was de vrouw die de ontberingen in de wildernis had overleefd, de vrouw die had geweigerd het op te geven en te sterven. 'Morgen vertrek ik.'

Janes mobieltje ging. 'We hebben het er nog wel over.'

'Nee, ik ben hier klaar mee. Als jullie geen vlucht voor me boeken, doe ik het zelf. Ik heb er genoeg van.' Ze liep de kamer uit.

'Millie.' Frost haastte zich achter haar aan. 'Wacht even, dan roep ik een van de agenten om je weg te brengen.'

Jane greep haar mobieltje en snauwde: 'Rizzoli.'

'Dat klinkt alsof het niet goed uitkomt,' zei criminoloog Erin Volchko.

'Maakt niet uit. Zeg het maar.'

'Ik weet niet of je hier blij mee zult zijn of niet. Ik bel vanwege de haren van de Bengaalse tijger die je me hebt gestuurd. Uit Gotts huis.'

'Wat is daarmee?'

'Ze zijn broos en een beetje vergaan. De opperhuid vertoont tekenen van verdunning en versmelting. Ik denk dat die tijger heel lang geleden is gedood en opgezet, want de haren tonen structuurveranderingen die zijn veroorzaakt door ouderdom en ultraviolette straling. En dat is een probleem.'

'Waarom?'

'De tijgerhaar op de badjas van Jodi Underwood vertoonde geen tekenen van ouderdom. Die was vers.'

'Van een levende tijger, bedoel je?' Jane zuchtte. 'Dat is dan jammer. We hebben zojuist de dierenarts van de dierentuin van onze verdachtenlijst geschrapt.'

'Je zei dat er die dag nog twee employees van de dierentuin bij Gott thuis waren geweest. Om het kadaver van de sneeuwpanter af te leveren. Aan hun kleding zaten vast een heleboel haren van allerlei dieren. Misschien is een deel van die haren in het huis achtergebleven en later aan de kleding van de moordenaar blijven hangen. Tertiaire overdracht zou kunnen verklaren hoe een verse tijgerhaar op Jodi's badjas terecht is gekomen.'

'Dan hebben we het dus nog steeds over één persoon die beide moorden zou hebben gepleegd.'

'Ja. Is dat goed of slecht nieuws?'

'Ik weet het niet.' Jane slaakte een diepe zucht toen ze de verbinding verbrak. *Ik heb geen flauw idee hoe het zit.* Gefrustreerd ontkoppelde ze de videocamera van de monitor, rolde de kabels op en deed alles in de tas. Ze dacht aan de vragen die ze morgenochtend tijdens de bespreking van de zaak zou moeten beantwoorden en hoe ze haar beslissingen kon verdedigen, om over haar uitgaven nog maar niet te spreken. Crowe zou zich als een aasgier op haar storten.

In elk geval heb ik er een reisje naar Zuid-Afrika aan overgehouden.

Ze duwde het karretje met de videoapparatuur door de zaal naar de plek waar het had gestaan en zette het netjes tegen de muur. Ze bleef staan toen iets aan die muur haar aandacht trok. De namen en kwalificaties van de stafleden van de dierentuin: dr. Mikovitz, de dierenartsen en verschillende deskundigen op het gebied van vogels, primaten, amfibieën en grote zoogdieren. Ze staarde naar het curriculum vitae van Alan Rhodes.

Dr. Alan Rhodes.

Bachelor of Science, Curry College. PhD, Tufts University.

Natalie Toombs had ook aan het Curry College gestudeerd.

Alan Rhodes moest in zijn laatste jaar hebben gezeten toen Natalie verdween. Ze was van huis gegaan voor een studiedag met een man genaamd Ted en spoorloos verdwenen. Veertien jaar later was haar geraamte gevonden, gewikkeld in zeildoek, met oranje nylonkoord rond haar enkels.

Jane holde de vergaderzaal uit en de trap op.

De secretaresse trok een wenkbrauw op toen Jane haar kantoor binnenstormde. 'Zoekt u dr. Mikovitz? Die is al naar huis.'

'Waar is dr. Rhodes?' vroeg Jane.

'Ik kan u zijn mobiele nummer geven.' De secretaresse deed een la open om haar telefoonklapper te pakken.

'Nee, ik wil weten waar hij ís. Is hij nog in de dierentuin?'

'Ja. Hij moet bij de tijgerkooi zijn. Daar hadden ze afgesproken.'

'Wie?'

'Hij en de vrouw van het forensisch laboratorium. Ze wilde wat tijgerharen voor een onderzoek.'

'O god,' zei Jane. *Maura.*

33

'Wat een schitterend beest.' Maura keek vol bewondering in de tijgerkuil.

Aan de andere kant van het traliehek keek de Bengaalse tijger terug. De punt van zijn staart ging langzaam heen en weer. Hij was zo goed gecamoufleerd dat hij bijna niet te zien was, op de alerte ogen na die door het gras loerden, en die zachtjes wuivende staart.

'En dit is nu een echte menseneter,' zei Alan Rhodes. 'Er leven er op de hele wereld nog maar een paar duizend. We zijn zo diep in hun leefgebied doorgedrongen dat het onvermijdelijk is dat ze af en toe een van ons te grazen nemen. Je hoeft trouwens maar naar deze kat te kijken om te zien waarom ze de favoriet van alle jagers zijn. Niet alleen om de pels, maar ook omdat het zo'n uitdaging is om de strijd aan te binden met een roofdier van dit formaat. Ergens gek, dat de mens juist de dieren wil doden die hij het meest bewondert.'

'Het is voor mij ruimschoots voldoende om hem van een veilige afstand te bewonderen.'

'We hoeven ook niet dicht bij hem te komen. Zoals alle katten verhaart hij enorm.' Hij keek haar aan. 'Waarom hebt u eigenlijk haar van hem nodig?'

'Het is voor een forensische analyse. Het lab vroeg om haren van een Bengaalse tijger en ik kende toevallig iemand die daar wel aan kon komen. Hartelijk dank voor de medewerking, trouwens.'

'Is het voor een criminele zaak? Het heeft toch niet iets met Greg Oberlin te maken?'

'Sorry, maar ik mag er niets over zeggen. U weet hoe het is.'

'Natuurlijk, ook al ben ik vreselijk nieuwsgierig. Maar u moet uw werk doen. Laten we dus even omlopen naar de achterkant. U zult in het nachthok meer dan genoeg haren vinden. Tenzij u van plan was ze regelrecht uit zijn pels te trekken. In dat geval ga ik niet mee.'

Ze lachte. 'Nee, pas uitgevallen haren zijn goed genoeg.'

'Gelukkig maar. U wilt echt niet bij deze jongen in de buurt komen. We kijken hier naar tweehonderdvijftig kilo aan spieren en vlijmscherpe tanden.'

Rhodes leidde haar naar een pad waar een bordje bij stond met ALLEEN TOEGANKELIJK VOOR PERSONEEL. Door struikgewas was het onzichtbaar voor het publiek en het liep als een kloof tussen de muren van de tijgerkooi en het poematerrein. Vanwege de muren kon Maura de dieren niet zien, maar het was alsof ze dwars door het beton heen hun macht kon voelen en ze vroeg zich af of de katten zich bewust waren van haar aanwezigheid. Of ze haar volgden. Rhodes liep alsof hij zich hier volkomen op zijn gemak voelde, maar Maura keek steeds omhoog, half verwachtend boven op een van de muren een paar gele ogen naar haar te zien loeren.

Ze liepen naar de deur die toegang gaf tot de tijgerkooi. Rhodes maakte hem open en zei: 'Als u wilt, mag u meegaan naar het nachthok. Als u liever hier wacht, haal ik wel wat haren voor u.'

'Ik moet het zelf doen. De regels omtrent de bewijsketen vereisen dat.'

Hij liep naar binnen en ontsloot het hek dat toegang gaf tot het nachthok. 'Ga uw gang. Het hok is nog niet schoongemaakt, dus u zult genoeg haren vinden. Ik wacht buiten op u.'

Maura ging naar binnen. Het nachthok was een besloten ruimte van ongeveer drie bij drie meter, met een ingebouwde trog en een betonnen richel als slaapplek. In de hoek lag een boomstronk waar het dier zijn nagels aan kon scherpen. Aan de diepe krassen kon je afleiden hoeveel kracht hij daarbij gebruikte. Toen Maura zich over de boomstronk bukte, dacht ze aan de evenwijdige krassen op het lichaam van Leon Gott. Die hadden er precies zo uitgezien als deze. Ze zag een plukje haar aan het hout hangen en haalde een pincet en een bewijszakje uit haar tas.

Haar mobieltje ging over.

Ze liet de voicemail opnemen om zich op haar taak te kunnen concentreren. Ze plukte het haar van de stronk, deed het in het zakje en sloot dat zorgvuldig af. Toen ze om zich heen keek, zag ze dat er ook op de richel flink wat haren lagen.

Weer ging haar telefoon.

Terwijl ze een tweede monster verzamelde, bleef de telefoon overgaan, zo schril en dringend dat ze het niet langer kon negeren. Ze deed de haren in een nieuw zakje en viste het mobieltje uit haar tas. Ze kreeg niet eens tijd om 'Hallo' te zeggen.

'Waar ben je?' vroeg Jane.

'In het tijgerhok, om haren te verzamelen.'

'Is Rhodes bij je?'

'Hij staat buiten te wachten. Wil je hem spreken?'

'Nee. Luister. Je moet bij hem weg zien te komen.'

'Wat? Waarom?'

'Blijf kalm en vriendelijk. Laat hem niet merken dat er iets mis is.'

'Wat is er dan?'

'Ik ben naar je onderweg en heb de rest van het team al gewaarschuwd. We zijn over een paar minuten bij je. Zorg dat je bij Rhodes wegkomt.'

'Jane...'

'Doe wat ik zeg, Maura!'

'Goed. Goed.' Ze haalde diep adem, maar dat hielp niet. Toen ze op het knopje drukte om de verbinding te verbreken, merkte ze dat haar vingers trilden. Ze keek naar het bewijszakje dat ze nog in haar andere hand had. Ze dacht aan Jodi Underwood en de tijgerhaar op haar blauwe badjas. Een haar die de moordenaar met zich had meegebracht. Een moordenaar die met grote katten werkte. Die wist hoe ze jaagden, hoe ze hun prooi doodden.

'Dr. Isles? Is alles in orde?'

Rhodes' stem klonk schrikbarend dichtbij. Hij was zo stilletjes het nachthok binnengekomen dat ze niet had gemerkt dat hij pal achter haar stond. Zo dicht bij haar dat hij het gesprek met Jane had kunnen horen. Zo dicht bij haar dat hij kon zien dat haar vingers trilden toen ze het mobieltje in haar zak liet glijden.

'Ja, hoor.' Ze slaagde erin te glimlachen. 'Ik ben hier klaar.'

Hij keek haar zo indringend aan dat het was alsof zijn blik zich dwars door haar schedel heen in haar hersenen boorde. Ze wilde weg, maar hij stond tussen haar en de uitgang en ze kon niet langs hem heen komen.

'Ik heb voldoende monsters,' zei ze.

'Weet u het zeker?'

'Ja, en nu wil ik graag weer naar buiten.'

Een ogenblik leek hij af te wegen wat hij zou doen. Toen deed hij een stap opzij. Ze glipte langs hem heen, maar hij was zo dicht bij haar blijven staan dat hun schouders elkaar raakten. Ze wist zeker dat hij aan haar kon ruiken hoe bang ze was. Ze keek hem niet aan en durfde niet om te kijken toen ze het hok verliet. Snel liep ze terug over het pad. Haar hart bonkte. Kwam hij achter haar aan? Zou hij haar inhalen?

'Maura!' De stem van Jane, ergens achter de struiken. 'Waar ben je?'

Ze rende in de richting van de stem. Dwars door wat struiken heen holde ze een open terrein op. Daar stonden Jane en Frost, geflankeerd door politieagenten. Ze hieven allemaal tegelijk hun wapens. Maura bleef abrupt staan toen ze plotseling een half dozijn vuurwapens op zich gericht zag.

'Blijf staan, Maura!' beval Jane.

'Waarom?'

'Kom heel langzaam naar me toe. Ga. Niet. Rennen.'

De wapens wezen in haar richting, maar de agenten keken niet naar haar. Ze keken naar iets achter haar. De haartjes in haar nek kwamen overeind.

Ze draaide zich om en zag twee amberkleurige ogen. Een paar seconden staarden zij en de tijger elkaar aan, roofdier en prooi. Toen merkte Maura dat zij niet meer de enige was die tegenover de grote kat stond. Jane was naar voren gekomen en ging tussen haar en de tijger staan.

In de war gebracht door deze nieuwe aanvaller, deed het dier een stap achteruit.

'Doe het, Oberlin!' riep Jane. 'Doe het nu!'

Er klonk een schot. De tijger sidderde toen het verdovingspijltje in zijn schouder drong, maar hij viel niet neer. Hij bleef staan en hield zijn ogen op Jane gericht.

'Nog een!' riep Jane.

'Nee,' zei Oberlin. 'Hij hoeft niet dood. De verdoving begint zo te werken.'

De tijger zakte door zijn poten, maar herstelde zich. Toen begon hij rondjes te lopen alsof hij dronken was.

'Zie je? Het werkt al,' zei Oberlin. 'Over een paar seconden is hij...' Hij zweeg abrupt toen er in het openbare deel van de dierentuin gegil klonk. Mensen renden in paniek alle kanten op.

'De poema!' gilde iemand. 'De poema is los!'

'Jezus. Wat nou weer?' zei Jane.

'Het is Rhodes! Hij laat de grote katten vrij!' riep Maura.

Oberlin herlaadde haastig het verdovingspistool. 'Evacueren! Iedereen naar buiten!' riep hij.

Het publiek had geen aansporing nodig. Als een op hol geslagen kudde renden hysterische ouders en gillende kinderen naar de uitgang. De Bengaalse tijger lag verdoofd op het pad, als een slappe pels, maar waar was de poema?

'Ga naar de uitgang, Maura,' beval Jane.

'En jij dan?'

'Ik blijf bij Oberlin. We moeten de poema zien te vinden. Schiet op!'

Maura voegde zich bij de exodus, maar bleef achteromkijken. Ze herinnerde zich hoe intens de poema tijdens haar vorige bezoek naar haar had gekeken. Misschien had hij haar nu weer in het vizier. Ze struikelde bijna over een peuter die krijsend op de grond lag, tilde hem op en keek om zich heen of ze zijn moeder zag. Een jonge vrouw speurde in paniek de menigte af, met een baby op haar arm en een luiertas over haar schouder.

'Is dit uw zoon?' riep Maura.

'Ja! O god, o god...'

'Ik draag hem wel. Blijf lopen!'

Bij de uitgang was het een gedrang van jewelste omdat iedereen door de draaihekjes moest, tot een employee van de dierentuin het hek openzette en de mensenmassa als een vloedgolf naar het parkeerterrein stroomde. Maura gaf de peuter aan zijn moeder en vatte post bij de draaihekjes om op nieuws van Jane te wachten.

Na een halfuur ging haar telefoon.

'Alles in orde?' vroeg Jane.

'Ik sta buiten. Hoe zit het met de poema?'

'Hij is verdoofd. Oberlin moest tweemaal op hem schieten en ze hebben hem naar zijn hok gebracht. God, wat een fiasco. Rhodes is ontsnapt. In de chaos is hij samen met de bezoekers weggegliptt.'

'Hoe wist je dat hij het was?'

'Veertien jaar geleden studeerde hij aan hetzelfde college als Natalie Toombs. Ik heb nog geen bewijzen, maar ik vermoed dat Natalie een van zijn eerste slachtoffers was. Misschien het allereerste. Jij was de enige die het zag, Maura.'

'Ik zag alleen...'

'De gestalt, zoals jij het noemde. Het hele plaatje. Het patroon van de moorden. Leon Gott. Natalie Toombs. De kampeerders, de jagers. Ik wou dat ik naar je had geluisterd.'

Maura schudde verward haar hoofd. 'Maar de moorden in Botswana dan? Rhodes lijkt helemaal niet op Johnny Posthumus. Hoe zit dat dan?'

'Misschien hebben de twee zaken niets met elkaar te maken.'

'En Millie? Heeft zij hier ook niets mee te maken?'

Ze hoorde Jane zuchten. 'Misschien niet. Misschien had ik het mis.'

34

'Sla de ruit in,' zei Jane tegen Frost.

Brekend glas, rondvliegende scherven, tinkelend op de tegelvloer. Drie seconden later was de deur open en stonden ze met getrokken wapens in de keuken van Alan Rhodes. Jane zag in één oogopslag het vaatwerk op het droogrek, het smetteloze aanrecht en de roestvrijstalen koelkast. Allemaal netjes en schoon. Te schoon.

Zij ging voorop toen ze door de gang naar de woonkamer liepen. Ze keek naar links, naar rechts, zag niemand. Geen enkel teken van leven. Een boekenkast, een bank en een lage tafel. Geen rondslingerende spullen, zelfs geen tijdschrift. Het huis van een vrijgezel met OCD.

Onder aan de trap gluurde ze naar boven. Ze probeerde ondanks het luide bonken van haar hart geluiden op te vangen. Boven was het stil, zo stil als het graf.

Nu ging Frost voorop. Alhoewel het koud was in het huis, drong het angstzweet in Janes bloes. Het gevaarlijkste dier is een dier dat in een hoek is gedrukt, en Rhodes moest inmiddels weten dat zijn spel bijna voorbij was. Boven zagen ze een gang met drie deuren. Jane gluurde om het hoekje van de eerste: een spartaans gemeubileerde slaapkamer, akelig netjes en onpersoonlijk. Woonde hier echt iemand? Behoedzaam liep ze naar de kast. Trok de deur open. Lege hangertjes wiegden aan de stang.

Terug naar de gang, langs de badkamer naar de laatste deur.

Al voordat ze die opendeed, wist ze dat Rhodes hier niet was en dat hij waarschijnlijk nooit zou terugkomen. Ze keek naar de kale muren van zijn slaapkamer. Op het tweepersoonsbed lag een hagelwitte sprei. Het bovenblad van de ladekast was afgestoft en vrij van rommel. Ze dacht aan haar eigen ladekast, die een magneet was voor sleutels en kleingeld, sokken en bh's. Je kon veel over mensen afleiden aan wat er op de ladekast en het aanrecht slingerde, en die van Alan Rhodes wezen op een man zonder identiteit. *Wie ben je?*

Ze keek uit het slaapkamerraam naar de straat, waar al twee patrouilleauto's van het Danvers PD waren gestopt. De wijk lag buiten het rechtsgebied van het Boston PD, maar Frost en zij hadden zo'n haast gehad om Rhodes te pakken, dat ze zich niet de tijd hadden gegund de rechercheurs van Danvers om assistentie te verzoeken, wat ze zouden moeten bekopen met een heleboel administratieve ellende.

'Hier zit een luik,' zei Frost vanuit de kast.

Ze wurmde zich naast hem en keek omhoog. Er hing een stuk touw aan het luik, dat waarschijnlijk toegang gaf tot een vliering. Zo'n vliering waar je dozen neerzette met spullen waar je nooit meer naar omkeek, maar die je toch niet kon weggooien. Frost trok aan het touw. Het luik klapte neer. Een uitschuifbare ladder leidde naar de donkere zolderruimte. Ze keken elkaar nerveus aan. Toen klom Frost naar boven.

'Alles in orde,' riep hij even later vanaf de zolder. 'Niks bijzonders te zien.'

Ze klom achter hem aan door het luik en deed haar zaklantaarn aan. Ze zag een rij kartonnen dozen. Het had haar eigen vliering kunnen zijn, een opslagplaats voor overbodige spullen, voor dozen vol belastingpapieren en bonnetjes waarvan je niet weet of je ze ooit nog nodig zult hebben als de belastinginspecteur bij je aanbelt. Ze maakte er een open en zag bankafschriften en leencontracten. Ze maakte nog een paar dozen open. Tijdschriften: *Biodiversity and Conservation*. Oude lakens en handdoeken. Boeken. Niets waarmee ze Rhodes aan een misdaad konden linken, laat staan aan moord.

Hebben we ons weer vergist?

Ze daalde de ladder af, terug naar de slaapkamer met de kale muren en de smetteloze sprei. Ze hoorde dat er buiten al weer een auto stopte. Toen ze Crowe zag uitstappen en als een trotse pauw naar het huis zag lopen, voelde ze haar bloeddruk stijgen. Even later werd er op de deur gebonsd. Ze ging naar beneden, deed open en zag Crowe naar haar grijnzen.

'Zo, Rizzoli, ik hoor dat de binnenstad van Boston niet groot genoeg voor je is. Dat je bent begonnen met in de buitenwijken ruitjes inslaan.' Hij liep naar binnen en kuierde op zijn gemak naar de zitkamer. 'Wat heb je over Rhodes gevonden?'

'We zijn nog aan het zoeken.'

'En dat terwijl hij geen strafblad heeft. Nooit opgepakt, nooit veroordeeld. Weet je zeker dat je de juiste man hebt?'

'Hij is ervandoor gegaan, Crowe. Hij heeft een tijger en een poema losgelaten om te kunnen vluchten en is verdwenen. Daardoor begint de dood van Debra Lopez steeds minder op een ongeluk te lijken.'

'Een luipaard als moordwapen?' Crowe keek sceptisch. 'En waarom wilde hij de dierenverzorgster vermoorden?'

'Dat weet ik niet.'

'En waarom zou hij Gott hebben vermoord? En Jodi Underwood?'

'Dat weet ik niet.'

'Je weet heel veel niet.'

'Er zijn sporen die hem linken aan de moord op Jodi Underwood. De tijgerhaar op haar badjas. We weten inmiddels ook dat hij aan het Curry College studeerde in het jaar dat Natalie Toombs verdween. Weet je nog dat Natalie met ene Ted zou gaan studeren? Rhodes' tweede voornaam is Theodore. Volgens het cv dat ik in de dierentuin heb gezien, heeft hij een jaar in Tanzanië gewerkt voordat hij is gaan studeren. Misschien heeft hij daar kennisgemaakt met de luipaardensekte.'

'Allemaal indirecte bewijzen.' Crowe maakte een armzwaai door de nette woonkamer. 'En ik zie hier niets wat me doet vermoeden dat hij een luipaardman zou zijn.'

'Misschien zegt dat juist veel. Dat hier zo weinig te zien is. Geen foto's, geen schilderijen, nog geen dvd of cd waaruit valt op te maken waar hij van houdt. De weinige boeken en tijdschriften hebben met zijn werk te maken. Het enige medicijn in zijn badkamer is aspirine. En weet je wat er ook ontbreekt?'

'Nou?'

'Spiegels. Op één kleine scheerspiegel in de badkamer na.'

'Misschien interesseert zijn uiterlijk hem niet. Of wil je nu beweren dat hij een vampier is?'

Toen hij begon te lachen, wendde ze zich af. 'Een blanco vel papier. Daar lijkt dit huis op. Het is net alsof hij het met opzet onpersoonlijk wilde houden. Alsof het alleen maar voor de show is.'

'Of het weerspiegelt gewoon wie hij is. Een saaie piet die niets te verbergen heeft.'

'Er móét hier iets zijn. We hebben het alleen nog niet gevonden.'

'En als je niets vindt?'

Daar weigerde ze over na te denken. Ze wist dat ze gelijk had. Dat móést.

Maar toen de avond viel en het team van de technische recherche het hele huis had uitgekamd, begon de onzekerheid haar op te breken. Ze weigerde te geloven dat ze zich had vergist, maar daar begon het toch sterk op te lijken. Ze hadden zich toegang verschaft tot het huis van een man die geen strafblad had. Ze hadden een ruit ingeslagen, zijn huis ondersteboven gehaald en niets gevonden wat hem in verband bracht met de moorden. Niet eens een stuk nylonkoord. Wél hadden ze de aandacht getrokken van nieuwsgierige buren, en die buren hadden ook al niets negatiefs te zeggen over Alan Rhodes, alhoewel ze toegaven hem niet erg goed te kennen. *Een rustige, beleefde man. Nee, voor zover we weten had hij geen vriendin. Hij hield van tuinieren, kwam vaak met zakken houtsnippers thuis.*

Die laatste opmerking was voor Jane reden om de achtertuin nog een keer te bekijken. Het was een grote tuin, vijfentwintighonderd vierkante meter, die grensde aan een bos dat onder natuurbescherming viel. Ze liet het licht van haar zaklantaarn over het gras en de struiken glijden toen ze tot het eind van het terrein liep, waar een schutting de begrenzing aangaf. Het achterste deel van de tuin was opgehoogd en beplant met rozenstruiken, waarvan de nu kale takken de lucht in staken. Ze bleef er fronsend naar staan kijken. Waarom zou Rhodes hier zo'n heuvel gemaakt hebben? De rest van de tuin was zo vlak dat de heuvel eruit oprees als een vulkaan op een steppe. Ze was zo in gedachten verzonken dat ze pas merkte dat Maura naar haar toe was gekomen toen die met haar zaklantaarn in haar ogen scheen.

'Heb je iets gevonden?' vroeg Maura.

'Geen geraamtes die jij zou kunnen onderzoeken.' Ze keek Maura aan. 'Wat kom je hier doen?'

'Ik kon niet wegblijven.'

'Weet je geen leuker tijdverdrijf?'

'Helaas niet.'

'We hebben niets gevonden,' zei Jane vol afkeer. 'En Crowe blijft me dat onder de neus wrijven.'

'Rhodes is de dader. Daar ben ik heilig van overtuigd.'

'Waar baseer je dat op? Op de gestalt? Daarmee kan ik niet naar de rechter.'

'Rhodes moet begin twintig zijn geweest toen hij Natalie Toombs vermoordde. Misschien heeft hij in Boston geen verdere slachtoffers gemaakt, tot hij Gott vermoordde. De reden waarom niemand het patroon zag, is dat hij zo slim is geweest nooit twee keer op dezelfde plek op jacht te gaan. In plaats daarvan heeft hij zijn werkterrein steeds verlegd. Eerst naar Maine. Toen naar Nevada en Montana. Daardoor viel zijn signatuur niet op.'

'En Leon Gott en Jodi Underwood? Twee roekeloze moorden, gepleegd op dezelfde dag. Binnen een paar kilometer van elkaar.'

'Misschien was dat een haastklus. Of misschien begint hij zijn zelfbeheersing te verliezen.'

'Daarvan is in het huis niets te merken. Ben je binnen geweest? Griezelig netjes allemaal. Geen spoor van het monster te bekennen.'

'Dan heeft hij een andere plek. Een hol, waar dat monster leeft.'

'Dit huis is het enige huis dat op Rhodes' naam staat en we hebben niets incriminerends gevonden, niet eens een stuk nylonkoord.'

Jane schopte gefrustreerd tegen de mulchlaag. Ze fronste toen een van de rozenstruiken daardoor scheef kwam te staan. Ze trok aan de struik en voelde heel weinig weerstand van de wortels. 'Deze struik staat hier nog niet lang.'

'Vreemd, dit heuveltje.' Maura liet het licht van haar zaklantaarn door de vlakke tuin gaan, over het gras, de struiken en het grindpad. 'Zo te zien is er in de rest van de tuin recentelijk niets geplant. Alleen hier.'

Jane staarde naar het heuveltje en kreeg kippenvel toen ze besefte wat dat betekende. *Aarde. Waar is al die aarde vandaan gekomen?* 'Het is hier,' zei ze. 'We staan erbovenop,' zei ze. 'Op het hol van het monster.' Ze liep over het gras, zoekend naar een opening, een naad, de rand van een luik dat toegang gaf tot een ondergrondse ruimte, maar het was te donker. Er zouden dágen mee gemoeid zijn om de hele tuin om te spitten, en stel dat ze niets vonden? Ze wist nu al wat ze dan van Crowe te horen zou krijgen.

'Een bodemradar,' zei Maura. 'Als er onder de grond een holle ruimte is, is een bodemradar de snelste manier om daarachter te komen.'

'Ik zal het de technische recherche vragen. Misschien kunnen ze morgen met zo'n ding hierheen komen.' Jane liep terug naar het huis en was net naar binnen gegaan, toen een pingeltje aangaf dat er een sms was binnengekomen op haar mobiel.

Het was van Gabriel, die in Washington was en morgen pas thuiskwam. *Check je e-mail. Interpol-rapport.*

Ze was zo geconcentreerd bezig geweest met het huis van Rhodes dat ze de hele middag niet haar e-mail had gecheckt. Nu scrolde ze door de inbox tot ze tussen allerlei onbelangrijke en irritante berichten de betreffende mail vond. Hij was drie uur geleden binnengekomen en afkomstig van Henk Andriessen.

Ze kneep haar ogen tot spleetjes toen het schermpje gevuld werd met tekst. Toen ze begon te lezen, sprongen een paar regels eruit. *Geskeletteerd geraamte gevonden aan de rand van Kaapstad. Blanke man, meerdere schedelbreuken. Identificatie via* DNA.

Ze staarde naar de naam van de overledene. Dit kan niet, dacht ze. Dit kan niet juist zijn.

Haar telefoon ging. Het was Gabriel.

'Heb je het gelezen?' vroeg hij.

'Ik begrijp niets van dit rapport. Er moet een vergissing in het spel zijn.'

'Het geraamte is twee jaar geleden gevonden. Het was volledig geskeletteerd, dus kunnen de beenderen er veel langer hebben gelegen. Het heeft lang geduurd voordat ze het op DNA hebben getest en hebben geïdentificeerd, maar er bestaat geen twijfel over wie hij was. Elliot Gott is niet tijdens die safari gestorven, Jane. Hij is vermoord. In Kaapstad.'

35

De politie is niet meer in mij geïnteresseerd. De moordenaar die ze zoeken is niet Johnny, maar ene Alan Rhodes, die zijn hele leven in Boston heeft gewoond. Dat heeft dr. Isles me verteld voordat ze de deur uit ging om rechercheur Rizzoli te gaan assisteren op een plaats delict. Mensen als zij leven in een heel andere wereld, een wereld waar mensen als wij ons niet van bewust zijn tot we er in de krant iets over lezen of het zien op het journaal. Terwijl het gros van de bevolking zijn dagelijkse leventje leidt, is er altijd wel ergens iemand bezig gruwelijke dingen te doen.

En dan gaan Rizzoli en Isles aan de slag.

Ik ben blij dat ik hun wereld kan ontvluchten. Ze wilden iets van me, maar ik heb hun dat niet kunnen geven, dus ga ik morgen naar huis. Terug naar mijn gezin, terug naar Touws Rivier. Terug naar mijn nachtmerries.

Morgenochtend vertrek ik. Ik pak mijn koffer, leg een paar schoenen onderin en vouw de wollen truien op, die ik niet nodig zal hebben als ik in Kaapstad ben geland. Ik mis de heldere kleuren van thuis, de geur van de bloemen. De tijd die ik hier heb doorgebracht was net een winterslaap, dik ingepakt in truien en jassen tegen de kou en de mistroostigheid. Ik leg een broek op de truien. Als ik nog een broek opvouw, springt de grijze kat in mijn koffer. Tot nu toe heeft hij me genegeerd. Nu rolt hij spinnend heen en weer tussen mijn kleren, alsof hij wil dat ik hem meeneem. Ik til hem op en zet hem op de grond, maar hij springt weer in de koffer en begint te miauwen.

'Heb je honger?' Dat zal wel, want Maura is zo overhaast vertrokken dat ze er niet aan heeft gedacht hem eten te geven.

Ik ga naar de keuken. De kat dribbelt met me mee en draait om mijn benen als ik een blikje kattenvoer openmaak en de inhoud in zijn bak doe. Als hij de brokjes kip met saus begint op te likken, merk ik dat ik zelf ook trek heb. Maura heeft gezegd dat ik mocht nemen wat ik wil. Ik zoek in de voorraadkast naar iets wat snel klaar en voedzaam is. Ik zie een pak spaghetti en herinner me dat ik in de koelkast eieren, spek en een stuk Parmezaanse kaas heb gezien. Daarmee kan ik spaghetti carbonara maken. Heel geschikt voor zo'n sombere avond.

Als ik de spaghetti van de plank pak, hoor ik de kat blazen. Door de half geopende deur van de voorraadkamer zie ik hem kijken naar iets wat ik niet kan zien. Hij heeft een hoge rug opgezet en zijn nekharen staan overeind. Ik weet niet waar hij van is geschrokken, maar de haartjes in mijn nek komen ook overeind.

Dan hoor ik glas breken. Scherven kletteren als hagelstenen op de vloer. Eén ervan komt als een glinsterende traan voor de half-open deur van de voorraadkast tot stilstand.

Instinctief doe ik het licht uit. Trillend blijf ik in het donker staan.

De kat laat een ijselijk gemiauw horen en slaat op de vlucht. Ik wil met hem meevluchten, maar nu wordt de achterdeur met een klap opengegooid en knerpt het glas onder zware voetstappen.

Er is iemand in de keuken. Ik zit in de val.

36

Jane werd opeens duizelig. Ze had sinds de lunch niets gegeten of gedronken, was al uren op de been en dit nieuws was zo schokkend dat ze steun moest zoeken tegen de muur. 'Dit rapport kan niet juist zijn,' hield ze vol.

'DNA liegt niet,' zei Gabriel. 'Het DNA van het stoffelijk overschot dat bij Kaapstad is gevonden, komt overeen met het DNA uit de databank van Interpol dat Leon Gott zes jaar geleden heeft afgestaan nadat zijn zoon was verdwenen. De beenderen zijn die van Elliot. En vanwege het letsel aan de schedel staat zijn dood opgetekend als moord.'

'En de beenderen zijn twee jaar geleden gevonden?'

'In een bebost gebied buiten de stad. Het tijdstip van overlijden is niet vast te stellen. Hij kan dus ook zes jaar geleden al vermoord zijn.'

'Maar we weten dat hij toen nog leefde. Millie was toen met hem op safari in Botswana.'

'Ben je daar voor honderd procent zeker van?' vroeg Gabriel bedaard.

Daardoor viel ze stil. *Zijn we er voor honderd procent zeker van dat Millie de waarheid heeft gesproken?* Ze drukte haar hand tegen haar slaap terwijl in haar hoofd gedachten ronddwarrelden als in een wervelwind. Millie kon niet hebben gelogen, want de feiten hadden bevestigd wat ze had verteld. Een piloot had inderdaad zeven toeristen naar een vliegstrip in de delta gebracht, onder wie een passagier die volgens de papieren Elliot Gott heette. Ruim twee weken later was Millie uit de wildernis gekomen met een gruwelijk verhaal over een massamoord die in de bush was gepleegd. De stoffelijke resten van de doden waren door aasdieren verspreid, en van vier slachtoffers was helemaal niets teruggevonden. Van Richard. Van Sylvia. Van Keiko. Van Elliot.

Omdat de ware Elliot Gott al dood was. Vermoord in Kaapstad voordat de safari van start was gegaan.

'Jane?' zei Gabriel.

'Millie heeft niet gelogen. Ze had het alleen mis. Ze dacht dat Johnny de moordenaar was, maar hij was een slachtoffer, net als de rest. Vermoord door de man die Elliots identiteit had gebruikt om de safari te boeken. En die daarna, nadat hij het absolute toppunt van de jacht had beleefd, naar huis is gegaan en weer is geworden wie hij in werkelijkheid was.'

'Alan Rhodes.'

'Aangezien hij onder de naam Elliot Gott reisde, staat nergens dat hij in Botswana is geweest, noch dat hij heeft deelgenomen aan de safari.' Jane keek om zich heen. Naar de kale muren van de woonkamer en de onpersoonlijke boeken. 'Hij is een lege huls, net als zijn huis,' zei ze zachtjes. 'Niemand mag weten wat voor monster hij is, dus wordt hij steeds iemand anders. Door andermans identiteit te stelen.'

'En zo blijft er van hemzelf geen enkel spoor achter.'

'Maar in Botswana heeft hij een fout gemaakt. Een van zijn slachtoffers is ontsnapt, en zij kan hem identificeren...' Jane draaide zich om naar Maura, die net naar binnen was gestapt en haar nu met vragende ogen aankeek. 'Millie is helemaal alleen,' zei Jane tegen haar.

'Ja, ze is bezig haar koffer te pakken.'

'O god. We hebben haar alleen gelaten.'

'Wat maakt het uit? Ze heeft nu toch niets meer met deze zaak te maken?'

'Juist wel. Zij blijkt de sleutel tot de zaak te zijn. Zij is de enige die Alan Rhodes kan identificeren.'

Maura schudde verbijsterd haar hoofd. 'Maar ze heeft Rhodes nooit ontmoet.'

'Jawel. In Afrika.'

37

De voetstappen komen dichterbij. Ik krimp in elkaar achter de deur van de voorraadkast. Mijn hart bonkt. Ik kan niet zien wie het is, ik hoor hem alleen. Hij loopt door de keuken. Opeens herinner ik me dat mijn tas op het aanrecht ligt, en nu hoor ik hem een rits opentrekken. Munten vallen op de vloer. O god, laat het alleen maar een inbreker zijn. Laat hij mijn portemonnee meenemen en weggaan.

Hij heeft blijkbaar gevonden waar hij op uit is, want ik hoor dat hij de portemonnee met een plofje op het aanrecht laat vallen. *Ga alsjeblieft weg. Ga alsjeblieft weg.*

Maar hij gaat niet weg. Hij loopt door. Hij moet langs de voorraadkast om naar de rest van het huis te komen. Ik sta stokstijf in het donker en durf geen adem meer te halen. De deur staat op een kier. Als hij erlangs loopt, vang ik een glimp van zijn rug op en zie ik donker krullend haar, vlezige schouders, een vierkant hoofd. Hij komt me onrustbarend bekend voor, maar het is niet mogelijk. Nee, die man is dood. Zijn beenderen liggen in de Okavangodelta. Dan draait hij zich om en zie ik zijn gezicht. Alles wat ik de afgelopen zes jaar heb geloofd, alles wat ik dacht te weten, komt op zijn kop te staan.

Elliot leeft nog. De arme, stuntelige Elliot, die verliefd was op de blondjes. De man die zich steeds zo onhandig gedroeg en altijd het mikpunt van Richards grappen was. Elliot, die zei dat er een slang in zijn tent was gekropen, een slang die niemand anders had gezien.

Ik denk terug aan de laatste avond dat mijn reisgenoten nog leefden. Ik herinner me duisternis, paniek, geweerschoten. En de laatste kreet van een vrouw: 'O god, hij heeft het geweer!'

Niet Johnny. Het was Johnny helemaal niet.

Hij loopt langs de voorraadkast en dan vervaagt het geluid van zijn voetstappen. Waar is hij? Staat hij ergens buiten mijn gezichtsveld te wachten tot ik tevoorschijn kom? Als ik uit de kast kom en probeer via de achterdeur te vluchten, zal hij me dan zien? Ik kan me niet herinneren hoe de achtertuin eruitziet. Er staat een schutting omheen, maar waar is de poort? Ik weet het niet. Die schutting kan me de das omdoen. Ik kan in die tuin gevangen komen te zitten. Met een moordenaar.

Maar het alternatief is in de kast blijven staan tot hij me ontdekt.

Ik pak een pot van de plank. Frambozenjam. Hij ligt zwaar in mijn hand. Het is niet veel, maar het is beter dan niets. Ik gluur om het hoekje van de deur.

Niemand te zien.

Ik sluip de kast uit, de helder verlichte keuken in, waar ik zo akelig zichtbaar ben. Ik kan in tien stappen bij de achterdeur zijn, maar de vloer is bezaaid met glasscherven.

Dan gaat de telefoon, luid en schril. Ik blijf geschrokken staan. Het antwoordapparaat slaat aan. Ik hoor de stem van Jane Rizzoli: 'Millie, ben je daar? Neem op. Neem op, Millie. Het is belangrijk...'

Ik probeer haar stem te negeren en andere geluiden op te vangen in het huis, maar hoor niets.

Ik moet hier weg!

Doodsbang dat ik mijn aanwezigheid zal verraden, loop ik heel voorzichtig tussen de scherven door. Nog negen stappen tot de deur. Acht. Ik ben halverwege de keuken als de kat naar binnen stuift en over de gladde tegelvloer glijdt, waardoor de scherven alle kanten op vliegen.

Hij hoort het. Dreunende voetstappen keren terug. Ik sta midden in de keuken en kan me nergens verstoppen. Ik ren naar de achterdeur. Ik heb net de deurknop vast als hij me bij mijn trui grijpt en me achteruittrekt.

Ik draai me vliegensvlug om en sla naar hem met de jampot. De zware pot raakt de zijkant van zijn hoofd en breekt. Bloedrode jam druipt over hem heen.

Hij brult van pijn en laat mijn trui los. Een ogenblik ben ik weer vrij. Ik sprint naar de buitendeur. Het lukt me bijna.

Maar dan haalt hij me onderuit. We vallen samen neer tussen de scherven en de jam. De vuilnisemmer valt om. Er rolt van alles uit: schillen, verpakkingen, koffiedik. Ik worstel me op mijn knieën en grabbel wanhopig in het afval.

Dan wordt er een koord rond mijn hals geslagen en strakgetrokken. Mijn hoofd buigt achterover.

Ik grijp naar het koord, maar het zit al te strak, zo strak dat het als een mes in mijn vlees snijdt. Ik hoor hem kreunen van inspanning. Ik krijg het koord niet los. Ik kan niet ademen. Het wordt steeds donkerder. Mijn benen worden slap. Zo zal ik dus sterven, ver van huis. Ver van de mensen van wie ik houd.

Als ik achterover neerzijg, bijt er iets scherps in mijn hand. Mijn vingers sluiten zich rond het voorwerp, al kan ik het nauwelijks voelen omdat mijn handen verdoofd raken. *Violet. Christopher. Ik had nooit bij jullie weg moeten gaan.*

Ik zwaai mijn arm naar achteren, in de richting van zijn gezicht.

Op het moment dat alles donker wordt, hoor ik zijn kreet. Opeens verslapt het koord rond mijn nek. Het wordt weer licht. Hoestend en hijgend laat ik het voorwerp los. Het valt op de vloer. Het is het blikje van het kattenvoer. De rand van het deksel is zo scherp als een scheermes.

Ik hijs mezelf overeind en zie vlak voor me op het aanrecht een messenblok. Hij komt weer op me af. Ik draai me naar hem om. Bloed stroomt uit de wond op zijn voorhoofd, een waterval die in zijn ogen druipt. Hij komt op me af, zijn handen uitgestrekt naar mijn keel. Half verblind door het bloed ziet hij niet wat ik in mijn hand heb. Wat ik schuin omhooghoud als onze lichamen tegen elkaar botsen.

Het vleesmes dringt diep in zijn buik.

De handen die naar mijn keel waren uitgestoken, zakken naar beneden. Hij valt neer op zijn knieën en blijft heel even zo zitten, met open ogen en een verbaasde blik op zijn bebloede gezicht. Dan zakt zijn lichaam opzij. Ik doe mijn ogen dicht als hij neervalt.

Opeens sta ik helemaal te trillen. Ik strompel door het bloed en het glas en val neer op een stoel. Ik laat mijn hoofd tussen mijn handen zakken. Ondanks het suizen van het bloed in mijn oren hoor ik een geluid. Een sirene. Ik heb de kracht niet om mijn hoofd op te heffen. Ik hoor iemand op de voordeur bonzen en stemmen die 'Politie!' roepen, maar ik ben niet in staat me te bewegen. Pas als ik hoor dat ze via de achterdeur binnenkomen en een van hen zich geschrokken een vloek laat ontvallen, kijk ik op.

Er staan twee politiemannen voor me. Ze staren naar het bloedbad in de keuken. 'Bent u Millie?' vraagt een van hen. 'Millie De-Bruin?'

Ik knik.

Hij zegt in zijn walkietalkie: 'Rechercheur Rizzoli, we hebben haar gevonden. Levend en wel. Maar u zult uw ogen niet geloven.'

38

Een dag later werd het hol blootgelegd.
Nadat ze met een bodemradar de ondergrondse ruimte in Alan Rhodes' achtertuin hadden gevonden, waren er slechts een paar minuten aan graafwerk nodig om de ingang te vinden: een houten luik bedekt met een dikke mulchlaag.

Jane daalde als eerste de ladder af naar een kille duisternis die rook naar vochtige aarde. Onderin was een betonnen vloer. Toen ze het licht van haar zaklantaarn liet rondgaan, zag ze de huid van de sneeuwpanter aan de muur hangen. Daarnaast bungelden aan een haak stalen klauwen met vlijmscherpe punten die waren gepoetst tot ze glommen. Ze dacht aan de drie evenwijdige krassen op het lichaam van Leon Gott. Ze dacht aan Natalie Toombs en de drie krassen op haar schedel. Dit was het gereedschap waarmee die krassen in hun vlees en op hun botten waren gemaakt.

'Wat heb je gevonden?' riep Frost.

'De luipaardman,' zei ze zachtjes.

Frost kwam de ladder af en samen lieten ze hun zaklantaarns door de duisternis zwiepen als sabels.

'Jemig,' zei Frost. Hij liet zijn lichtbundel rusten op de wand tegenover hen. Daar hing een prikbord met twee dozijn rijbewijzen en pasfoto's. 'Van mensen uit Nevada. Maine. Montana...'

'Het is zijn trofeeënwand,' zei Jane. Net als Leon Gott en Jerry O'Brien stelde Alan Rhodes zijn buit tentoon, maar aan een wand die alleen voor zijn ogen bestemd was. Jane bescheen een pagina die uit een paspoort was gescheurd: *Millie Jacobson*. De trofee die Rhodes dacht te hebben gewonnen, de prijs die hij te vroeg had geclaimd. Naast de foto van Millie zagen ze de andere gezichten, de andere namen. Isao en Keiko Matsunaga. Richard Renwick. Sylvia Van Ofwegen. Vivian Kruiswyk. Elliot Gott.

En Johnny Posthumus, de gids die had geprobeerd hen allen in leven te houden. In Johnny's openhartige oogopslag zag Jane een man die bereid was te doen wat er gedaan moest worden, zonder angst, zonder aarzelen. Een man die bereid was het tegen elk dier in de wildernis op te nemen. Maar Johnny had niet geweten dat het gevaarlijkste dier dat hij ooit zou tegenkomen, een cliënt was die vriendelijk naar hem glimlachte.

'Hier zit een laptop in,' zei Frost, gebukt over een kartonnen doos. 'Het is een Macbook Air. Zou die van Jodi Underwood zijn?'

'Zet hem eens aan.'

Frost tilde de computer uit de doos en drukte op de startknop. 'De batterij is leeg.'

'Zit er geen kabel bij?'

Hij zocht in de doos. 'Ik zie er geen. Wel glasscherven.'

'Waarvan?'

'Een foto.' Hij haalde een ingelijste foto uit de doos. Het glas was gebroken. Hij hield de foto in het licht van zijn zaklantaarn. Ze zwegen allebei toen tot hen doordrong wat ze zagen en wat het betekende.

Twee mannen stonden naast elkaar, met de zon op hun gezicht, zodat hun gelaatstrekken duidelijk te zien waren. Ze leken zo op elkaar, met hun donkere haar en hun vierkante gezicht, dat ze broers konden zijn. De man links glimlachte in de lens, maar de andere man keek alsof hij verrast was dat iemand een foto van hen nam.

'Wanneer zou deze zijn genomen?' vroeg Frost.

'Zes jaar geleden.'

'Hoe weet je dat?'

'Omdat ik weet waar dit is. Ik ben er geweest. Het is de Tafelberg in Kaapstad.' Ze keek Frost aan. 'Elliot Gott en Alan Rhodes. Ze kenden elkaar.'

39

Rechercheur Rizzoli staat bij dr. Isles op de stoep met een laptop-tas. 'Het laatste stukje van de puzzel, Millie,' zegt ze. 'Dat wil je natuurlijk wel zien.'

Er is bijna een week verstreken sinds ik Alan Rhodes' aanval heb overleefd. Alhoewel het bloed en de scherven zijn opgeruimd en de ruit is vervangen, durf ik nog steeds niet goed naar de keuken te gaan. De herinneringen zijn nog te scherp en de blauwe plekken in mijn hals nog te vers. We gaan daarom naar de woonkamer. Ik neem plaats op de bank tussen Maura en Jane, de twee vrouwen die op het monster hebben gejaagd en hebben geprobeerd mij tegen hem te beschermen. Maar uiteindelijk heb ik mezelf moeten redden. Ik heb twee keer moeten sterven om te kunnen leven.

De grijze kat kruipt op de lage tafel en kijkt met een blik van verontrustende intelligentie toe hoe Jane de laptop opgestart en er een usb-stick insteekt. 'Dit zijn de foto's uit Jodi Underwoods computer,' zegt ze. 'Zij zijn de reden waarom Alan Rhodes haar heeft vermoord. De foto's vertellen een verhaal en hij wist dat niemand ze mocht zien. Leon Gott niet. Interpol niet. En vooral jij niet.'

Op het scherm verschijnen rijen icoontjes. Ze klikt op het eerste. De foto vult het scherm. Ik zie een glimlachende man met donker haar in een spijkerbroek en een fotografenvest, met een rugzak over zijn schouder. Hij staat op een vliegveld in de rij voor de check-in.

Hij heeft een breed voorhoofd en vriendelijke ogen, en straalt de onschuld uit van een lam dat niet weet dat het naar de slachtbank wordt geleid.

'Dit is Elliot Gott,' zegt Rizzoli. 'De echte Elliot Gott. Deze foto is zes jaar geleden genomen, vlak voordat hij uit Boston vertrok.'

Ik bekijk hem aandachtig. De donkere krullen, de vorm van zijn gezicht. 'Hij lijkt precies op...'

'Alan Rhodes. Dat is vermoedelijk de reden waarom Rhodes hem heeft vermoord. Hij heeft iemand gekozen die op hem leek, zodat hij zich voor hem kon uitgeven. Hij gebruikte Gotts naam toen hij Sylvia en Vivian ontmoette in de nachtclub in Kaapstad. Hij gebruikte Elliots paspoort en creditcard om de vlucht naar Botswana te boeken.'

Daar heb ik hem ontmoet. Ik denk aan de dag waarop ik de man die zich Elliot noemde voor het eerst heb gezien. Het was in de terminal van de luchthaven van Maun, waar we met ons zevenen zaten te wachten tot we aan boord konden gaan van het kleine vliegtuig dat ons naar de delta zou brengen. Ik weet nog hoe eng ik het vond om met zo'n klein toestel te vliegen. Hoe Richard zat te klagen dat ik zo weinig avontuurlijk was. Waarom kon ik er niet van genieten, zoals die knappe blonde meisjes die op de bank zaten te giechelen? Van mijn eerste ontmoeting met Elliot herinner ik me vrijwel niets, omdat ik geheel in beslag werd genomen door Richard. Omdat ik bezig was Richard te verliezen. Omdat hij me saai vond. De safari was mijn laatste vertwijfelde poging geweest om te redden wat er tussen ons had bestaan. Daarom besteedde ik geen aandacht aan de verlegen man die bij de blondjes rondhing.

Jane klikt de volgende foto aan. Het is een selfie, genomen aan boord van het vliegtuig. De echte Elliot zit in een stoel aan het gangpad. Hij glimlacht en de vrouwelijke passagier naast hem heft een wijnglas op als in een toost.

'Dit zijn foto's die Elliot vanaf zijn mobiele telefoon naar zijn vriendin Jodi heeft gestuurd. Het is een verslag van wat hij beleefde en wie hij ontmoette,' zegt Jane. 'De bijbehorende tekstberichten hebben we niet, maar de foto's zijn een goede documentatie van zijn reis, want hij heeft er heel veel genomen.' Ze klikt snel door een reeks foto's. De maaltijden die hij in het vliegtuig kreeg. De zonsopgang achter het raampje. Nog een selfie, waarop hij met een domme grijns opzij leunt om de cabine achter hem erop te krijgen. Ditmaal kijk ik niet naar Elliot, maar naar de man in de stoel achter hem, een man die heel duidelijk te zien is.

Alan Rhodes.

'Ze zaten in hetzelfde toestel,' zegt Jane. 'Misschien hebben ze elkaar tijdens die vlucht leren kennen. Misschien al eerder, in Boston. We weten in elk geval dat Elliot tegen de tijd dat hij in Kaapstad aankwam een nieuwe vriend had om mee op te trekken.'

Ze klikt op een ander icoontje. Er verschijnt een nieuwe foto op het scherm. Elliot en Rhodes, samen op de Tafelberg.

'Dit is de laatste foto van Elliot. Jodi Underwood heeft hem laten inlijsten en aan Elliots vader cadeau gedaan. We denken dat deze foto bij Leon thuis aan de muur hing op de dag dat Alan Rhodes de sneeuwpanter daar afleverde. Leon herkende Rhodes van de foto. Hij zal gevraagd hebben waar Rhodes Elliot had leren kennen en hoe het kwam dat ze samen in Kaapstad waren geweest. Later is Leon gaan bellen. Naar Jodi Underwood met het verzoek hem alle foto's van Elliots reis te sturen. Naar Interpol, waar hij Henk Andriessen wilde spreken. Deze foto was de katalysator van alles wat erop is gevolgd. De moord op Leon Gott. De moord op Jodi Underwood. Misschien zelfs de moord op de dierenverzorgster, Debra Lopez, omdat zij mee was naar Gotts huis en het gesprek kan hebben gehoord. Maar degene die Rhodes het meest vreesde, was jij.'

Ik staar naar het computerscherm. 'Omdat ik de enige ben die wist welke van deze twee mannen deelnam aan de safari.'

Jane knikt. 'Hij moest ervoor zorgen dat jij deze foto nooit te zien zou krijgen.'

Opeens kan ik het niet meer verdragen het gezicht van Rhodes te moeten zien. Ik wend me van het scherm af. 'Johnny,' fluister ik. Eén woord maar. Johnny. Een herinnering komt boven, van hem in de zon, zijn blonde haar als de manen van een leeuw. Ik zie hem weer staan, net zo stevig in zijn geboortegrond geplant als een boom. Ik hoor hem weer zeggen dat ik hem moet vertrouwen en dat ik ook moet leren op mezelf te vertrouwen. En ik denk aan hoe hij naar me keek toen we bij het kampvuur zaten en het licht van de vlammen op zijn gezicht danste. Had ik maar gedaan wat mijn hart me ingaf; had ik maar meer vertrouwen gehad in de man in wie ik wilde geloven.

'Nu weet je hoe het zat,' zegt Maura zachtjes.

'Het had allemaal heel anders kunnen aflopen.' Ik knipper met mijn ogen. Een traan glijdt over mijn wang. 'Hij heeft gevochten om ons in leven te houden. En wij hebben ons tegen hem gekeerd.'

'In zekere zin heeft hij jou in leven gehouden, Millie.'

'Hoe?'

'Omdat jij je vanwege Johnny, vanwege je angst voor Johnny, in Touws Rivier hebt verscholen, waar Alan Rhodes je niet kon vinden.' Ze kijkt even naar Jane. 'Tot wij je naar Boston hebben gehaald.'

'We hebben ons vergist,' geeft Jane toe. 'We hadden de verkeerde man op het oog.'

Ik ook. Al die jaren heeft Johnny me in mijn nachtmerries beslopen, terwijl hij niet degene was die ik moest vrezen. De nachtmerries verdwijnen nu; na zes jaar heb ik de afgelopen nacht eindelijk weer rustig geslapen. Het monster is er niet meer en ik ben degene die hem heeft verslagen. Jane Rizzoli had gezegd dat dat de enige manier was om van mijn nachtmerries te worden bevrijd, en ik ben ervan overtuigd dat ze binnenkort helemaal verdwenen zullen zijn.

Ze doet de laptop dicht. 'Morgen kun je naar huis gaan in de wetenschap dat het allemaal echt voorbij is. Ik denk dat je man wel blij zal zijn als je weer thuis bent.'

Ik knik. 'Chris belt wel drie keer per dag. Hij zegt dat het bij ons allemaal op het nieuws is.'

'Je gaat als heldin naar huis, Millie.'

'Dat ik naar huis kan, is mij al goed genoeg.'

'Maar voordat je vertrekt, heb ik iets voor je.' Ze haalt een grote envelop uit de tas van de laptop. 'Henk Andriessen heeft me dit gemaild. Ik heb het voor je afgedrukt.'

Ik maak de envelop open. Er zit een foto in. Ik krijg zo'n brok in mijn keel dat ik geen woord kan uitbrengen. Ik staar naar een foto van Johnny. Hij staat in het hoge gras, met een geweer in zijn hand.

Zijn haar heeft in het zonlicht een gouden tint en zijn ogen lachen. Dit is de Johnny op wie ik verliefd was, de echte Johnny, die tijdelijk was overschaduwd door een monster. Zo moet ik me hem herinneren, in de wildernis waar hij thuis was.

'Het is een van de weinige goede foto's van hem die Henk kon vinden. Een andere safarigids heeft hem ongeveer acht jaar geleden genomen. Ik dacht dat je er wel blij mee zou zijn.'

'Hoe wist je het?'

'Omdat ik begrijp wat een klap het voor je moet zijn geweest toen je ontdekte dat alles wat je over Johnny Posthumus had gedacht, onjuist was. Hij verdient het dat je je hem blijft herinneren als de man die hij was.'

'Ja,' fluister ik terwijl ik het lachende gezicht op de foto streel. 'En dat zal ik doen.'

40

Christopher komt me van het vliegveld halen, samen met Violet, die vast met een grote bos bloemen op me zal staan wachten. We zullen elkaar omhelzen en dan samen naar Touws Rivier rijden, waar vanavond een welkomstfeest voor me wordt gehouden. Chris heeft me dat verteld, omdat hij weet dat ik niet van verrassingen houd en niet dol ben op feestjes. Maar eerlijk gezegd vind ik ook dat het tijd is voor een feest, omdat ik nu weer normaal kan leven. Ik kan me weer onder de mensen begeven.

Ze zeggen dat de halve stad zal uitlopen omdat iedereen vreselijk nieuwsgierig is. Tot ze het hele verhaal op het nieuws zagen, wist niemand iets over mijn verleden, noch waarom ik zo'n kluizenaar was. Ik kon het me niet veroorloven daarover iets los te laten. Nu weet iedereen het en ben ik een beroemdheid: de huismoeder die naar Amerika ging en daar een seriemoordenaar versloeg.

'Het zal een gekkenhuis zijn,' zei Chris tijdens ons laatste telefoongesprek vlak voordat ik aan boord van het vliegtuig stapte. 'Er bellen steeds verslaggevers en mensen van de televisie. Ik heb gezegd dat ze ons met rust moeten laten, maar nu weet je in elk geval wat je te wachten staat.'

Over een halfuur landen we. Nog een halfuur kan ik genieten van mijn eenzame rust. Als we aan de daling naar Kaapstad beginnen, haal ik de foto nog een keer tevoorschijn.

Er zijn zes jaren verstreken sinds ik hem voor het laatst heb gezien. Ik ben elk jaar een jaar ouder geworden, maar Johnny niet. Hij zal altijd zo blijven, lang en blond, in het wuivende gras, met het zonlicht weerspiegeld in zijn glimlach. Ik denk aan hoe mijn leven had kunnen zijn als alles anders was gelopen. Dan waren we nu misschien getrouwd en woonden we zielsgelukkig in een rustiek huisje in de wildernis. Zouden onze kinderen zijn stroblonde haar hebben en blootsvoets rondrennen? Ik zal het nooit weten, want Johnny ligt ergens in de delta, waar zijn beenderen langzaam verpulveren en zijn atomen voor eeuwig zijn verenigd met het land waar hij zo van hield. Het land waartoe hij altijd zal behoren. Het enige wat ik heb, zijn mijn herinneringen, en die zal ik zorgvuldig bewaren. Die zijn van mij alleen.

Het vliegtuig landt en taxiet naar de gate. Ik zie buiten een stralend blauwe hemelkoepel en weet dat de lucht zal geuren naar bloemen en naar de zee. Ik stop de foto van Johnny weer in de envelop en doe die in mijn tas. Uit het zicht, maar nooit vergeten.

Ik sta op. Het is tijd om terug te keren naar mijn gezin.